**Cómo detectar
a un hombre peligroso
antes de que entre en tu vida**

Sandra L. Brown

Cómo detectar
a un hombre peligroso
antes de que entre en tu vida

Ocho tipologías de hombres peligrosos,
estrategias de defensa, señales de alarma
e historias reales de éxitos y de fracasos.

EDICIONES OBELISCO

Si este libro le ha interesado y desea que le mantengamos informado de
nuestras publicaciones, escríbanos indicándonos qué temas son de su interés
(Astrología, Autoayuda, Ciencias Ocultas, Artes Marciales, Naturismo,
Espiritualidad, Tradición...) y gustosamente le complaceremos.

Puede consultar nuestro catálogo en www.edicionesobelisco.com

Colección Psicología
CÓMO DETECTAR A UN HOMBRE PELIGROSO ANTES DE QUE ENTRE EN TU VIDA
Sandra L. Brown

1.ª edición: octubre de 2014

Título original: *How to spot a dangerous man before you get involved*

Traducción: *Miriam De las Heras*
Maquetación: *Natàlia Campillo*
Corrección: *M.ª Ángeles Olivera*
Diseño de cubierta: *Enrique Iborra*

© 2005, Sandra L. Brown
(Reservados todos los derechos)
© 2014, Ediciones Obelisco, S. L.
(Reservados los derechos para la presente edición)

Edita: Ediciones Obelisco, S. L.
Pere IV, 78 (Edif. Pedro IV) 3.ª planta, 5.ª puerta
08005 Barcelona - España
Tel. 93 309 85 25 - Fax 93 309 85 23
E-mail: info@edicionesobelisco.com

ISBN: 978-84-16192-04-5
Depósito Legal: B-19.124-2014

Printed in Spain

Impreso en España en los talleres gráficos de Romanyà/Valls, S. A.
Verdaguer, 1 - 08786 Capellades (Barcelona)

Dedicatoria

A mi marido Ken, cuyos conocimientos sobre los hombres han impulsado el concepto de este libro; a mis valiosas hijas, Lindsay y Lauren, porque todavía sueño con el día en que sus elecciones de pareja y matrimonio estén libres de peligro; a mi madre Joyce; a mi hermana Linda, quien conoce muy bien la cara del peligro; y a todas las mujeres que he conocido en los últimos quince años y que han compartido conmigo sus historias con hombres peligrosos. Ojalá su honestidad recompense todas nuestras vidas con más conocimiento, sabiduría, elecciones y, sobre todo, seguridad.

Prólogo

Nota importante

El material de este libro tiene el objetivo de ayudar a las mujeres para que puedan identificar las relaciones peligrosas y potencialmente peligrosas. Se ha realizado un gran esfuerzo para ofrecer una información precisa y fiable. El contenido de este libro es fruto de la investigación profesional, así como de la consulta con otros profesionales. Sin embargo, la lectora debe ser consciente de que los profesionales en este campo tienen opiniones que en ocasiones resultan divergentes.

Por tanto, la editorial, la autora y los editores, así como los profesionales que se citan en el libro, no pueden ser responsables de cualquier error, omisión, desacuerdo profesional o material fechado. La autora y la editorial no asumen ninguna responsabilidad derivada de aplicar la información que aparece en este libro en un programa de autoayuda o bajo el cuidado de un profesional autorizado. Si tienes alguna pregunta acerca de la aplicación de la información que se describe en este libro, consulta con un terapeuta autorizado. Si estás inmersa en una relación violenta o potencialmente violenta, por favor, ponte en contacto con algún servicio de atención a la violencia de género.

Prólogo

Diana Ross, las Supremes y mi madre estaban en lo cierto: intentar «dar prisa al amor» hace que las mujeres se den cuenta de forma dolorosa de que éste no aparece con facilidad. En *Cómo detectar a un hombre peligroso antes de que entre en tu vida*, Sandra Brown explica por qué esa búsqueda apresurada de una relación está conduciendo a otra generación de mujeres hacia el «baile del victimismo». No es de extrañar que mujeres de todas las edades, culturas, niveles socioeconómicos y educativos «puedan bloquearse después de malas elecciones» y estén listas para aceptar a otro hombre peligroso.

Si deseas información sobre el hombre que «te hizo daño», escucha música blues. En este libro, Sandy va un paso más allá. Muestra a las mujeres cómo reconocer los diferentes tipos de hombres peligrosos, y después les enseña cómo pueden evitar caer en las redes, muchas veces mortales, del engaño. Usando la habilidad que ha perfeccionado en su práctica como terapeuta de víctimas de la violencia, Sandy ofrece simples y contundentes explicaciones que muestran al hombre peligroso como no únicamente el hombre que pega a las mujeres o que gasta su salario en drogas mientras sus hijos pasan hambre. Este libro enseña de manera empática que un hombre peligroso es cualquier individuo que resulte perjudicial

11

para «la salud emocional, física, financiera, sexual o espiritual» de la mujer. Asimismo, ofrece una rápida explicación de lo que los psicoterapeutas conocen acerca de la psicopatología, revelando el peligro como un incesante o, en términos más generales, permanente patrón de comportamientos. Tal vez se trate de una alerta a las mujeres de todas las edades para que aprendan que tienen derecho a evitar comprometer su seguridad y su bienestar mientras malgastan su tiempo intentando cambiar lo que no es posible cambiar en un hombre, incluso con la ayuda de profesionales altamente cualificados.

Las mujeres que sean lo bastante valientes como para asimilar esta información y examinar sus propios patrones de relaciones sentimentales tienen la oportunidad de liberarse y de encontrar una relación satisfactoria y que afirme sus ganas de vivir con un hombre que valore a su compañera. Sandra Brown afirma que hay hombres así. Éstos serán los primeros en aplaudir este libro, ya que no desean que sus madres, hermanas, abuelas, amigas o compañeras de trabajo caigan en las garras de un hombre peligroso.

Sandy ofrece esperanza a las lectoras mostrándoles cómo identificar sus propias señales de alarma y después cómo utilizar estas advertencias para escapar antes de que sea demasiado tarde. Tal y como afirma: «No puedes evitar aquello que no ves». Con suerte, leer este libro conseguirá que el dolor no aumente y evitará que otra mujer pierda su dignidad, su cordura y su dinero, y tal vez su vida a manos de un hombre peligroso.

DOCTORA KATHIE T. ERWIN
Psicóloga Nacional Certificada
Terapeuta en Salud Mental Autorizada en Florida
Terapeuta Nacional Certificada

Prefacio

He observado el tema de los hombres peligrosos desde varios puntos de vista: como mujer, como madre, como terapeuta de algunas mujeres afectadas y como terapeuta de hombres peligrosos. Durante este tiempo, he puesto en común algunos pensamientos de las experiencias iluminadoras que he tenido con las víctimas y los depredadores. *Cómo detectar a un hombre peligroso antes de que entre en tu vida* es el resultado de las preocupaciones sociológicas, las percepciones basadas en experiencias reales, el conocimiento profesional, el miedo parental y las perspectivas feministas que han surgido como consecuencia de mi trato con hombres peligrosos.

He podido conocer a hombres peligrosos gracias a mi profesión. He sido terapeuta durante quince años y he tratado con mujeres que han sido víctimas de crímenes violentos. Estas mujeres han interactuado y tenido relaciones con hombres peligrosos, y en ellas se incluyen agresiones, acoso, violaciones, devastación emocional, ruina económica y secuestro de sus hijos. De sus historias he aprendido lo que han vivido en manos de hombres peligrosos (aunque, trágicamente, algunas de ellas no hayan sobrevivido, ya que algunas fueron asesinadas), y lo que los hombres peligrosos hacen a las mujeres que confían en ellos.

Por otro lado, también he estudiado y tengo una experiencia amplia en el tratamiento de la psicopatología, que consiste en el estudio y el tratamiento de aquellos enfermos mentales permanentes. He tratado a mujeres y a hombres en sesiones privadas, en centros comunitarios de salud mental, en hospitales psiquiátricos, en iglesias y en programas de tratamiento residencial. De los enfermos he aprendido cómo buscan a otras enfermas, qué hacen una vez las tienen en sus redes, el contexto de sus relaciones, cómo sus personalidades están estructuradas en contra del cambio y por qué tienen éxito en lo que hacen. He tratado a hombres que han abusado de otras mujeres, a agresores de violencia de género, a adictos al sexo, a violadores, y a otros que probablemente hicieron mucho más pero que no lo han dicho.

A medida que he ido tratando a las víctimas y a los hombres peligrosos, mis intereses se han ido ampliando al estudio de los niveles más extremos de patología y violencia. He estudiado a asesinos y a violadores en serie. Al mismo tiempo que intentaba entender la psicopatología y el victimismo, empezó a surgir en mi mente un retrato de los hombres peligrosos y de las mujeres que éstos eligen. Como me centré en el tratamiento a las víctimas y en escuchar las historias de hombres peligrosos, empezó a surgir en mi mente una lógica de causa y efecto. Comencé a ver patrones, relaciones y vínculos. Vi quién buscaba a quién y cómo. Y quién respondía a quién y, posiblemente, por qué. Observé cómo las mujeres ignoraban las señales de alarma y se lanzaban de cabeza en su cuarta o quinta relación con un hombre peligroso. Analicé los patrones de selección de estas mujeres y como éstos se solapaban con los de búsqueda de estos hombres. Se trata de una fascinante mezcolanza de victimismo y patología.

Estaba decepcionada tanto con lo que las mujeres aprendían como con lo que no aprendían mientras recibían ayuda en sus relaciones con hombres peligrosos. «La terapia basada en la ayuda y el apoyo» parecía que tan sólo consistía en los mutuos reproches que se hacían la víctima y el terapeuta. Estos mismos terapeutas decían a sus pacientes: «Ponte en contacto conmigo cuando estés dispuesta a dejarle». Los ciclos de selección de hombres peligrosos por parte de estas mujeres mostraban pocos signos de ruptura tras seguir este tipo de intervención. Cuando las mujeres acudían a mí ya habían sufrido muchos años de daños de manos de varios hombres peligrosos, hasta el punto de que incluso afirmaban que simplemente se trataba de «hombres normales». Ellas no eran capaces de reconocer como peligrosos los patrones de sus hombres. Estaban insensibilizadas después de tantos años de elecciones equivocadas.

¿Qué necesitaban escuchar estas mujeres y no les estaban enseñando? ¿Qué faltaba en esta dinámica que podía haber sido la clave para ayudarles a salir de esa relación para siempre? No sólo a abandonar su relación actual con un hombre peligroso, sino también a evitar este tipo de relaciones en un futuro. ¿Qué faltaba en la información que de manera rutinaria se les proporcionaba a estas mujeres?

Empecé a enseñar a las mujeres lo que yo sabía sobre patología. La única cosa que tenía sentido era ayudarles a entender *por qué* esos hombres eran peligrosos y *lo que* nunca cambiaría en ellos a causa de su patología. Las mujeres empezaron a «captarlo», y también comenzaron a detectar a los hombres peligrosos más temprano en sus interacciones con ellos, de manera que finalmente sus vidas estaban más libres de desastres y de peligro.

Mi frustración también me llevó a escribir este libro. Por lo que parece, los programas pasados de moda que estábamos utilizando para llegar a las mujeres no funcionaban. Desde 1970, nosotros, los profesionales, hemos observado cómo algunas mujeres entraban y salían de nuestras consultas una y otra vez para volver a tener relaciones que resultaban mortales. Parecía que las mujeres necesitaban unas herramientas más precisas para identificar a los hombres peligrosos. Es imposible evitar aquello que no se puede ver. Este libro está pensado para que hagas por tu persona lo mismo que mi trabajo hace con mis pacientes. Está diseñado para ayudarte a detectar a los hombres peligrosos. Sin duda alguna, este libro te ayudará tanto a ti como a otras mujeres a que reconozcáis a esos hombres y a que escuchéis vuestras corazonadas, dos habilidades que permitirán tomar las mejores decisiones posibles sobre con quién quedar y tener una relación.

Se han cambiado los nombres y las características que permitirían identificar a las personas que aparecen en este libro con el fin de proteger su identidad.

SANDRA L. BROWN
Enero de 2005

Introducción

En nuestras vidas hay hombres peligrosos. Como mujer, reconozco este hecho como un factor que afecta a todas las mujeres. Pero, como madre, vi un futuro de relaciones para mis propias hijas que estaba lleno de jóvenes peligrosos, y como psicoterapeuta que ha tratado a mujeres víctimas de crímenes violentos, vi a la mujer que continuaba escogiendo a este tipo de hombres. Asimismo, como psicoterapeuta, he visto a estos hombres peligrosos en terapia. Lo que la gente no entiende sobre la patología es lo que hace que tenga el riesgo de escoger a un individuo patológico y casarse con él. Espero que el enfoque de este libro sirva para diferenciarlo de otros libros sobre violencia, relaciones tóxicas y cuestiones de mujeres.

Cada capítulo contiene historias reales de una o más mujeres que tuvieron relación con uno o varios hombres peligrosos. Algunas de estas historias se han extraído de mis sesiones de psicoterapia con mujeres o con hombres peligrosos. Sin embargo, es difícil calcular exactamente a cuántas mujeres representan estas historias. Sé que he escuchado cientos de relatos en mis quince años de profesión. Otras historias de este libro pertenecen a mujeres que he conocido en mi vida personal, personas que se introducían en un ciclo de victimismo con el hombre peligroso con el que habían salido.

Mis amigas también me enviaron a sus amigas, que tenían sus propias historias de relaciones con hombres peligrosos. Algunas de ellas se han incluido en este libro.

Otros relatos, en cambio, proceden de una publicación que colgué en internet en la que solicitaba a las mujeres que me contaran sus historias con hombres peligrosos. He recibido alrededor de quince respuestas de Estados Unidos, Canadá, Inglaterra, Australia, Israel e Indonesia. Algunas de ellas las he incluido.

Todas las mujeres a las cuales entrevisté, cara a cara o a través de internet, tuvieron que contestar preguntas específicas que examinaban sus propios problemas mentales, los mensajes que recibieron de sus familias en su niñez y sus creencias sobre la sociedad, la cultura y las mujeres. Estas cuestiones también versaban sobre el historial de las parejas que habían tenido, y se incluía el total de hombres con los cuales habían salido, cuántos de ellos eran peligrosos, qué categorías de hombres peligrosos habían conocido, por qué habían ignorado las señales de alarma, cuánto les había costado ignorarlos y cuál fue el resultado final.

Siempre, si me es posible, trato de mostrar el perfil demográfico de cada mujer. Es importante que entendamos que los hombres peligrosos acuden a todas nosotras: a mujeres de todas las edades y niveles educativos; a solteras, casadas y divorciadas; a personas de todas las razas y religiones; a mujeres sin hijos y a madres; a la que vive en una ciudad y a la que reside en las afueras; a mujeres de todas las carreras profesionales (incluso a algunas con una formación que implica reconocer, como mínimo, algunos de los síntomas del peligro); a féminas pobres, de clase media y de clase alta; a la virgen y la mujer «en el pozo». Involucrase con hombres peligrosos es una experiencia universal.

Las historias y las estadísticas de las mujeres también me ayudaron a ver sus patrones de selección y a englobar experiencias similares que nos permitan entender las reacciones de las féminas ante los diferentes tipos de hombres peligrosos. No te resultará difícil identificarte con alguna de las historias. Todas tenemos algún momento peligroso en nuestro historial sentimental, así como un futuro que potencialmente puede incluir a un hombre peligroso.

La mejor manera de utilizar un libro como éste es tener la mente abierta y estar dispuesta a evaluar de manera honesta tus anteriores selecciones de pareja.

Nadie quiere sentirse «ingenua» por haber salido o haberse casado con un hombre peligroso. Pero no existe ninguna manera de trabajar en el proceso de reconocer y cambiar tus patrones de pareja si no es con una honestidad total en relación a tu historial personal. Las mujeres que han sido suficientemente valientes como para compartir sus historias contigo quieren que encuentres las similitudes entre estas historias y la tuya. Desean que dejes de buscar pretextos para ver qué te diferencia de ellas y que de esta manera puedas rechazar el hecho de que tú también eres vulnerable. No importa en qué se *diferencia* tu hombre a los que aparecen retratados en estas páginas, pero *hay* que determinar en qué se *parece* a esos hombres.

Éstos son los ojos que queremos que desarrolles, unos que puedan ver posibles similitudes entre tu historia y la de esas mujeres. De este modo, podrás evitar una relación con un hombre peligroso. En vez de buscar maneras para poder decir que tu hombre no se parece a los que se presentan en este libro, ¿qué te parece si por un momento te permites ver *si él es* como ellos? ¿Qué te parece vivir con la incertidumbre que provoca esta pregunta? Vivir con la idea de que en este mismo momento no sepas si es o no un hombre peligroso. No te apresures a decir que definitivamente «no lo es», porque una vez que lo hayas etiquetado como seguro en tu mente, dejarás de buscar más allá algún signo de peligro. Las historias pueden ofrecerte información si te centras en su lectura, del mismo modo que si escuchas a tu yo interior sobre los hombres de tu pasado y los que se encuentran en tu vida actual. Como dijo una mujer que asistió a uno de nuestros talleres: «Yo pensaba que mi marido no era como esos hombres. Estaba allí para conseguir información, pero me llevé toda esta información a casa y fui más consciente. Lo que empecé a sospechar me permitió descubrir que mi marido era pedófilo y que estaba abusando de nuestro hijo. Se lo comuniqué a la policía, algo que nunca hubiera hecho si hubiera rechazado "ver" que se encontraba en una de esas categorías. Chicas, prestad atención».

Con este fin, los capítulos centrales del libro (del 3 al 10) describen a los hombres peligrosos y cómo éstos buscan a mujeres, salen con ellas y contraen matrimonio con ellas. Esos capítulos ofrecen estrategias de defensa para que puedas identificarlos antes de iniciar una relación con ellos. No obstante, en primer lugar, en los capítulos 1 y 2, se establecen las bases para esta identificación. En el capítulo 1, se muestra una definición útil de lo que se quiere decir con el término «hombre peligroso», al mismo tiempo que se realiza un resumen de las diversas categorías de este tipo de hombres. Asimismo, se argumenta cuáles de estos hombres tienen trastornos patológicos clínicos. En el capítulo 2, se muestra que a nivel biológico las mujeres tenemos un sistema de «alerta roja» que nos advierte de peligros de todo tipo, y se argumenta cómo y por qué muchas mujeres permiten que este mecanismo de alarma deje de funcionar.

Los capítulos 11 y 12 se han pensado para debatir las diferentes señales de advertencia que indican una mala elección, así como los límites y las relaciones saludables, y los comportamientos autodestructivos de las mujeres y sus pensamientos. Además, el capítulo 11 contiene un cuestionario: «¿Tengo peligro de salir con más hombres peligrosos?». Rellena este cuestionario y observa si tienes riesgo de repetir elecciones de pareja peligrosas.

El capítulo 13, que es el último del libro, contiene historias de éxito de mujeres y ofrece una visión para el tuyo propio. Puedes tener éxito a la hora de modificar tus elecciones y así, en el futuro, podrás seleccionar a hombres sanos con los cuales tener una relación que resulte enriquecedora. El capítulo muestra cómo han podido hacer esto otras mujeres. Y, por último, al final del libro, la sección «Recursos» sugiere otros libros que puedes leer y páginas web que puedes consultar, así como una relación de fuentes para obtener ayuda. *Si estás inmersa en una relación abusiva o potencialmente abusiva, por favor, emplea uno o más de los recursos que se mencionan en el caso de las víctimas de violencia de género.* Este libro está pensado para que te ayude a reconocer, etiquetar, escoger y cambiar, pero si lo haces o no, es tan sólo tu decisión. Tu habilidad para analizar tu comportamiento determinará de manera decisiva cuántas veces más vas a quedar con chicos peligrosos. Si estás inmersa en una relación peligrosa, tienes que ser consciente de ello. No significa que seas «mala»; sólo que has tomado una decisión peligrosa en el pasado. El hecho de no querer aprender del dolor y de la experiencia resulta del todo improductivo.

¿Quién *quiere* experimentar dolor? Sin embargo, si lo vivimos, también podemos aprender algo de esa experiencia.

Permite que las lecciones que aprendes te sirvan de ayuda, por el hecho de experimentar este dolor, y que de este modo no repitas la misma elección de nuevo. La única diferencia entre una mujer que ha salido sólo con un hombre peligroso y aquella que ha salido con cinco hombres peligrosos reside en que la primera estaba dispuesta a aprender de sus errores inmediatamente. Como terapeuta, me entristece ver a una mujer de cincuenta o sesenta años con una vida que ha consistido en una serie de relaciones con hombres peligrosos. Tal vez fuera una mujer joven que se relacionó con un hombre casado, después estuvo diez años con un adicto, más tarde quince años con un hombre violento, cinco más con un enfermo mental y otros cinco años con un depredador. Ahora, en la madurez, echa la vista atrás en una vida que incluso carece de un momento de felicidad o de serenidad en pareja. Está enfadada porque ha malgastado la única vida que tiene en esperar y desear que aquellos hombres peligrosos cambiaran. Ahora lo sabe: esos hombres nunca cambian. Sólo pueden cambiar las elecciones de ella. Por último, el dolor le ha enseñado, pero le ha costado treinta años prestar la atención necesaria.

Nota sobre el título del libro: aunque el libro habla sobre cómo detectar a un hombre peligroso antes de que entre en tu vida, casi todas las historias del libro versan sobre mujeres que *sí* estuvieron relacionadas con ellos. Además, un vistazo rápido a las listas de comportamientos que deben alertarnos sobre los tipos de hombres peligrosos aclarará que en la mayor parte de los casos tendrás, como mínimo, que entablar varias conversaciones con un hombre para saber si es peligroso o no. Puede que decidas que lo que has aprendido sobre él es preocupante y que ni siquiera contemples la idea de salir con él. Con suerte, mejorarás y serás más rápida identificando a hombres peligrosos, y se reducirá la cantidad de tiempo necesario para reunir la información que precisas. Del mismo modo, mientras haces tus deberes sobre un hombre de manera más rápida, respondiendo a tus señales de alarma y escuchando la información de otras mujeres, aprenderás a realizar un juicio más acertado y rápido, y serás capaz de eliminar de tu vida a los hombres peligrosos.

CAPÍTULO I

Entender la cara del peligro

Hay muchos tipos de hombres peligrosos. Entran con calma en nuestras vidas y, al principio, parecen del todo normales. No hay luces de neón intermitentes. No existe una señal de aviso, como el color de sus ojos o la forma de su cara. La mayor parte del tiempo pasan desapercibidos entre el resto de la sociedad y se muestran como cualquier hombre corriente con el que saldríamos. Esto significa que la detección de estos hombres depende totalmente de nosotras. Pero demasiadas mujeres tienen historias que comienzan con un: «No sabía que era así. No reconocí las señales. Me creí su historia».

Sabemos que las mujeres son maltratadas, acosadas, violadas, objeto de abusos y asesinadas cada día, por lo general a manos de hombres peligrosos. Sabemos que cada día los refugios de protección contra la violencia de género acogen a mujeres que huyen de hombres peligrosos y de comportamientos que no reconocieron como violentos a tiempo. Justo hoy, me han notificado que una de mis pacientes de un centro de violencia de género ha fallecido de manos de su hombre peligroso como consecuencia de un disparo en la cabeza. En todos los estados de América, por ejemplo, muchas mujeres reciben consejos o ayuda a causa de hombres peligrosos, y no simplemente hombres que son violentos. Como este libro mostrará, hay distintos tipos de «peligro».

Pero se debe estar obviando algo, ya que miles de mujeres siguen con hombres que podrían ser clasificados como peligrosos. Debe haber algo en el sistema de detección personal de muchas mujeres que no funciona bien. Nuestro sistema de detección parece que sólo está presente en algunas mujeres. Nos preguntamos de manera incrédula: «¿No sabe que pega a las mujeres?... ¿que tiene problemas con el alcohol?... ¿que tiene un historial criminal?». Parece que somos todo oído, ojos y antenas cuando la vida de otras mujeres está en peligro. Pero cuando se refiere a nuestra propia existencia, nuestros sistemas de alerta parecen sufrir una especie de cortocircuito. Afirmamos que conocemos la verdad sobre lo que ocurre con los hombres peligrosos y las mujeres que se relacionan con ellos, pero seguimos saliendo y casándonos con esos individuos.

Los hombres peligrosos han vivido siempre entre nosotras y siempre lo harán. No es realista esperar «la utopía de la pareja y el matrimonio», donde todas las elecciones son seguras. Por este motivo, depende de nosotras aprender lo que puede protegernos. Es nuestra responsabilidad conocer las señales de los hombres peligrosos y más tarde hacer caso a las mismas. Entender que estos hombres son y actúan como los profesionales es una habilidad vital que nos permitirá mantenerlos alejados o fuera de nuestras vidas. Es imposible evitar aquello que no se ve. Este libro está pensado para ayudarte a ver, y después para permitirte elegir de manera diferente.

Por qué las mujeres escogen a hombres peligrosos

A continuación definiré lo que para mí significa el término *hombre peligroso*. Utilizo el adjetivo *peligroso* para describir a cualquier tipo de hombre que causa a su pareja un daño emocional, físico, sexual, espiritual o económico. El daño que puede ser causado a una mujer por su pareja no se limita al daño físico o sexual. Las mujeres suelen pasar por alto esta verdad sobre los hombres peligrosos. Ellas no entienden, más allá de la violencia, lo que convierte a un hombre en peligroso. Ellos pueden causar daño de un gran número de maneras que debemos reconocer. Esta definición nos proporciona una amplia base sobre la cual examinar a hombres cuya presencia en nuestras vidas nos ha causado o puede causarnos un colapso emocional que puede llevarnos meses o años de recuperación, e incluso peor, su presencia puede costarnos la vida. He dejado abierta la definición a propósito para incluir a hombres que se encuentran en el límite, que viven tan cerca del borde del peligro y la patología que en cualquier momento se pueden convertir en perjudiciales de una o más de las maneras que se han mencionado antes.

Las mujeres quieren saber por qué escogen a hombres así. Durante mi investigación, continuamente me hacían esta pregunta. ¿Es porque no nos gusta la soledad? ¿Es por nuestra costumbre de escoger de manera errónea? ¿Estamos programadas para creer que cualquiera es válido? ¿Nos gusta la emoción de tener una relación con un hombre disfuncional? ¿Los divorcios dolorosos nos exponen a un peligro creciente de escoger a hombres peligrosos? ¿Haber crecido en una familia disfuncional contribuye de alguna manera a que se realicen estas elecciones? ¿Por qué somos una sociedad de mujeres que sale con hombres peligrosos? ¿Por qué los asesinatos de violencia de género contra las mujeres no se reducen de manera significativa? Tal vez, gracias al desarrollo de los programas de intervención contra la violencia y los servicios a mujeres, hayamos aprendido alguna cosa sobre esta lacra.

Todo esto nos lleva a formular las siguientes preguntas: ¿hemos aprendido a reconocer *personalmente* a los hombres peligrosos y cómo estos entran en nuestras vidas? ¿O simplemente buscamos a los hombres peligrosos en la vida de otras mujeres? ¿Entendemos este fenómeno por nosotras mismas, y hemos aplicado los conocimientos para cambiar de manera significativa nuestras vidas?

La repuesta a estas preguntas debe ser «No». La conciencia de que los hombres peligrosos existen parece ser un conocimiento que muchas mujeres no aplican en sus propias vidas. Sin embargo, muchas de nosotras afirmamos que sabemos algo sobre los «chicos malos». Hemos escuchado charlas sobre prevención de violaciones e información relacionada con la seguridad de la mujer. Hemos crecido aprendiendo estrategias de defensa física pero, en apariencia, no sabemos nada de estrategias de defensa emocional.

La conciencia universal de la existencia de hombres peligrosos no ha sido capaz de hacer que las mujeres estén seguras. ¿Se debe a que normalmente la información nos llega de forma suavizada, como advertencias que parecen inocentes sobre «hombres malos» y que proceden de nuestras madres y de personas mayores? ¿Hemos hablado en términos generales y que parecen ficticios, y éstos no han ayudado a las mujeres a sentir, ver y evitar escoger a hombres peligrosos cuando éstos aparecen en nuestras vidas? Sea por las razones que sea, la verdad es que *no* hemos tenido éxito como familias, como movimiento feminista o como una sociedad a la hora de ayudar a las mujeres a definir e identificar, de manera comprensible y fácil, a los hombres peligrosos. Si lo hubiéramos hecho, las mujeres estarían respondiendo a este tipo de hombres de una manera por completo diferente.

Nos resultaría mucho más fácil si pudiéramos definir a un «tipo» de mujer que se siente atraída por los hombres peligrosos. De esa forma, todas las mujeres que encajaran con esa descripción podrían ser identificadas y educadas para que evitaran a esa clase de hombres. Pero responder y seleccionar a hombres peligrosos es una epidemia contagiosa que supera a cualquier grupo estereotipado de mujeres. Diferentes tipos de mujeres escogen a hombres peligrosos. Es cierto que hay ciertas experiencias de la niñez, algunas estructuras familiares y comportamientos, ciertas experiencias de abusos y algunos trastornos que incrementan las posibilidades de que una mujer responda y salga con un hombre peligroso. (Algunos de estos problemas específicos que afectan a mujeres se explican en detalle en el capítulo 2, que versa sobre las señales de alarma, y en los capítulos donde se tratan diversas categorías de hombres peligrosos). Pero, una vez más, debemos entender que *todos los tipos* de mujeres escogen y responden a los hombres peligrosos.

Restar importancia y hacer que parezca glamuroso

Una cuestión que parece afectar a nuestra capacidad de tratar el tema de los hombres peligrosos es un léxico inadecuado. Dependiendo de la zona, les ponemos nombres como «chicos malos», «vaqueros», «gamberros» o «matones» (sobre todo en Estados Unidos).

El «gángster» de 1920 ha evolucionado para dar lugar al «pandillero» del siglo xxi. Hemos renombrado a los hombres peligrosos con expresiones que restan importancia a su comportamiento destructivo, y, a veces, criminal. Decimos: «Es un poco duro», «Ha pasado por momentos difíciles» o «Es muy hombre». Hablamos de manera general para evitar las particularidades de su carácter y centrarnos en otras cosas: quién es su familia, cuáles son sus posesiones, dónde vive o cómo se gana la vida. Evitamos describir y definir las características que le han causado problemas en el pasado y que le convierten en peligroso hoy. Minimizamos la importancia de su pasado, los rasgos negativos de su personalidad o la ausencia de un carácter fuerte. Desestimamos estas cosas como historia pasada que son, como si no tuvieran relevancia para su comportamiento actual y posible en el futuro.

En los hombres solemos ver características peligrosas como si fueran normales. Éste era, de lejos, el mecanismo de defensa más extendido utilizado por las mujeres durante mi investigación. Muchas mujeres que han asistido a mis talleres se lamentaban de que no «les quedaría nadie con quien salir» si se tomaban en serio mis descripciones de hombres peligrosos. Esto implica que muchas mujeres aceptan los comportamientos peligros como un plan de acción normal sobre cómo deberían actuar los hombres. A menudo compruebo cómo algunas mujeres identifican problemas de comportamiento y trastornos mentales en sus compañeros, pero luego se dan la vuelta y se centran sólo en otros aspectos de su relación como, por ejemplo, su «disponibilidad», su «atractivo», su capacidad para «distraerlas», o quizás la ayuda que él les presta. Las mujeres reinventan los problemas de los hombres y los llaman de otra manera.

Pero, ¿por qué? ¿Qué nos ha enseñado la sociedad sobre los hombres peligrosos? La televisión y el cine tratan a los gamberros como opciones aceptables al retratar sus relaciones románticas con chicas y mujeres jóvenes. Las chicas normales aparecen a menudo saliendo con chicos no tan normales, pero que actúan como si lo fueran. Sin lugar a dudas, nuestra cultura no puede diferenciar entre lo peligroso y lo beneficioso. El peligro se ve como la única opción, la más probable, la elección popular para las chicas adolescentes de clase media. Si se muestra a estos «chicos malos» como ricos, sin importar de dónde provengan sus ingresos, se tendrá una imagen incluso más llamativa.

Por supuesto, nada de esto es nuevo. Películas de todas las épocas han tratado el mismo tema: el hombre peligroso consigue a la chica «normal». *Amor sin barreras* retrata a María con un gamberro. *Dirty Dancing* hizo lo mismo en la década de 1980. Humphrey Bogart con mucha frecuencia interpretaba el papel de chico al límite. Durante décadas nos han alimentado con imágenes edulcoradas de hombres peligrosos. En la actualidad, la televisión, las películas y las imágenes de *MTV* son cada vez más frecuentes, más sugestivas y más duras que nunca. Vemos a Britney Spears, en sus comienzos una ratoncita de Disney, arrastrarse por el suelo rodeada de gamberros que la pasean con una correa de perro. Algunos vídeos de Eminem muestran a mujeres jóvenes agarradas de sus brazos mientras él amenaza con matar a gente. En el programa de televisión *Las chicas Gilmore*, los chicos son estudiantes de Yale, pero Rory continúa saliendo con un chico que dejó el colegio y que ronda las calles. ¿Y qué ocurría con Whitney Houston? Fue galardonada con diversos premios, pero fue incapaz de separarse del abusivo y extremadamente peligroso Bobby Brown. O Pamela Anderson, la monada rubia que toleró durante demasiados años los abusos de Tommy Lee. Estas mujeres forman parte de los roles femeninos de nuestra cultura, y el hecho de que ellas terminen con hombres peligrosos hace que ésta sea una opción aceptable para las mujeres. Sabemos que este tipo de publicidad es efectiva. Todo lo que debemos hacer es encender la televisión durante el día y ver a Jerry Springer o Maury Povich representando relaciones patológicas como normales y convirtiéndolas en entretenimiento. ¿Hay alguna duda de que estamos confundidas sobre qué es y quién es peligroso?

Desarrollar nuestro propio lenguaje para lo peligroso

Una razón por la cual una mujer puede salir con cuatro o cinco hombres antes de comenzar a realizar elecciones seguras es que nosotras, como mujeres, no utilizamos nuestro propio lenguaje para definir *peligroso* en términos que podamos entender o hayamos experimentado. Quizás hayamos vivido bajo la definición de lo que es *peligroso* para otra persona, ya sea un hombre, nuestra madre, nuestra cultura o los medios de comunicación. Sea cual sea el origen de nuestra definición sobre lo que hace a un hombre peligroso, por lo general no conseguimos hacer nuestra una definición que nos mantenga seguras. Desarrollar un lenguaje personalizado basado en nuestras propias experiencias es clave para poder cambiar nuestros patrones. Debemos definir lo que es peligroso para poder desafiar nuestras elecciones anteriores.

Puede que nos hayan hablado sobre «hombres malos» a medida que íbamos creciendo, pero para poder permanecer seguras en nuestra vida sentimental debemos desarrollar un «conocimiento» personal que proceda de nuestra historia. Por «historia» me refiero a cómo desarrollamos los rasgos específicos que nos llevan a realizar ciertas elecciones de pareja, el lenguaje que siempre hemos utilizado para definir y describir a los hombres y nuestros patrones de relaciones. Necesitamos reconocer que saber cosas *sobre* hombres peligrosos no es lo mismo que saber cómo detectarlos antes de tener una relación con ellos. Tan sólo examinando nuestro historial detalladamente personalizaremos el concepto de lo que es un hombre peligroso, y quizás utilizaremos la información para que tenga efecto en nuestras elecciones futuras. De este modo, la información que ofrece este libro puede ayudar a que las mujeres cambien sus elecciones de maneras que algunos programas de mujeres y servicios no han podido. Una técnica incluso más inteligente consistiría en poder desarrollar un conocimiento basado en las experiencias de otras mujeres con hombres peligrosos sin tener que vivirla nosotras mismas.

Para este fin, los capítulos 11 y 12 te ayudarán a comparar y contrastar los comportamientos disfuncionales con los sanos. Estos capítulos argumentan la necesidad de establecer unos límites y muestran cómo establecerlos puede, en algunas ocasiones, asegurar una vida de mejores elecciones y más seguras. El capítulo 11 también contiene un cuestionario importante, «¿Tengo peligro de salir con más hombres peligrosos?». Una vez asimiles la información de los diez primeros capítulos del libro, realizar el cuestionario te dirá si tienes un peligro bajo, moderado o alto de continuar con tus patrones de selección de hombres peligrosos. Para finalizar, el capítulo 13 contiene algunas historias exitosas de mujeres que cambiaron sus vidas y que ahora aplican las lecciones que aprendieron de su pasado para evitar relacionarse con hombres peligrosos. Ellas viven una vida feliz y plena. ¡Las historias de estas mujeres son la prueba de que la meta de conseguir relaciones más felices está a nuestro alcance!

Como acompañante a este libro, he escrito un cuaderno de ejercicios diseñado para ayudarte a profundizar en el proceso de identificar y evitar a los hombres peligrosos. Los ejercicios que contiene este cuaderno de ejercicios te servirán como guía para entender tus patrones específicos para seleccionar a los hombres. También te darán la oportunidad de conectar con las señales de alarma que has ignorado en el pasado. La buena noticia es que todavía puedes aprender las lecciones que esas señales de alarma tienen para ti incluso hoy. Para terminar, el cuaderno de ejercicios te guiará a través del proceso de creación de tu propia y personalizada lista de «no salgas con él». Cuando se analiza y se utiliza de manera activa, el pasado es tu mejor profesor. En el futuro podrás comparar y contrastar tus nuevas relaciones con las anteriores. Con ello, esto se convertirá en *tu* lenguaje, que te enseñará a elegir de una manera más inteligente, al basarse en hombres con los cuales *has salido* y de quienes has aprendido.

Categorías de hombres peligrosos

Muchos años de trabajo con hombres peligrosos y con mujeres que han tenido una relación con alguno de ellos me han permitido observar que los hombres peligrosos se pueden clasificar en ciertas categorías. A continuación se mencionan los ocho guaperas que se mueren por conocerte:

1. **El dependiente emocional:** es un hombre que necesita cariño y que actúa como víctima. Ofrecerá a una mujer toda su atención

a cambio de que siempre satisfaga sus necesidades. Por encima de todo teme el rechazo, así que estará celoso de todo el mundo que forme parte de tu vida. Te pide que dejes tu vida exterior y que él se convierta en tu única vida. Convence a las mujeres de que le han hecho daño y que ella le puede curar si se centra sólo en él. Puede que incluso te amenace con autolesionarse o «no recuperarse nunca» si no haces lo que él te pide. Las mujeres tienen la sensación de que estos hombres «les chupan la vida».

2. **El hombre que busca a una madre:** él quiere una madre, no una pareja. Te necesita muchísimo. De hecho, precisa que tú lleves su vida. Le resulta muy difícil hacer cosas de adulto como, por ejemplo, ir a trabajar, tomar decisiones o ser constante. Te alabará, pero sus capacidades productivas son muy escasas.

3. **El hombre emocionalmente inaccesible:** está casado, separado, prometido o bien sale con alguien más. Por lo general se presenta como el tipo de hombre «descontento con» las relaciones o al que «no le van», pero que está más que dispuesto a mantenerte a su lado. Otra clase de hombre emocionalmente inaccesible es el que está ocupado con su carrera profesional, metas educativas, *hobbies* u otros intereses, hasta el punto de evitar tener, alguna vez, un interés verdadero por una relación duradera. Con el emocionalmente inaccesible siempre hay una razón por la cual él no se puede comprometer contigo, pero por lo general siempre estará contento de que lo esperes. Al fin y al cabo, la situación sigue siendo conveniente para él mientras tú estés dispuesta a continuar viéndole o acostándote con él en ocasiones «puntuales», a pesar del hecho de que él no puede o no quiere involucrarse en una relación seria contigo.

4. **El hombre con una doble vida:** no te ha revelado sus otras vidas, que pueden incluir mujeres, hijos, trabajos, adicciones que atentan contra la vida, comportamientos criminales, enfermedades u otras historias. Sólo descubres estas vidas ocultas cuando ya es demasiado tarde en la relación, cuando ya estás en riesgo.

5. **El enfermo mental:** desde fuera puede parecer normal, pero después de salir con él durante un tiempo es obvio que «algo falla». La mayoría de las mujeres no tienen la preparación suficiente para saber qué va mal, pero dependiendo de su diagnóstico puede que sea capaz de convencerte de que te quedes con él y parecer suficientemente sano como para desviar la atención de su enfermedad mental. Puede que él te secuestre a nivel emocional diciendo que «todo el mundo» le abandona, o puede causar tal caos y crear tal inestabilidad en tu vida que no encuentres escapatoria.

6. **El adicto:** la mayoría de las mujeres no reconocen en un principio que tiene un problema de adicción. Algunas mujeres nunca ven tal adicción o la confunden pensando que es «un chico que busca diversión». Esta «diversión» puede incluir sexo, pornografía, drogas, alcohol, comportamientos que busquen el riesgo y las emociones, el juego, la comida o las relaciones sentimentales.

7. **El hombre abusivo o violento:** comienza siendo un hombre muy atento y generoso, pero después aparece el Sr. Hyde, que es controlador, perjudicial, te culpa, te avergüenza y tal vez te pegue. Las mujeres que creen que el abuso sólo aparece en forma de maltrato físico puede que ignoren las señales de peligro de otros tipos de abuso. El abuso puede ser verbal, emocional, espiritual, financiero, físico y sexual, o puede ser abuso del sistema para obtener lo que quiere. (Cada uno de ellos se describe en el capítulo 9). Con un hombre abusivo o violento, todo puede pasar cuando él decide que tiene el control, y siempre lo tendrá. Y los comportamientos abusivos o violentos siempre empeoran con el paso del tiempo. Lo que puede comenzar al principio de la relación como una ocasional manera de llamarte puede en algún momento escalar a una agresión que ponga en peligro tu vida. Los hombres que asesinan a sus parejas no suelen hacerlo en la primera cita. Ocurre cuando una mujer lleva años aguantando una violencia que va a peor. Su imaginación y tu continua presencia dictan lo lejos que irán sus abusos y violencia.

8. **El depredador emocional:** este hombre patológico tiene un sexto sentido sobre las mujeres y sabe cómo jugar con su herida. Aunque sus objetivos puedan ser atacar las vulnerabilidades económicas o sexuales de una mujer (por nombrar algunas), es denominado depredador «emocional» porque caza a sus víctimas buscando sus debilidades. Puede reconocer a las mujeres que acaban de ser abandonadas por su pareja, que están solas o que están necesitadas emocional o sexualmente. Él es un camaleón y puede ser todo lo que una mujer precise que sea. Conoce muy bien el lenguaje corporal y visual femenino, así como los mensajes sutiles que hay detrás de sus palabras. Puede captar pistas sobre la vida de una mujer y convertirse en lo que ella necesite en ese momento. Estos hombres pueden llegar a ser letales.

Existe también un tipo de hombre al cual me refiero como **el hombre «paquete combo».** Se trata de cualquier tipo de hombre que cumple con los requisitos de más de una de las categorías antes mencionadas. Por ejemplo, un adicto puede ser violento, o un hombre con una doble vida puede ser un adicto. Los adictos son casi siempre emocionalmente inaccesibles. Los dependientes emocionales o los que buscan una madre han tenido problemas mentales. Los depredadores emocionales siempre tienen una doble vida porque esconder lo que hacen es parte de la diversión. Hay muchas combinaciones posibles, y algunas son bastante predecibles. Las mujeres deben entender que si un hombre encaja en más de una categoría, entonces hay más peligro. Cada categoría incluye sus propios obstáculos y síntomas que hacen que ese hombre sea una elección errónea. Pero añade otra categoría, otro obstáculo y otra lista de síntomas y tendrás a un hombre que tal vez nunca vaya a recuperarse. No podrá llegar muy lejos en la vida.

Conclusión: si después de leer la lista anterior, reconoces a tu hombre en una o más de una categoría, ésa es una señal de alarma. (Hablo mucho sobre señales de alarma en este libro, empezando en el capítulo siguiente). Debes saber que cualquiera que encaje en está lista casi con seguridad terminará haciéndote daño de un modo u otro.

Unas palabras sobre patología
y trastornos de la personalidad

En todo el libro utilizo el término *peligroso*, que puede ser sustituido por *patológico* y *trastornado mental*. A continuación explicaré por qué. Como psicoterapeuta durante 15 años, he pasado mucho tiempo cara a cara con gente que sufría graves trastornos. Es así como primero comencé a entender el campo conocido como «patología». No empecé mi carrera profesional para ser una «patóloga». Ni siquiera era un concepto en el que creyera. Procedía de la rama optimista de la psicología y de las creencias espirituales que valoraban la «autoayuda» y la capacidad de «trasformar tu propia vida a través del crecimiento y el conocimiento». Y ahí me encontraba, año tras año, mirando fijamente las caras de los individuos que eran muy peligrosos y patológicos, y también el rostro de gente que continuaba escogiéndolos para salir o como parejas para contraer matrimonio una y otra vez. En esas caras había una lección que debía aprender sobre la psicopatología.

Muchas relaciones peligrosas podrían dejar de existir si las mujeres supieran en realidad qué es la patología. Probablemente, el hecho más importante que haya que aprender desde la perspectiva de las mujeres que están en riesgo de seleccionar a hombres patológicos como parejas es que los individuos que son patológicos, lo que también incluye a gente que tiene un trastorno de la personalidad de cualquier tipo, por lo general no pueden recuperarse. La mayoría de los expertos están de acuerdo en que es poco el cambio permanente que suele producirse en estos individuos para hacerles «menos patológicos». Para nuestro objetivo, ésta es una de las definiciones prácticas del término *patología*. Hay algunas cosas sobre ciertas personas que están tan fijadas en sus psiques, características marcadas genética o biológicamente, que a cualquier efecto práctico son «irrecuperables». Están tan «torcidas» en una dirección incorrecta que ningún tipo de terapia, medicación o amor puede modificarlas nunca. Para ayudarte a entender lo que significa en términos prácticos, te apremio a que comprendas que si a tu hombre le han diagnosticado algo llamado «trastorno de la personalidad» debes pensar en ello o referirte a ello como un «trastorno permanente». La única diferencia entre los hombres peligrosos es que cada uno

34

hiere a las mujeres de maneras que son el reflejo de su patología y sus trastornos específicos. Lo que convierte a un hombre en peligroso es el hecho de que es patológico e incurable. ¿Y qué puede ser más peligroso que una persona que no puede recuperarse?

He incluido esta discusión sobre patología por un par de razones importantes. En primer lugar, la mayor parte de las mujeres no tiene la oportunidad de aprender lo que es la patología. No saben cuáles son las señales y los síntomas de los hombres patológicos. Estas mujeres permanecen a oscuras en lo que se refiere a cómo es la patología, y no son conscientes de los resultados seguros al salir con alguien con esta enfermedad. Asumen que un individuo con una patología clínica mostrará signos «evidentes» de enfermedad mental o peligro que serán visibles para cualquier persona. Pero, por lo general, la patología no es tan clara, ni tan siquiera para el terapeuta.

En segundo lugar, muchas mujeres que saben lo que es la patología parecen creer que ellas y su hombre son la excepción que confirma la regla. Esta creencia se manifiesta en sus empeños por intentar cambiar al hombre peligroso o algún aspecto de él. Deciden no aceptar años de investigación psicológica. No quieren entender que su hombre tiene un trastorno relacionado con la estructura de su personalidad y que no puede ser eliminado. Como el hombre patológico nunca cambiará, el siguiente paso de la mujer es intentar cambiar ella misma para que la relación patológica sea más fácil de llevar. El desastre es el único resultado cuando una mujer se conforma con una relación patológica y anormal. A medida que leas este libro, recuerda que tienes la opción de creer en esto y actuar en concordancia con lo que los profesionales ya han aprendido sobre patología y con lo que te están advirtiendo.

«¡Pero mi hombre no es patológico!»

Antes de que decidas convencerte de que no estás saliendo con un hombre que podría ser considerado clínicamente patológico y que, por tanto, estás libre de peligro, es importante que recuerdes que muchos individuos patológicos están en las fases tempranas y formativas de sus carreras como hombres peligrosos. Una falsificación, un par de multas por conducción temeraria o un allanamiento de morada podrían estar preparando el terreno para la carrera de un criminal emergente. También es importante recordar que los individuos que tienen síntomas de varios trastornos de la personalidad (los cuales se explicarán a continuación) ocupan todos los ámbitos de la vida. Los que son muy productivos y tienen coeficientes intelectuales altos por lo general terminan como ejecutivos en empresas, médicos o abogados que perpetran los también llamados crímenes de guante blanco, como fraude, extorsión, desfalco o mala conducta financiera al estilo de la compañía Enron. Los que rinden poco normalmente suelen terminar como criminales que cometen crímenes menos imaginativos. Los peores, ya sean productivos, de guante blanco o «criminales comunes» poco productivos, son capaces de cometer robo, fraude criminal, asalto, violación, pedofilia y homicidio. En lo que se refiere a individuos patológicos, predecir los resultados es muy difícil; además, por lo general no encajan con nuestras imágenes mentales de alguien que es «patológico». Sé consciente de la posibilidad de que en este momento de tu vida puede que no tengas la información que necesitas para determinar de manera inmediata quién es patológico y quién no lo es. Si la tuvieras, tal vez no habrías escogido este libro o no tendrías relaciones con un hombre peligroso. Hay algo que todavía puedes aprender, y este libro puede resultar de ayuda.

Ted Bundy, uno de los asesinos y violadores en serie más famosos de Estados Unidos, tenía un aspecto juvenil, un CI alto y formas inteligentes de atraer a las mujeres. También tenía un trastorno antisocial de la personalidad. Estudió psicología y derecho en la universidad. Fue voluntario en una línea de la esperanza, trabajó en la campaña política de un gobernador, e incluso salvó a un niño de morir ahogado. Además de ser muy atractivo, tenía una gran capacidad de diálogo, lo cual es una de las primeras formas de medir la inteligencia en nuestra sociedad. Los comienzos de su carrera criminal consistieron en pequeños hurtos y rifirrafes con la ley. Finalmente, a comienzos y mediados de la década de 1970, asesinó a treinta y seis mujeres en varios estados de Estados Unidos.

Ted Bundy ilustra el hecho de que los individuos patológicos proceden de todo tipo de ambientes y por lo general cumplen con las normas de la sociedad. Es una equivocación pensar que los hombres antisociales o con otras patologías son siempre la escoria de la sociedad. Muchos de ellos tienen un CI más alto de lo normal. La inteligencia de Bundy le ayudó a evitar la prisión en dos ocasiones. Una vez más, antes de que digas: «Los peores hombres que me atraen están casados, y aquí ella está hablando de Ted Bundy. Supongo que esta discusión no tiene nada que ver conmigo» sé consciente de dos cosas: 1) Bundy tuvo dos novias normales y muy productivas (la una desconocía la existencia de la otra), ninguna de las cuales tenía ni idea de que él se convertiría en un asesino en serie, y 2) si crees que la peor elección que has realizado ha sido escoger a un hombre casado, recuerda que no sabes qué *más* puede ser además de estar casado. Descartar las fechorías insignificantes de alguien puede ser un error muy grave. CrimeLibrary.com dice sobre Ted Bundy: «Su naturaleza psicopática estaba siendo revelada, pero la mayoría de la gente que fue testigo de ello no se dio cuenta de lo que estaba experimentando». No se dieron cuenta porque ellos no hicieron caso de sus pequeños actos criminales y no vieron en lo que se estaba convirtiendo.

Algunas mujeres quieren analizar los pequeños detalles y ver si un hombre es «peligroso» pero no totalmente «patológico». Permíteme ponértelo fácil. Si se encuentra en mi libro, puede ser definido como patológico y, por tanto, incurable, o sus comportamientos pueden encontrarse muy cerca de lo patológico. Por tanto, a todos los efectos prácticos, su peligrosidad se asemeja a la patología en su estado más avanzado. Yo empleo las palabras *peligroso* y *patológico* como sinónimos porque están muy ligadas. No busques una excusa para que puedas quedarte con este hombre. Si se menciona en este libro, es peligroso y quizás patológico. Y cualquier persona que es patológica es más que probable que nunca cambie.

¿Qué causa la patología?

Junto con querer saber por qué las mujeres escogen a hombres peligrosos o patológicos, ésta es la otra pregunta sobre la cual cualquier mujer que ha salido o querido a un hombre así ha deseado saber la respuesta. Y, como patólogos, nosotros también. Las teorías son diversas. Mi estudio de asesinos en serie y violadores ha revelado factores comunes que afectaron a su desarrollo emocional temprano: severos abusos infantiles (a menudo sexuales); terrible abandono; o padres y otros miembros de la familia con adicciones crónicas, enfermedades mentales o patrones de un estilo de vida caótico. Algunos sufrieron traumas debido a contusiones en la cabeza. (No obstante, como un ejemplo de lo confusa que puede llegar a ser la patología, Ted Bundy no afirmó haber recibido maltrato físico o sexual en su niñez, trauma cerebral o cualquier otra causa que justificara su patología).

Otros patólogos consideran que el cerebro del individuo patológico sufre una deficiencia biológica o química. Muchos estudios sobre el funcionamiento del cerebro en esta población han llevado a algunos expertos a concluir que estas personas están, en efecto, «cableadas de manera diferente» al resto de la población. Los especialistas en traumas se centran en sucesos de la niñez, como abusos o abandono, que dieron forma al desarrollo temprano. Los neuropsiquiatras se fijan en los traumas del cerebro y las deficiencias neurológicas que afectan a la regulación emocional y provocan una rabia desenfrenada y una falta de conciencia. Otros especialistas miran el aprendizaje social: cómo el individuo «aprendió» su comportamiento patológico mediante patrones familiares y roles disfuncionales.

He llegado a creer algunos de los aspectos de todas estas teorías, dependiendo del historial personal del individuo. *Pero lo más importante que he aprendido es que el «porqué» de su enfermedad reviste menos importancia para ti que el hecho de saber qué vas a hacer con tu situación.* La razón por la cual él tiene una historia triste sobre un trastorno crónico o imparable no es la pregunta que te mantendrá segura. Nunca cambiarás los hechos sobre cómo adquirió su trastorno. Nunca cambiarás su fisiología o su mal funcionamiento. Nunca podrás hacer que esté seguro con tu amor, sanidad o santidad. La única cosa que debe preocuparte es decidir qué hacer cuando te encuentres con un hombre del que has averiguado que es peligroso o patológico.

Con el fin de aportar cierta luz en el lenguaje y el criterio de diagnóstico utilizado por los profesionales para definir la patología, he incluido un apéndice al final del libro que describe la mayoría de las patologías o trastornos de la personalidad clínicamente reconocidos. Asimismo, el apéndice menciona y describe otros tipos de trastornos mentales que pueden ser observados en los hombres peligrosos.

He incluido esta definición con un aviso: no te obsesiones demasiado por intentar diagnosticar a tu hombre. Como he afirmado antes, averiguar qué diagnóstico clínico encaja con él es menos importante que decidir lo que vas a hacer con tu vida. Mi propósito al incluir esta información es clarificar los siguientes puntos. En primer lugar, cada una de estas alteraciones patológicas conduce al mismo resultado: muy poca posibilidad de cambio en su esencia interior o nivel de peligrosidad. Y, en segundo lugar, y repitiendo un argumento ya mencionado, si pertenece a uno (o más) de los ocho tipos de hombres peligrosos, entonces es patológico o peligroso.

El hecho de que estas disfunciones sean conocidas como «trastornos de la personalidad» es muy importante. Se las denomina así porque la personalidad fue forzada a desarrollarse alrededor de déficits emocionales o ambientales. Otra manera de verlo es que a causa de los déficits, la personalidad no consiguió desarrollarse. Si has completado tu niñez, tu personalidad ya se ha desarrollado, para bien o para mal. No existe ninguna vuelta atrás o manera de cambiar cómo se desarrolló o cómo no se desarrolló. Las áreas que no lograron desarrollarse en la niñez provocan una patología.

La mayoría de las ocho categorías de hombres peligrosos incluyen a aquellos que podrían ser diagnosticados como patológicos. En parte, los considero peligrosos porque tienen trastornos de la personalidad. Algunas mujeres han intentado convencerme de que los hombres peligrosos, adictos y emocionalmente inaccesibles son, de hecho, peligrosos pero no necesariamente patológicos. La verdad es que en muchos casos son las dos cosas. Sin embargo, si piensas que él es sólo peligroso en vez de patológico, debo preguntar por qué aun así considerarías salir con un hombre «tan sólo peligroso».

La línea que separa lo «peligroso» de lo «patológico» es muy estrecha. En algunos casos, las dos se funden. Por ejemplo, el hombre violento casi siempre tiene un trastorno patológico que no ha sido diagnosticado, o su violencia a menudo es alimentada por las drogas y el alcohol. Los adictos son conocidos por tener tipos específicos de trastornos de la personalidad que se observan con mayor frecuencia en ellos que en el resto de la población. Además, las enfermedades mentales son más evidentes en número en los adictos que en la población normal. ¿Y qué ocurre con el pobre e incomprendido hombre casado? ¿Qué podría haber de patológico en él? ¡Cualquier cosa! Simplemente porque alguien escoja casarse con él no significa que no sea patológico. Individuos con ciertos trastornos de la personalidad son más propensos a comportamientos violentos durante el sexo que otras poblaciones. Recuerda que Ted Bundy tuvo dos novias «normales» en la fase temprana de su carrera criminal. Sólo porque tú seas normal y le hayas seleccionado a él no significa que él también lo sea.

Aquí tienes otra manera de observar la patología y los trastornos de la personalidad. Indican que una persona es «demasiado» cualquier cosa. Esto significa que él está desequilibrado en términos relacionados con su personalidad o su comportamiento. Por ejemplo, un trastorno límite de la personalidad indica demasiada emocionalidad, relaciones inestables y rabia. Un trastorno de la personalidad antisocial indica un exceso de falta de conciencia, un comportamiento demasiado temerario, demasiada inestabilidad. Un trastorno de la personalidad narcisista indica un exceso de atención en sí mismo y demasiado interés en sus propias capacidades. La patología, como muy pronto aprenderás, ¡significa demasiadas cosas!

Qué puedes esperar de un hombre patológico

Salir con un hombre patológico significa lo siguiente:
- La patología normalmente implica algún tipo de trastorno de la personalidad, diagnosticado o no.
- La patología es para siempre. Él no va a cambiar. Todo en él está vinculado en contra del cambio.
- Los síntomas patológicos por lo general suelen aumentar con el tiempo y la edad.

- La patología implica muy poca habilidad para tener conciencia del propio problema.
- La patología normalmente implica no seguir con la medicación o la terapia.
- La patología por lo general resulta en un bajo rendimiento en diferentes ámbitos de la vida (dependiendo del diagnóstico).
- La patología da lugar a relaciones interpersonales disfuncionales.
- La patología normalmente significa una incapacidad para experimentar auténtica intimidad emocional contigo o con cualquier otra persona.
- Algunos diagnósticos patológicos pueden poner en peligro a tus hijos o a ti misma.
- Algunos diagnósticos patológicos van de la mano de adicciones severas a largo plazo.
- Algunos hombres patológicos son o pueden ser violentos.

No puedo recalcar lo siguiente lo suficiente: tu experiencia con un hombre patológico *no* será la excepción que confirme la regla. Un trastorno de la personalidad es una garantía real contra cualquier posibilidad de cambio a largo plazo en el ser interior del individuo. Los hombres patológicamente enfermos nunca serán capaces de tener responsabilidades y de superar los retos de la vida real que cualquier hombre normal sería capaz de superar.

Patológico en comparación con trastornos crónicos

Como hemos visto, algunas mujeres tienen la tendencia de considerar a los hombres como «peligrosos» sólo si son violentos, o si son enfermos patológicos, o si tienen un trastorno de la personalidad. Ésas son las descripciones de hombres que para las mujeres son más amenazadoras. Aun así, los hombres que tienen algún otro tipo de enfermedad mental también pueden causar mucho daño a la salud emocional de una mujer. Los hombres que sufren lo que se conoce como trastornos mentales «crónicos» no son patológicos, pero por lo general también son peligrosos.

Los trastornos crónicos son problemas mentales para los cuales están disponibles algunas opciones limitadas de tratamiento. Advierte que se trata de tratamientos, *no* de curas. Algunas formas de tratamiento pueden ayudar al paciente a sobrellevar los síntomas y a mejorar su calidad de vida. Pero él posiblemente tenga el trastorno de por vida. Tales trastornos son etiquetados como «crónicos» en oposición a «patológico» porque no formaron parte del desarrollo de la personalidad del individuo. Esto es lo que separa a un trastorno crónico de uno patológico. La mayoría de los trastornos crónicos ocurren *después* del desarrollo de la infancia del paciente.

Cualquier trastorno crónico implica:
- El individuo casi con seguridad *siempre* tendrá el trastorno.
- Casi seguro que siempre necesitará medicación.
- El trastorno puede (y casi siempre lo hace) empeorar a medida que pasa el tiempo o con el estrés.

Los trastornos crónicos incluyen los siguientes:
- Trastorno límite de la personalidad (antes denominado maníaco-depresivo).
- Trastorno de estrés postraumático.
- Depresión mayor.
- Esquizofrenia u otro tipo de trastorno ilusorio.
- Trastorno obsesivo-compulsivo (*véase* el apéndice para la descripción de estas enfermedades).

Además de describirse en el apéndice, algunos de estos trastornos comentados en este capítulo serán tratados en detalle en los capítulos posteriores, en especial en aquellos sobre enfermedades mentales y sobre el depredador emocional. Advierte que los trastornos comentados aquí *no* representan cada diagnóstico que podría ser peligroso en una relación. Recomiendo que hables con un profesional de la salud mental para más información sobre otros trastornos que son potencialmente perturbadores y peligrosos en las relaciones.

❤

Como se ha comentado antes, existen muchas maneras de ser peligroso. Recuerda que un hombre peligroso es cualquier individuo que dañe la salud emocional, física, sexual, espiritual y económica de su pareja. Éstas son las cuestiones que una mujer debe, ante todo, tener en mente cuando conoce a un hombre y cuando considera con quién salir. Asimismo, ten en cuenta que los hombres peligrosos, incluso aquellos que técnicamente no son calificados como patológicos, son similares entre ellos en su habilidad para causar gran daño. Sus estrategias y sus características no varían mucho, ya que todas están basadas en comportamientos peligrosos. Usar este libro para averiguar cómo se comportan los «hombres tóxicos» te ayudará en cualquier relación. Además, todas las mujeres necesitan saber los signos y los síntomas de los hombres peligrosos para ser capaces de educar a otras mujeres sobre ellos. De los capítulos 3 al 10 y también en el 11, «Señales de una mala elección de pareja», se incluyen más datos específicos sobre qué buscar.

Mientras tanto, confía en el hecho de que hay una razón por la cual escogiste este libro. Algo en el título te llevó a explorar cómo y por qué has elegido, salido o te has casado con hombres peligrosos en el pasado. Algo dentro de ti deseó que escogieras un camino más sano. Tu parte más intuitiva está buscando una respuesta. En el siguiente capítulo serás recompensada en tu búsqueda aprendiendo cómo hacer caso a tus señales de alarma. Con ello, tendrás más posibilidades de permanecer segura.

¿Qué debes hacer si ya estás inmersa en una relación con un hombre peligroso?

Quizás escogiste este libro porque ya estés inmersa en una relación con un hombre del cual sospechas o sabes que es peligroso. Permíteme recordarte otra vez que si ves su descripción en este libro, él reúne el criterio de peligroso. Este libro no versa sobre chicos que son un poco peligrosos. Si se encuentra aquí, debes preocuparte por tu seguridad, tu futuro y tus elecciones. Peligroso no sólo significa violento. Quiero recordarte de nuevo que hay muchas formas de ser dañada por el peligro.

Las mujeres que por norma escogen a hombres peligrosos suelen ser personas que buscan una excusa para justificar el hecho de estar con un hombre peligroso. Hasta esta página, probablemente hayas intentado buscar una razón por la cual este libro *no* trata sobre tu relación. «Él no es *exactamente* así», «nadie es perfecto, quiero decir, yo también tengo mis cosas», «Él no es *siempre* así, sólo a veces». Con independencia de las razones que hayas buscado para ser capaz de estar con él o justificar que no es peligroso, ahora es el momento de empezar a pensar en el problema. Quizás estés pensando: «¡Pero he estado con él durante quince años!». Si es así, me gustaría preguntarte lo siguiente:

- ¿Cuántos años *más* piensas invertir, ahora que ya sabes que es incurable?
- ¿Qué es lo que estás invirtiendo?
- ¿Cómo serán los siguientes quince años?
- ¿Cómo *serás* entonces?
- ¿Por qué quieres a un hombre peligroso?

Éstas son las preguntas importantes que debes hacerte a ti misma. Las respuestas honestas pueden ayudarte a señalar el camino de tus elecciones en el futuro. Examinar tales decisiones normalmente conlleva el conocimiento de un profesional. Te recomiendo que contactes con los servicios sociales del lugar donde residas. Quizás un terapeuta de salud mental, un terapeuta en un centro de violencia de género, o un profesional de los servicios sociales pueda ayudarte con tu situación y tu propio patrón de comportamiento.

Si llegas a la conclusión de que vas a terminar con la relación, hay profesionales que pueden aconsejarte sobre consideraciones seguras, casas de protección (si es necesario), más terapia y cuestiones legales. Dejar a alguien que es patológico no es algo que debas hacer tú sola. Necesitas orientación, ayuda y alguien que supervise tu seguridad.

No todos los hombres son peligrosos

Las lectoras tal vez se pregunten lo siguiente: «¿Hay algún hombre en el planeta que no sea peligroso?». Sí, lo hay, ¡si tú lo eres! Y serás capaz de relacionarte con ellos si estás dispuesta a identificar y eliminar de tu vida a todos los hombres que no son beneficiosos, para tener tiempo, energía y salud emocional para poder centrarte en los sanos. El principal propósito de *Cómo detectar a un hombre peligroso antes de que entre en tu vida* es ayudarte a liberar tus recursos emocionales para que puedas saber lo que es peligroso y puedas empezar a centrarte en elecciones más saludables. Ésta es la buena noticia. Este libro puede enseñarte cómo escoger a un hombre más sano.

Considero algo muy positivo que mi primer novio, Michael, fuera un joven sano. Me ayudó bastante a poder luego comparar con él mis otras elecciones menos sanas. Tenía una plantilla para saber qué era el comportamiento sano en una relación. Una vez me di cuenta de que me había desviado en mi selección, pero la memoria y experiencia de mi relación pasada me ayudó a centrarme en lo que había funcionado y por qué. En el capítulo 11, observamos algunos ejemplos de lo que es saludable en una relación en comparación con conductas no tan sanas. Este material debe ofrecerte una buena prueba para tus nuevas relaciones para poder ver qué conductas encajan con interacciones saludables. De manera inevitable, en todas las relaciones hay problemas, pero es importante para ti que te des cuenta de qué problemas señalan una relación tóxica y cuáles son normales en cualquier relación sana.

Una relación sana puede ser una experiencia fortalecedora. Puede ayudarte a ver que no todos los hombres son peligrosos. Hay hombres cariñosos y maravillosos que están esperando conocerte. Pero primero tienes que eliminar a los disfuncionales para poder encaminarte hacia los sanos. La mejor manera de hacerlo es dejar de malgastar tiempo y energía con hombres peligrosos e incurables.

Conoce a Tori

Conozcamos a Tori, nuestro primer ejemplo de mujer que tuvo una relación con un hombre peligroso. Volveremos a Tori varias veces a lo largo del libro.

¿Quién podría resistirse a un veterano del Vietnam que había servido a su país? Él, de manera voluntaria, se fue a Irlanda para luchar contra la agitación social y fue encarcelado por sus creencias. Realizó trabajos como mercenario pero hizo que parecieran trabajos de misionero. Se llamaba a sí mismo poeta y leía literatura clásica para «apaciguar su espíritu». Condujo por todo el oeste para encontrarse a sí mismo. Trabajó en el oleoducto de Alaska y renunció a las comodidades materiales para poder enviar dinero a su hijo. Vivió su vida de obrero como una insignia de honor, y sólo buscaba una casa, un hogar y felicidad. No mi amiga Tori. No pudo resistirse a Jay, a su historia, que él mismo contaba, o a las frases que él utilizaba.

La historia de ella es muy típica en mujeres que escogen a hombres peligrosos. Comienza con una mujer de inteligencia superior a la media pero con un corazón más grande que su conocimiento sobre patología. Tori no era nueva en el campo de la psicología. Acudió a terapia e incluso se casó con un psicoterapeuta. Se enorgullecía de haber leído casi todos los libros publicados sobre autoayuda. Basándose en esto, nunca se consideró una mujer que atrajera a hombres patológicamente peligrosos, así que nunca se preocupó. Como nunca se preocupó, nunca se informó sobre hombres peligrosos y nunca supo estar en guardia contra ellos. Añade a esto un gran corazón, una gran paciencia y una actitud siempre optimista de que todo el mundo puede crecer en todo su potencial, y Tori era una presa fácil para un hombre peligroso.

Demasiadas mujeres están convencidas de que ellas no atraen o son atraídas por hombres patológicos, violentos, enfermos mentales u otro tipo de hombres peligrosos. Pero se ha demostrado que no es verdad. Tori, incluso con su conocimiento sobre terapia y psicología, se resistía a la idea de que su hombre era patológico cuando se lo sugerí. Jay no «parecía» estar perturbado. ¿Dónde estaba el demente babeante, que arrastra los pies, que está medicado y de mirada perdida? Como estos síntomas no estaban presentes, estuvo con él durante un año más, examinándolo como si estuviera bajo un microscopio, pero incapaz de ver los síntomas que *existían*. Esperaba ver el tercer ojo en medio de su frente antes de pronunciar que era una pareja «imposible». Ella buscaba un signo claro que le mostrara que él debía ser relegado al montón de los «irreparables». Y, sin embargo, la patología por lo general es bastante sutil, como mínimo, en los comienzos.

Una vez Tori decidió que Jay tal vez era peligroso, pasó un poco más de tiempo jugando con la idea de que «si fuera a terapia mejoraría». Tori decidió creer que décadas de investigación psicológica sobre hombres depredadores eran información inconclusa para su caso. Ella, como muchas mujeres, rechazó creer que alguien con la forma de ser de Jay estuviera permanentemente trastornado. En los capítulos 2 y 10 se proporciona más información sobre Tori.

❤

Cada mujer tiene que decidir por sí misma lo que hará cuando se enfrente a un hombre peligroso. ¿Serás como Tori? Tú…
- ¿tardarás mucho tiempo en reconocer las señales y los síntomas de un hombre peligroso?
- ¿los reconocerás pero seguirás saliendo con él?
- ¿te darás cuenta de sus problemas, y luego desearás y esperarás que él cambie?
- ¿malgastarás tu energía intentando llevarle a terapia?
- ¿saldrás con él mientras te chupa tu vida emocional?

¿O escogerás hacerlo de otra manera?

Por si te lo estás preguntando, sí que considero que es posible para mucha gente crecer y cambiar. Si no, no habría escrito este libro. Lo escribí porque creía que las mujeres que tienen un historial de relaciones con hombre peligrosos pueden, por lo general, aprender a realizar elecciones diferentes y más saludables. He visto cómo muchas mujeres han continuado creando vidas mejores para ellas mismas a través del cambio y el crecimiento.

Para que este libro tenga un impacto duradero en tu habilidad para detectar a hombres peligrosos antes de tener una relación con ellos, tendrás que luchar en contra de tu propio sistema de creencias sobre estos hombres. Tendrás que ser más consciente de cualquier tendencia que tengas a restar importancia y hacer que parezcan glamurosos los comportamientos inaceptables de los hombres con los que sales. Tendrás que volver a conectar con tus señales de alarma y hacerles caso. Tendrás que asumir lo que los expertos saben sobre los individuos patológicos, gente para la cual no existe posibilidad real de cambio positivo a largo plazo.

¿Aceptarás el reto?

CAPÍTULO 2

Señales de alarma y alertas rojas:
saber, sentir, ser consciente y responder

El capítulo 1 ha mostrado los diferentes tipos de hombres peligrosos y ha ofrecido conocimientos generales sobre por qué las mujeres tienen relaciones con tales personas. Mi deseo es que seas capaz de utilizar esta información para que se sea de ayuda a la hora de identificar a hombres que no son y nunca serán aptos para las relaciones.

Este capítulo vuelve a centrarse en tu persona: una mujer que tiene riesgo de escoger a un hombre peligroso. Quiero enfatizar en este capítulo que tú eres la única que puede cambiar tu comportamiento y realizar elecciones diferentes. Sí, los hombres peligrosos existen y están más que dispuestos a atraerte hacia una dinámica frustrante, no saludable, destructiva y potencialmente mortal. Pero la responsabilidad recae sobre ti con tus elecciones, tanto pasadas, como presentes y futuras. Depende sólo de ti ver cómo ignoraste las señales de aviso en el pasado, y aprender cómo prestar atención y actuar a partir de esas mismas señales de aviso, empezando ahora.

Es tentador para muchas mujeres culparle «a él» de todos los problemas de ella. Puede que sea verdad que él es un alcohólico, adicto al trabajo, enfermo mental, mujeriego, criminal profesional... o cualesquiera que sean sus antecedentes. Pero para poder cambiar tu patrón de elección de hombres peligrosos es crucial que aceptes tu responsabilidad en el hecho de que tú escogiste relacionarte con él. Fue una decisión mutua, realizada por dos adultos que se pusieron de acuerdo. El rechazo a ver este hecho hará que continúes repitiendo los mismos comportamientos que deseas que cesen.

Demasiados programas que pretenden ayudar a las mujeres se centran sólo en el hombre, como si nosotras, las mujeres, estuviéramos ciegas, fuéramos idiotas que deambulamos y caemos en relaciones y no reconociéramos nada de lo que está pasando. Mi investigación, sobre la que profundizaré en este capítulo, indica lo contrario. No estamos ciegas ni indefensas. Nosotras sabemos lo que hacemos y escogemos. No se trata de «atacar a la víctima», sino de responsabilidad. Al comienzo de una relación, es posible que todavía no hayas visto todas las cosas sobre él que se añadieron al peligro. Pero ha llegado el momento en el que estas cosas ya están claras. Entender por qué ignoraste tus señales de alarma y te quedaste con él de todas formas es el primer paso hacia el cambio. Aunque parezca más fácil creer que eras su «víctima», de hecho, resulta mucho más fortalecedor que seas consciente de que el hecho de salir con alguien se basa en una decisión mutua, no en un secuestro. Comprender esta verdad puede cambiar tu vida.

Tu sistema de alerta se construye a partir del peligro

Cada una de nosotras tenemos un sistema de señales de alarma y alertas rojas que pueden actuar como un vigilante personal e interno contra los hombres peligrosos. De hecho, cuando entrevisté a mujeres acerca de las señales de alarma, nunca tuve que definir lo que era una señal de alarma. Existe un conocimiento universal sobre la existencia de las señales de alarma, algo que advertí incluso cuando entrevisté a mujeres de zonas tan lejanas como Indonesia.

Este sistema de señales de alarma es una especie de fusión entre la intuición femenina y un sistema biológico de respuesta sensorial, y un susurro de aviso espiritual. Cada mujer tiene que darse cuenta de cómo suele recibir las señales de alarma y los avisos. Algunas mujeres tienen sensaciones físicas muy reales y otras lo perciben espiritualmente cuando su sistema de alerta salta. Algunas experimentan una mezcla de ambas cosas. Cómo percibes estos avisos no es tan importante como lo que haces con lo que percibes.

Vamos a echar un vistazo a las diferentes maneras de presentarse de las señales de alarma.

Señales de alarma físicas

Todos los humanos nacemos con un sistema de respuesta sensorial que se denomina *sistema nervioso involuntario o reflejo de lucha o huida*. Puedes pensar en ello como una alarma antirrobos del hogar. Al nacer, los bebés sanos y normales tienen un sistema de alerta sensorial. Saben de manera automática cuándo tienen hambre, miedo o lo que necesiten. No precisan que les digan cuándo llorar o cómo responder si se sienten amenazados. Su sistema de alarma responde de manera automática causándoles sorpresa, levantar sus manos al aire o comenzar a llorar. Con el tiempo, aprenden lo que es el peligro bajo el condicionamiento. Pero antes de que puedan «aprenderlo», ellos ya «lo saben» debido a las adaptaciones biológicas con las que nacieron.

El aprendizaje condicionado en bebés aparece en el momento en que la biología desaparece. Los bebés comienzan a aprender lo que es seguro y lo que es dañino a través de la prueba y el error. Excepto que sean objeto de abusos, ellos no ignoran o reestructuran estos mensajes de prueba y error. La reestructuración de estos mensajes parece ser un proceso adulto, inadaptado y fruto del aprendizaje más que un estado natural e infantil dirigido por la biología. Los niños atienden a la verdad que les dice su cuerpo.

Como adultos, estamos alertados del peligro por sensaciones corporales a las que necesitamos prestar atención. Éstas podrían incluir un flash de miedo, sudor, tensión en el estómago, un corazón que martillea, el vello que se eriza, o una sensación general de incomodidad a la que somos incapaces de poner nombre. Pero a veces los adultos ignoramos estas sensaciones. No respondemos de la misma manera automática que lo hacemos cuando somos niños.

No nos paramos a pensar en lo que nos están diciendo las reacciones de nuestro cuerpo.

Las reacciones corporales que experimentamos cuando estamos con un hombre peligroso contienen mucha información sobre él que necesitamos saber. Las mujeres que quieren evitar a los hombres peligrosos se centran en los mensajes físicos que su sistema biológico les está enviando. Una de las asistentes a mis talleres lo expresó de esta manera: «Yo sentía un dolor constante en el estómago cuando quedaba con este chico. También empecé a tener síntomas propios del STM (síndrome temporomandibular). Simplemente me di cuenta de que tenía reacciones de estrés cuando estaba con él. En un sentido estricto, ¡no podía "digerirle" a él o a sus frases! También mantenía la boca cerrada para no responder a las cosas que él me decía y que hacían que me enojara. Por suerte, cuando empezó a dolerme la mandíbula, empecé a ver el panorama general».

Señales de alarma espirituales

Nuestras señales de alarma espirituales hacen referencia al «conocimiento», la «intuición» o la «sensación». Este sistema contiene todas las partes de un servicio gratuito de vigilancia, sólo si escuchamos *y* respondemos a él. La intuición espiritual nos alerta cuando advertimos que algo no va bien o simplemente cuando «sabemos» que ésta no es la persona adecuada o no estamos en el lugar idóneo. Sabemos estas cosas sin ningún conocimiento claro o información concreta sobre por qué lo sabemos. Intentar especificar «por qué» sentimos algo no es siempre necesario, pero responder a ello sí lo es. Mujeres de todas partes tienen historias sobre su intuición y cómo ésta evitó un desastre cuando realmente la escucharon.

Saber, intuir y sentir pueden proporcionar a las mujeres una oportunidad para responder a pistas que reciben sobre hombres peligrosos. Si las mujeres ignoran las pistas y esperan hasta que éstas se conviertan en hechos se pueden poner en un peligro extremo. Muchos adultos sienten, pero no responden. Está bien responder a una señal sin que alguna vez haya habido hechos evidentes. Cuando la sensación se convierta en un hecho, puede que sea demasiado tarde. Sentir sin responder sólo te da la oportunidad de arrepentirte de algo a lo que no respondiste.

Las mujeres que están espiritualmente conectadas no ignoran sus sensaciones e intuición. Marla puede certificarlo. No podía desprenderse de la sensación indemostrable de que un chico con el que estaba saliendo era peligroso o, de alguna manera, no seguro. En apariencia era educado, e hizo todas las cosas que su madre le dijo a ella que eran señal de una «buena» elección, como abrirle la puerta del automóvil. Pero por dentro, era como si Dios le estuviera susurrando que no se quedara con él a solas. Él le dijo que se había olvidado su cartera y que tenía que volver a casa a buscarla antes de que se fueran. Marla esperó en el vehículo mientras él entraba. Cuando apareció en la puerta de entrada de su casa hablando por teléfono y con una mirada de preocupación y le dijo que se acercara a la puerta, ella pensó que algo terrible había ocurrido. Fue a la puerta, y él continuó aparentando que tenía malas noticias. Le hizo una señal de que entrara en casa y cerró la puerta poco a poco. Cuando acabó de llamar por teléfono, la empujó contra el sofá e intentó violarla. Ella escapó con éxito pero se quedó atónita por cómo había ignorado lo que, de alguna manera, ella ya «sabía» sobre él.

Señales de alarma mentales y emocionales

A nivel mental y emocional, recibimos muchas pistas sobre nuestras verdaderas sensaciones en una relación. Este sistema de alerta roja es otra vía hacia nuestra protección, si lo sintonizamos. A veces, esta información la recoge mejor la gente que nos conoce bien.

Piensa sobre las siguientes preguntas en referencia a una relación actual o pasada: ¿cómo te sientes desde que conoces a este hombre?, ¿estás equilibrada y con los pies en la tierra, o desde una perspectiva emocional te estás balanceando salvajemente?, ¿tus amigos te dicen que has cambiado de una manera negativa?, ¿estás más nerviosa que de costumbre, esperando una llamada o preocupándote por saber dónde estará él?, ¿te sientes melancólica sin saber por qué?, ¿tienes dificultades para dormir, comer o concentrarte? (en contra de lo que pueda decir la cultura general, esto no significa que estés enamorada), ¿puedes continuar con el resto de tu vida, o has abandonado tus actividades habituales por él o por la promesa de estar con él?, ¿has adquirido algunos de sus malos hábitos?, ¿qué tipo de cosas piensas ahora que no solías pensar antes de salir con él?, ¿son cosas saludables y realistas, o estás perdida en algún lugar?

Las respuestas a estas preguntas pueden indicar señales de alarma en una relación. Las mujeres sabias son conscientes de su condición emocional en una relación y hacen honor a su intuición dejando que salga su angustia emocional o psicológica, incluso si es una señal de aviso «inexplicable». Cuando Sierra empezó a salir con Chase, ella ignoró su creciente necesidad de ayudarlo, curarlo y estabilizarlo. A un nivel racional, ella «sabía» que no podía sanar a nadie, pero eso no le impidió permitirse el capricho de obcecarse por los problemas que se le iban acumulando a Chase y por su enfermedad mental. Su vida caótica se convirtió en una diversión para ella, y pronto todas sus energías emocionales fueron succionadas por su creciente ansiedad sobre qué pasaría después. Por desgracia, ella no respondió a sus señales de alarma terminando con la relación, y el resultado fue más que desastroso. Puedes leer la historia completa de Sierra en el capítulo 7, «El enfermo mental».

¿Por qué las mujeres ignoran sus señales de alarma?

Si nuestras señales de alarma nos pueden proporcionar un conocimiento que puede resultar protector sobre las relaciones y los hombres potencialmente peligrosos, ¿por qué no las escuchamos? Tenemos una habilidad sorprendente para ignorar nuestras señales de alarma. Nuestros patrones de relaciones revelan que con frecuencia ignoramos todos los sistemas de aviso con los que nacemos y que nos mantendrían seguras. Muchas de nosotras hemos ignorado, de manera satisfactoria, sensaciones físicas, intuiciones espirituales y reacciones emocionales durante años. En algún momento entre la niñez y la madurez, hemos permitido que nuestros sistemas de alarma, que nosotras mismas construimos, se hayan desmantelado. Años de avisos internos se tradujeron en razones para continuar, de todas formas, con la relación, y éstas, junto con la habilidad de insensibilizar las sensaciones desencadenadas por nuestro sistema de mensajes, han mitigado los síntomas de muchas mujeres al encontrarse inmersas en una relación peligrosa. Este peligroso círculo puede conducir a muchas mujeres a que salgan con cuatro o cinco hombres antes de comenzar a advertir los mensajes espirituales, emocionales y físicos que han estado ignorando. Otra asistente al taller dijo: «Si hubiera prestado atención, me hubiera dado cuenta de que estaba recibiendo la misma señal de alarma una y otra vez. ¡Mi sistema de alerta roja era persistente! Tenía las mismas sensaciones físicas y emocionales con cada hombre que resultó ser peligroso. No las tenía cuando escogía a chicos más sanos. Al final, ¡fue bueno saber que mi sistema era preciso si simplemente escuchaba! ¿Y a cuántos hombres peligrosos podría haber rechazado?».

Hay todo tipo de razones por las cuales las mujeres ignoramos las señales de alarma a pesar de su utilidad obvia. Algunas de ellas incluyen:

- Normas sociales implícitas.
- Roles sociales que asignan comportamientos a las mujeres.
- Tradiciones familiares y un condicionamiento temprano con respecto al comportamiento del hombre en la familia de origen de una mujer.
- El historial de salud mental de una mujer y/o el historial de abuso.

Cada una de ellas se analiza a continuación. A medida que te vayas adentrando en el texto, ten en cuenta que en muchos casos la explicación se basa en una combinación de estos factores.

Normas sociales implícitas

Examinar el historial de mujeres y los papeles tradicionales de las mismas me ha ayudado a entender los patrones de desarrollo, los valores y las elecciones vitales de éstas. El campo de estudio sobre las mujeres que se está perfilando nos ayuda a examinar cuestiones como de dónde venimos y hacia dónde vamos, en el contexto de un mundo definido al modo masculino.

Desde esta perspectiva, es útil pensar si nuestra sociedad patriarcal ha enseñado a las niñas y mujeres ciertos comportamientos y nos ha premiado por ignorar o «hacer la vista gorda» a algunos defectos peligrosos del carácter. ¿La sociedad ha reforzado la idea de que para las mujeres y las niñas es más importante ser respetuosas que cuestionarse si los comportamientos de los hombres deberían preocuparles? ¿Es más importante aceptar a cualquiera de manera incondicional que ver quién demuestra con el tiempo ser alguien en quien se puede confiar? ¿Es más importante aceptar una supuesta ética judeocristiana de querer al que no se puede querer que darse cuenta de que no es seguro querer a todo el mundo? ¿Es más importante poner la otra mejilla que saber cuándo los límites están siendo violados? ¿Ha enseñado la sociedad a las mujeres que es más importante creer que todo el mundo puede cambiar que aceptar el hecho que la psicopatología nos ha enseñado de que esto no es cierto?

¿Hemos fallado a la hora de desafiar las normas sociales de mujeres y niñas y, de este modo, nos hemos posicionado en el riesgo? ¿Hemos adoptado el mensaje que dice que ignorar las señales de alarma por el bien de cumplir con estas normas en nuestras interacciones con hombres es más importante que permanecer vivas y a salvo? Tenemos que preguntarnos por qué todavía ignoramos nuestras señales de alarma para cumplir con estos mandatos. ¿Las mujeres que salen con hombres peligrosos lo hacen porque desafían estas normas no tan a menudo como otras mujeres? Seguir estos roles prescritos puede, de hecho, conducir al desmantelamiento de nuestro sistema de alerta roja. Tori explica esto como parte de lo que le llevó a tomar decisiones de pareja erróneas. Su madre le enseñó a que confiara en cualquiera y que jugara con los niños con los cuales otros no querían jugar. Tori se volvió muy tolerante con los marginados de la sociedad porque su educación había hecho que se desensibilizara hacia lo que en su comportamiento les hacía indeseables compañeros de juego para otros. Una vez Tori se convirtió en adulta, fue más fácil que ignorara los comportamientos indeseables de cualquiera.

Roles culturales de género

La discusión por la igualdad de los géneros comienza con el argumento de que las mujeres deben tener el derecho a estar seguras y a cuestionar cualquier cosa que amenace su seguridad. Por esta razón, el hecho de que nosotras, las mujeres, hayamos aprendido a ignorar muchas de nuestras respuestas sensoriales a las señales de alarma hace que surjan algunas preguntas sobre los roles de los géneros masculino y femenino. ¿Por qué hemos llegado a creer que «debemos» ignorar las señales de alarma? ¿Y por qué es aceptable el comportamiento de los hombres peligrosos?

Nuestros papeles culturales juegan una parte importante a la hora de hacer que aceptemos cierto tipo de comportamientos en los hombres. Esto puede ocurrir a nivel cultural y familiar. La actitud que dice «los hombres son hombres» nos enseña que incluso los comportamientos menos deseables de los hombres son «de esperar». Por el contrario, se espera que las mujeres soporten todo tipo de comportamientos inaceptables durante largos períodos de tiempo. Se espera que las mujeres toleren el comportamiento de los hombres. Se espera que hagamos la vista gorda ante un comportamiento inapropiado, que mantengamos la esperanza del cambio y que estemos atentas a este cambio en hombres que tal vez nunca cambien.

Por desgracia, esto significa que muchas mujeres han aprendido a ignorar lo que sienten, lo que les molesta y lo que les hace sentir incómodas. Hemos aprendido a ser «el respaldo» en una relación, en la familia y la comunidad. Permanecemos definidas por nuestros papeles de género. El estricto contexto ítalo-católico de Tori imponía roles para las mujeres y los hombres. Su madre era una inmigrante polaca que esperaba a su marido de la mafia italiana como si se tratara de una sirvienta. Si la madre de Tori era infeliz, nunca se le ocurrió pensar en ello. Tori observaba a una servil y pasiva mujer que vivía su vida sin ser respetada y con temor hacia su propio marido. Tori creció pensando que ésta era la dinámica normal de un matrimonio.

En mi investigación, las mujeres que salían con hombres peligrosos me dijeron que ellas tenían una creencia subyacente de que los hombres escogían a las mujeres y que ellas respondían a tales elecciones. Por otro lado, somos mujeres modernas que podemos preguntar a un hombre si quiere salir con nosotras, pero al mismo tiempo, en los ojos de esas mujeres, la dinámica de citas, cortejo y matrimonio supone que las mujeres respondan a sus propuestas aceptándoles como pareja. Este mensaje puede ser reforzado por la educación familiar que enseña a niñas y a mujeres a que respondan siempre y de manera favorable a los hombres que se acercan a ellas. Me pregunto si otras mujeres, las que no salen con hombres peligrosos, ven la dinámica del mismo modo.

Algunas mujeres que habían tenido relaciones con hombres peligrosos me dijeron que esperaron a ser «liberadas» de esas relaciones y que no propiciaron las rupturas, incluso cuando no querían ver a esos hombres más. Aun cuando temían a un hombre, esperaban a que él rompiera con ellas. Otras mujeres admitieron que se habían casado con hombres a los cuales no querían porque pensaban que no «podían» o «debían» decir que no a una propuesta de matrimonio. Un hombre, desde su posición de honor, las había escogido y no sabían cómo decirle que no. Willow cayó en esa trampa con Garrett. Se compadecía de él más de lo que le amaba. No quería casarse con él, pero no había aprendido las habilidades que le habrían ayudado a decir que no y a rechazarle con fuerza cuando él la presionó para que contrajera matrimonio con él. En la familia de origen de Willow, cuando su padre quería algo, lo que fuera, lo conseguía. Los deseos y las necesidades de las mujeres eran secundarios. No es extraño que ella no supiera si tenía «derecho» a no querer un matrimonio.

Educación familiar y tradiciones

Nuestras familias, ya sean buenas o malas, son los campos de entrenamiento más grandes de los que disponemos para nuestros sistemas de alerta roja. En casa es donde interiorizamos las creencias de nuestra familia sobre mujeres, hombres, relaciones, límites, seguridad, verbalizar necesidades o tragar y mantenerse callada. Todos estos valores y comportamientos son enseñados, y la mayoría de ellos no se verbalizan. Es en casa donde las niñas y las mujeres aprenden lo que generaciones anteriores a las suyas creían sobre los comportamientos de las mujeres, de los hombres, del matrimonio, de las parejas y de la peligrosidad. Es en casa donde tal vez hayamos aprendido la lección «consigue al hombre y después cámbialo». Es en casa donde probablemente hayamos aprendido a excusar comportamientos peligrosos como la violencia («Ha tenido un día duro en el trabajo»), adicciones («Le gusta tomar una cerveza por la noche») o inaccesibilidad («Está casi divorciado y, además, él odia a su mujer, es una bruja»).

Las mujeres han normalizado generaciones de comportamientos negativos transformándolos en mensajes como: «Los Smith siempre han tenido mal genio, es su carácter irlandés» o «Ya sabes que a los Schultz les gusta beber cerveza, son alemanes; lo llevan en la sangre» o «Los hombres Brown siempre han mirado de manera lasciva a otras mujeres, pero siempre vuelven a ti». Generaciones anteriores de mujeres han educado a las siguientes para que no tuvieran en cuenta el comportamiento peligroso, restaran importancia a necesidades no cubiertas e ignoraran alarmas internas básicas que podrían estar sonando a todo volumen. El temprano condicionamiento de las chicas jóvenes para rechazar, transformar y renombrar el comportamiento peligroso e intentar hacer que las relaciones funcionen a cualquier precio es tan sólo otra manera que aprenden para desmantelar su sistema de alerta roja.

En poco tiempo, no importará lo que tu sistema nervioso involuntario te esté diciendo; no lo escucharás más porque habrás adoptado los siguientes mantras: «Él no es *tan* malo», «En mi opinión, es un chico agradable», «Por lo menos es muy trabajador». Pero tu mandíbula está tensa, tu estómago está revuelto y el vello se te eriza. Hay una incesante y suave voz que te dice: «Algo no va bien», pero los mantras continúan: «Él no es *tan* malo», «En mi opinión, es un chico agradable», «Por lo menos es muy trabajador».

En algún momento, cuando él dice algo que da miedo, o que es horrible o inapropiado, tú justificas su comportamiento sin preguntarte de dónde viene o si habrá más. Su temperamento se revela cuando él es agresivo con su lenguaje, con un animal o un niño, y recuerdas que una vez viste un comportamiento similar en otra persona y que la cosa *no* salió bien. Pero «no quieres compararle» con otro individuo, así que sigues adelante sin la previsión de prestar atención a tus miedos.

Encuentras pistas acerca de su carácter a través del descubrimiento de una mentira, un pasado oculto u otras señales de alarma, pero de manera repetida le ofreces el beneficio de la duda, mientras aumenta el riesgo de que te haga daño. Escuchas los mensajes de tu familia que decían que hay que dar a todo el mundo repetidas oportunidades, evitar sospechar de algo y esperar que los hombres sean así.

Ahora, contrasta estas respuestas con cómo un bebé respondería de manera natural a algo que le hace daño o le molesta. No lo llamaría de otra manera, no lo ignoraría, jugándosela. El bebé respondería llorando, agitándose o actuando de manera sorprendente, todo reacciones normales ante un acto de violación.

Debemos preguntarnos por qué las mujeres de nuestra familia no nos enseñaron que debemos mantener una carpeta mental de rasgos del carácter de los hombres con los cuales nos relacionamos. ¿Por qué no hemos aprendido que debemos hacer caso a los momentos que nos muestran cómo es él realmente, incluso cuando él no quiere que nos demos cuenta? ¿Por qué no sabemos observar de manera cautelosa cómo nos sentimos cuando experimentamos estas cosas? ¿Por qué nuestras madres no nos enseñaron que debíamos prestar atención a nuestra mandíbula, a nuestro estómago y a cualquier otro lugar donde guardamos la tensión y la verdad? ¿Por qué las mujeres no enseñan a las niñas cosas sobre hombres peligrosos de una forma que les resulte fácil de entender, y que incluyen sensaciones corporales de miedo?

Tori dice:

Mi madre no aprendió a hablar en inglés hasta que fue adolescente. ¡Se casó antes de saber que los hombres tenían vello púbico! ¿Cómo podía haberme ayudado cuando yo era una mujer joven a entender las complejidades de las relaciones? Por el contrario, ella me enseñó esto: «Así son los hombres italianos». Cuando mi padre traía a señoritas e incluso se acercaban hasta la puerta de entrada, mi madre decía que ésa era la manera de ser de los hombres. Cuando él bebía y se ponía violento, ella comentaba: «Al menos nos mantiene». De alguna manera, siempre me estaba enseñando que se esperaba que las mujeres aceptáramos de manera pasiva cualquier resultado del karma en nuestras vidas. Me enseñó de muchas maneras, una y otra vez, que yo no tenía ningún poder. La sociedad tenía normas acerca de cómo debían ser las mujeres, los roles sexuales eran firmes y no se podían romper, y las excusas de mi madre ante un marido violento, alcohólico y abusivo me enseñaron que todas las familias eran así.

Las familias que muestran un pensamiento dicotómico entrenan a sus hijos para que vean el mundo de maneras muy simplificadas. Las mujeres a las cuales se les enseñó en el seno de sus familias a que vieran los comportamientos de la gente como buenos o malos por lo general terminan viendo a todo el mundo como bueno. Pero la mayor parte de la vida real se vive en terrenos desconocidos, que son como tanques para la contención de la ambigüedad, salas de espera para comprobar el carácter. Esto es cierto hasta que conocemos a una persona suficientemente bien como para reconocer las oscuras realidades de su carácter. Las mujeres que fueron educadas para que confiaran de manera incondicional creen que la confianza debe ser lo primero que tienen que ofrecer, incluso antes de que él haya demostrado merecerla. Si ella «confía» en alguien, debe ser «bueno», incluso aunque no sepa nada de él. Si ella está saliendo con él, debe ser bueno. Si es un policía, debe ser bueno. Si es un sacerdote, seguramente erá bueno.

Este tipo de pensamiento es especialmente peligroso cuando una mujer piensa que si sus comportamientos son «buenos», él es bueno. Si él abre una puerta, paga una comida, o te hace un cumplido, significa que sus maneras son buenas. Pero eso *no* implica que su carácter sea bueno. Los buenos modales no significan buen carácter. Pero a causa de su cultura familiar, algunas mujeres no saben cómo procesar una información dicotómica como ésta. No pueden ver que el comportamiento de un hombre puede ser bueno incluso cuando su carácter sea malo. (En términos posmodernos, esto se llama «posar»). A los ojos de estas mujeres, un hombre tiene que ser o bueno o malo. No puede tener características buenas y malas. Esta contradicción pone bajo presión a una mujer en el momento de etiquetar a cualquier hombre con el que tiene contacto con la etiqueta de bueno o malo. Debe tomar una decisión de manera interna. Las familias que educan a las niñas en el pensamiento dicotómico están, en consecuencia, haciendo que confundan de manera errónea los comportamientos con el carácter, un condicionamiento que puede conducir al desmantelamiento del sistema de alerta roja que ha sido construido por una mujer.

Gestos externos y títulos profesionales suelen tener más peso en ciertas mujeres que las cuestiones del carácter. Si él es un profesor educado, que actúa de manera cariñosa con los niños, entonces es «bueno», aunque tenga una larga lista de hurtos en tiendas y de mentiras. Marla, a la cual conocimos en este mismo capítulo, afirmó que la única formación que recibió sobre los hombres se basaba en qué tipo de trabajos tenían y en qué modales mostraban. Su madre le dijo que si los hombres tenían buenos modales, entonces eran buenos. Pero el mismo chico que le abrió la puerta del automóvil ¡después intentó violarla! Marla no supo cómo escoger cuando se le presentó la dicotomía entre la educación que había recibido de su madre y lo que sus señales de alarma le estaban diciendo sobre este chico. La madre de Marla también enfatizó bastante el tema de las profesiones. Los bomberos eran «buenos y valientes», incluso aunque maltrataran a su mujeres. «Los hombres de traje» debían ser respetados «sólo por eso». Marla creció creyendo que ciertos trabajos de manera automática denotaban respeto e indicaban que una persona era segura.

La salud mental de la mujer

Otra área que puede proporcionar pistas sobre por qué las mujeres ignoran las señales de alarma es su propia salud mental. Los sistemas familiares que enseñan a las chicas jóvenes a que ignoren sus propias necesidades establecen una vida psicológica no saludable. Las familias que no tienen en cuenta la violencia, excusan el comportamiento inapropiado, sostienen un estilo de vida diferente para mujeres y hombres, y violan los límites personales es más que probable que produzcan mujeres adultas con problemas mentales.

Estos problemas pueden incluir una baja autoestima, un patrón de aceptar cualquier tipo de comportamiento en una relación, miedo al abandono, problemas de confianza, adicciones, codependencia, trastornos de la alimentación, depresión, ansiedad, problemas sexuales y soledad crónica. Asimismo, pueden incluir otros trastornos, diagnosticados o no.

A una mujer, en su temprana infancia le pueden haber enseñado mensajes erróneos y no saludables, llevándola a la disfunción, la destrucción y la desesperación, que puede que luego la conduzcan a que acepte a hombres peligrosos en su vida. Las mujeres que fueron objeto de abusos físicos o sexuales cuando eran niñas, que fueron violadas por adultos, que proceden de hogares donde uno o los dos padres eran adictos, cuyos padres o padre tenía una enfermedad mental seria, o que tuvieron experiencias traumáticas en hogares de acogida están en especial riesgo de tener una relación con hombres peligrosos. Una mujer con su propia historia de abuso puede, sin saberlo, permanecer insensible y no captar los avisos de sus propias señales de alarma. Tal vez necesite terapia para poder volver a conectar con sus sensaciones con el fin de que pueda reconocer las señales de alarma en el futuro. Quizás ya seas consciente de tus propios problemas mentales. En cualquier caso, sé consciente de que la depresión, la soledad y un historial de abusos en la niñez puede condicionar a las mujeres a que ignoren sus propias señales de alarma. Como afirmó una antigua paciente mía: «Si hubiera sabido que mis propios problemas de salud mental me estaban ayudando a guiarme hacia los hombres asquerosos que seguía escogiendo, hubiera asistido a terapia mucho antes o tomado medicación, cualquier cosa para romper el ciclo. No sabía que mi propio trastorno estaba alimentando algunos de mis locos comportamientos y elecciones».

Permíteme que incida en que los hombres peligrosos y patológicos no sólo son atraídos por mujeres con problemas mentales. Historias que leerás más adelante incluyen a mujeres de familias estables y normales que salieron con hombres peligrosos. El historial de salud mental de una mujer es sólo una razón por la cual ella puede salir con un hombre peligroso.

Las señales de alarma de Tori

Nadie de la familia de Tori le dijo que su cuerpo podía decirle más verdades que su mente. Cuando estaba con Jay, ella solía afirmar cada semana: «Es como un dolor en mi trasero». Con frecuencia decía a sus amigos que deseaba que él se fuera (aunque ella no se lo comentaba a él). Muy pronto, Tori sufrió una terrible inflamación en su trasero. Su sistema de alerta roja, una y otra vez, había intentado enviarle señales que ella había ignorado. Ahora, se daba cuenta de que su sistema de alerta roja se había cambiado al modo de emergencia, manifestándole de manera visible lo que ella ya había estado diciendo con sus labios pero que no había sido capaz de llevar a la práctica.

Durante casi un año, Tori sufrió la inflamación, a pesar de estar bajo tratamiento médico. Le dije: «Deshazte de Jay, y desaparecerá». Un mes después de que Tori se fuera, la inflamación desapareció.

A veces, nuestro sistema de alerta roja es menos dramático que el de Tori. Es un susurro en nuestros corazones cuando no podemos dormir por la noche. Es un comentario desconcertante de un amigo sobre él que se repite continuamente en nuestra mente. Es un nudo en nuestro estómago que no se va. Es una inquietante pregunta para la cual tenemos una respuesta que decidimos ignorar. Quizás sea la actitud liberal que intentamos proyectar cuando pretendemos que estamos quedando con él «sólo por diversión», incluso cuando nuestra mandíbula tensa siente todo menos diversión.

Bajo las mentiras que nos contamos a nosotras mismas se encuentra la verdad sobre nuestro sistema de alerta roja. Quiere llamar tu atención, pero después de haber puesto excusas y haberlo ignorado y negado, después de haberle restado importancia durante años y de haberte mentido a ti misma, has silenciado la alarma interna que está intentando alertarte de que alguien que no es seguro está invadiendo tu vida.

Tus señales de alarma

Probablemente ya tengas una idea clara de cómo opera la mayor parte de tus señales de alarma, incluso si has decidido no prestarles atención. La buena noticia es que puedes reeducarte para escucharlas de nuevo. Puedes volver a ser consciente de tu sistema de alarma interna que has estado ignorando y puedes aprender a usarlo para tu protección. Si has ignorado tus señales de alarma a causa de las normas establecidas de la sociedad, los roles de género, un condicionamiento familiar, tus propios problemas mentales, o cualquier otra razón, si empiezas ahora, podrás tomar mejores decisiones sobre qué hacer con la información que te proporcionan.

Tu pasado, incluido tu historial sentimental, contiene muchísima información que te puede ayudar a cambiar tu patrón de selección de hombres peligrosos. Por esta razón, los ejercicios incluidos en el cuaderno de ejercicios están diseñados para ayudarte a examinar, de manera sistemática, tu pasado y extraer cada oportunidad para aprender de tus propias experiencias. Este detallado viaje hacia tu historia personal te permitirá explorar mensajes de la niñez y elecciones adultas para obtener nuevos conocimientos sobre qué ha alimentado tus decisiones para relacionarte con hombres peligrosos.

Pero no sólo nuestras experiencias pueden enseñarnos algo. Las mujeres inteligentes están dispuestas a aprender siempre que pueden y de lo que pueden. Podemos aprender de lo que otras mujeres están dispuestas a enseñarnos sobre sus historias y sus señales de alarma. Podemos aprender cómo otras mujeres ignoraron y deshonraron a sus señales de alarma, y también las consecuencias de esas decisiones. Es posible decidir aprender estas lecciones de memoria y permitir que influyan en nuestras decisiones. De esta manera, no tenemos que salir con todos los tipos de hombres peligrosos para así aprender sobre cada uno de ellos. Ésta es la razón por la que las historias de relaciones de mujeres con hombres peligrosos forman una parte integral de este libro. Lee cada historia en los siguientes capítulos con una mente abierta que te permita percibir el mensaje particular que cada una contiene.

Lo que te pueden enseñar las señales de alarma de otras mujeres

Mientras investigaba para escribir este libro, quería saber cuáles eran las señales de alarma de las mujeres y cómo éstas respondían o no a ellas. Deseaba saber los resultados de las decisiones de las mujeres al ignorar o hacer caso a sus señales de alarma. Así, una y otra vez, las mujeres me decían esto:

1. Sí, de hecho, tuve señales de alarma en la primera cita con un hombre peligroso.

2. A sabiendas ignoraron estas señales.

3. Las señales de alarma estaban relacionadas con la ruptura eventual de la relación. (En esencia, esto significa que las señales de alarma de las mujeres predecían de manera correcta los posibles resultados de una relación).

De hecho, ni siquiera una sola mujer me dijo que no tuviera señales de alarma. Las mujeres indicaron que después de la ruptura con el hombre peligroso pasaron un tiempo examinando la relación y reconocieron que se produjeron señales de alarma desde el principio, y esas señales estaban, de hecho, relacionadas con las razones por las cuales finalizó la relación. Las mujeres también se preguntaban por qué esperaban hasta que la relación hubiera terminado para darse cuenta de las señales de alarma. ¿Por qué no habían respondido a ellas antes? Como ya sabes, hay muchas posibles razones que pueden explicar por qué las mujeres suelen ignorar sus sistemas de alarma internos.

Las mujeres con las que hablé parecían, por lo general, reconocer ciertas sensaciones en relación con las señales de alarma y saber lo que significaban. Y aun así las ignoraban o no hablaban de ellas con otros. Por suerte, esto implica que tenemos control sobre lo que hacemos con la información que obtenemos de nuestros sistemas de alerta roja. A largo plazo, ignorar nuestras señales de alarma sólo parece posponer lo que ya sabemos en nuestro interior que será el resultado final de una relación con un hombre peligroso.

Los siguientes son algunos ejemplos de cómo actúan con el tiempo las experiencias de mujeres con las señales de alarma:

1. A menudo sus señales de alarma eran confirmadas por otros (parientes, un amigo, o una exnovia del hombre peligroso). Las

mujeres no sólo ignoraron sus propias señales de alarma, sino que también hicieron lo mismo con las confirmaciones de otros, lo que implicaba perder más de una oportunidad de evitar que les hicieran daño a nivel emocional.

2. Incluso cuando había señales de alarma, prefirieron centrarse en las cosas buenas del hombre y restar importancia, ignorar, negar o modificar los rasgos negativos, peligrosos o insatisfactorios. Era más importante encontrar algo positivo en él para hacer referencia a ello, que ser consciente de su comportamiento peligroso. Para este fin, las mujeres también preferían centrarse en «por qué» estaba enfermo o en la historia triste sobre su trastorno o su vida en vez de en cómo podrían dañarles esos problemas. Su triste historia distrajo a las mujeres de preguntarse: ahora que sé eso, ¿qué necesito hacer *conmigo*?

3. Las mujeres solían creer que ellas iban a ser la excepción a lo que sus señales de alarma les estaban diciendo. Ellas consideraban que se demostraría que sus señales estaban equivocadas esta vez, con este hombre, por alguna razón milagrosa que no podían explicar de manera lógica. Estas mujeres ya tenían experiencias con señales de alarma y sabían que se trataba de buenos indicadores, pero aun así las ignoraban. El pensamiento fantasioso ignora a la razón.

4. Las mujeres estaban dispuestas a aceptar alguna atención (por lo general una relación física o sexual, junto con alguna apariencia de conexión emocional) a cambio de fallos en la relación. La mayoría de ellas reconocieron, de manera temprana, algunas de las limitaciones de los hombres peligrosos, pero escogían aceptar lo que él aportaba a la relación, a pesar de su propia insatisfacción con una constante preocupación sobre sus comportamientos negativos. Esto está relacionado con la manera en la cual las mujeres restan importancia, ignoran, niegan o reestructuran los comportamientos de su pareja (*véase* punto 2). Ellas reconocen esos comportamientos pero aun así están dispuestas a aceptar lo que él aporta a la relación.

5. Una vez las mujeres empezaban a aceptar el comportamiento no normal del hombre, se decían a sí mismas que eran capaces de «cambiar» las partes de él con las que estaban insatisfechas o que les preocupaban. Sin embargo, estos comportamientos estaban normalmente relacionados con lo que le hacían a él peligroso, y de este modo, al final, la mujer continuaba sin tener éxito cuando intentaba cambiar esos aspectos de él.

6. No saber estar sola o sentirse incómoda por estarlo llevaba a muchas mujeres a aceptar relaciones frustrantes y peligrosas a pesar de sus señales de alarma. Las razones que parecían jugar un papel en si la mujer estaba inclinada a relacionarse o permanecer con hombres peligrosos incluían que se había divorciado hace poco o que se encontraba en un proceso de divorcio, con relaciones familiares disfuncionales o que habían tenido una historia de abuso infantil. Algunas mujeres citaban la soledad, una intención de no involucrarse «realmente» con él o querer evitar el aburrimiento como razones por las cuales ignoraban las señales de alarma y quedaban con hombres que encontraban peligrosos o insatisfactorios, o que estaban casados o ya relacionados con otra mujer.

7. La mayoría de las mujeres a las cuales entrevisté no se preocupaban en recabar información de sus relaciones fallidas. Muchas no podían citar las similitudes entre todas las relaciones insatisfactorias que tuvieron. Muchas no paraban su tren de relaciones justo a tiempo para examinar defectos del carácter que se repetían en los hombres peligrosos con los que salían. Y tampoco analizaban sus propios problemas, incluidos los de salud mental que les pudieron haber llevado a escoger a esos tipos de hombres. Aunque reconocían que habían ignorado sus señales de alarma, no hacían lo mismo con las similitudes entre los tipos de hombres con los que quedaban una y otra vez.

8. De aquellas pocas que podían definir los tipos de hombres peligrosos con los que habían quedado, muchas creyeron que era probable que no volvieran a salir con ellos de nuevo. Incluso sin

terapia, casi todas estas mujeres se calificaron a sí mismas como «iluminadas» y se sentían seguras de que no pasaría de nuevo, simplemente porque «les habían herido». El hecho de que les hubieran herido les proporcionó una confianza irreal de que nunca más escogerían de manera peligrosa. Pero por desgracia, sin embargo, los hechos normalmente cuentan una historia diferente. Incluso algunas de las mujeres que colaboraron con sus historias para la redacción de este libro y que estaban del todo convencidas de que aprendieron de su dolor, según me consta, están de nuevo involucradas en relaciones peligrosas.

9. Gran parte de las mujeres querían culpar a los hombres peligrosos con los que se habían relacionado. Continuaron sintiéndose «víctimas» y «objetivos» de hombres que querían presas fáciles. Aunque a menudo esto es verdad, sobre todo en el caso de hombres que se califican como depredadores emocionales, lo que estas mujeres no pudieron ver fue que, como mujeres que dijeron que sí a la primera cita y a las siguientes, ellas fueron parte activa de la elección. Las mujeres que no se detuvieron el suficiente tiempo a evaluar por qué habían salido con dos, tres, cuatro o más hombres y a examinar lo que sus patrones de selección les estaban diciendo sobre ellas estaban en grave peligro de repetir el mismo comportamiento relacionándose con más hombres peligrosos. Se trataba de mujeres que tal vez esperaban que él las «liberara» de la relación, en vez de concluirla ellas mismas.

La mayoría de las mujeres a las que entrevisté tenían carreras profesionales. Eran inteligentes y exitosas en su campo. Por tanto, la inclinación natural de relacionar las elecciones de hombres peligrosos con chicas jóvenes, pobres o con una educación baja no se contemplaba en mi investigación en la mayor parte de los casos. Del mismo modo, las mujeres más jóvenes que estaban incluidas en mi investigación (de los dieciséis a los diecinueve años) eran buenas estudiantes y provenían de familias de clase media y alta.

Implicaciones

Era sorprendente ver que algunas mujeres elegían tener una relación con hombres peligrosos o patológicos como resultado del aburrimiento. Igual de desconcertante fue ver cómo las mujeres continuaban quedando con hombres peligrosos porque rechazaban evaluar sus propias historias. Lo que es más digno de mención fue la sobrecogedora necesidad de la mayor parte de las mujeres de no estar solas. Había casi un miedo no verbalizado al «abandono» a largo plazo, que para la mayor parte de las mujeres equivalía a «actualmente no salgo con nadie». ¿Por qué para las mujeres no salir con nadie era sinónimo de que nunca más tendrían una relación sentimental?

Para las mujeres a las cuales entrevisté, la idea de no quedar con alguien alguna vez durante un largo período tiempo no tenía sentido. Parecían tener prisa por «tener una relación». Esto ocurría en mujeres de diferentes edades, no simplemente en las jóvenes. Aunque la mayoría parecía querer decir que estaba por encima del hecho de «quedar por mera atención» y no quería admitir que le asustaba la soledad, el abandono, o no quedar con nadie, aun así seguía encajando en ese perfil. Ellas verbalizaban esos temores con el mismo lenguaje disfrazado que utilizaban para trasformar y restar importancia a los comportamientos peligrosos de los hombres.

Las mujeres que tuvieron relaciones con hombres peligrosos por lo general empezaron a salir rápida y frecuentemente con ellos, permitieron que la relación fuera sexual en los primeros meses, o se trasladaron a vivir con el hombre a los pocos meses de haberle conocido, o se casaron con él de manera impulsiva durante los primeros doce meses de la relación. Otras, con conocimiento y de un modo voluntario, estaban disponibles para los hombres casados.

Todo esto son buenas noticias para un hombre peligroso que esté buscando una pareja que esté dispuesta, pero *no* son nada buenas para las mujeres que quieran encontrar una relación sana y que signifique algo, pero que todavía muestran ese tipo de patrones en las relaciones. Demasiadas mujeres adoptan un punto de vista erróneo, un sistema de creencias roto, o una tendencia hacia la complacencia casual cuando buscan a alguien con quien salir. Con bastante frecuencia ignoramos nuestro propio conocimiento de las señales de alarma, nos disociamos del carácter real del hombre y aceptamos comportamientos inaceptables por su parte, todo para evitar enfrentarnos a la soledad o al aburrimiento. Tales actitudes sirven para situar a los hombres peligrosos en el punto de mira de los radares de mujeres, y viceversa.

Decirte la verdad

Si no vamos a decirles a nuestras parejas la verdad sobre nuestro sistema de creencias en lo que respecta a las relaciones, entonces, como mínimo, vamos a empezar por decirnos a *nosotras* la verdad. Ser honesta contigo misma sobre lo que *piensas* en comparación con lo que *haces* puede salvar tu salud mental e incluso tu vida. Esto incluye las cosas que las mujeres se dicen a sí mismas sobre «por qué» están quedando con cierto tipo de hombre.

La mayoría de las mujeres a las cuales entrevisté no se decían a sí mismas la verdad sobre lo que estaban haciendo y por qué. Las falsedades que se decían parecían ser una variación del tema: «Quedo con él para entretenerme», algo que tradujeron para que significara: «No voy a tener una relación seria». Sin embargo, tenían citas con hombres que tenían una doble vida, que eran violentos, o incluso peligrosos. Otras mujeres se decían: «Soy muy consciente de lo que estoy haciendo». He pasado por esto antes, me han hecho daño, así que estoy atenta a lo que está pasando», mientras estaban con estos hombres que eran emocionalmente inaccesibles o estaban casados. El hecho de haber «pasado por esto antes» hacía que las mujeres creyeran que evitarían caer en la trampa, y, sin embargo, el mero hecho de que una mujer estuviera dispuesta a tener una cita con un hombre peligroso ya significaba que estaba atrapada. ¿Qué es lo que las mujeres consideran «entretenimiento»?

Las mentiras que las mujeres se cuentan a sí mismas oscilan de la negación total a un tipo de narcisismo. Parecían pensar que estaban por encima de las consecuencias naturales e inevitables de las malas elecciones. O se convencían a sí mismas de que no podían recibir daño por jugar «de vez en cuando» con un hombre peligroso. La incapacidad para identificar los motivos reales, admitir lo que estaban haciendo y predecir los posibles resultados las ponía en peligro. Estas mujeres no tenían las capacidades vitales básicas para ser capaces de reconocer la ley de causa y efecto, las elecciones y sus consecuencias.

Los comportamientos autodestructivos de las mujeres

Lo que ya se ha mencionado en este capítulo sigue repitiéndose: por mucho que queramos culpar nuestra relación con un hombre peligroso solamente por el hecho de que él nos escogió a nosotras, la realidad es que las mujeres colaboran a través de actos de disociación y negación. No somos víctimas, somos voluntarias. Y la buena noticia es que si estamos de voluntariado, ¡lo podemos dejar! Podemos «dejar de ser voluntarias». Podemos salir del bucle una vez reconozcamos nuestros propios comportamientos destructivos, aquellos que incrementan la probabilidad de escoger de un manera pésima. Echemos un vistazo a algunos de estos comportamientos autodestructivos.

Escoger ignorar las señales de alarma

Para evitar salir con hombres peligrosos y patológicos, las mujeres deben entender que ignorar las señales de alarma conlleva el desmantelamiento del sistema de señales de alerta de una mujer. Si has advertido una señal de alarma, entonces eres consciente de que tu sistema de alerta roja funciona. Si aun así decides de manera consciente que vas a quedar con un chico y restas importancia a las señales de alarma diciendo: «No es alguien con el que me gustaría tener algo serio, sólo alguien con quien hacer cosas», entonces no estás escuchando a tu sistema interno de seguridad. Y mientras continúas teniendo citas con él y te das cuenta todavía de más limitaciones, te ves forzada a centrarte sólo en «las cosas buenas de él». Intentas que la relación sea «más divertida» para que quedar con él sea una «distracción». Mientras tanto, estás de manera activa desactivando tu sistema de alerta roja. Tú, la persona que más debería preocuparse por tu seguridad, estás desconectando tu alarma interna. Nadie lo está haciendo por ti, sino que lo haces tú misma.

Siguiendo el lento, pero metodológico desmantelamiento de tu sistema de seguridad, tus normas empiezan a desaparecer. Si lo supieras, no saldrías con alguien que es un enfermo mental, así que ignoras las señales de que él tiene alteraciones crónicas del carácter. Tus límites también cambian. No abogas para que nadie quede con un adicto, pero tu hombre no es realmente un adicto, es divertido y le gusta la fiesta. Ha tenido muchas cosas que celebrar últimamente. ¿Y quién estaría con un adicto si lo supiera? Pero dar puñetazos a una pared no es lo mismo que la violencia contra tu persona, así que él no es *en realidad* violento. Tu familia nunca aprobaría que estuvieras saliendo con un hombre casado, pero él «dejará la relación algún día», lo cual en tu mente lo convierte en disponible. Pronto esas alarmas que emiten un zumbido en tu interior se convierten tan sólo en una silenciosa vibración.

Falta de límites personales

Un comportamiento igualmente peligroso por parte de las mujeres que se relacionan con hombres peligrosos es una falta de límites y normas. Según una mujer a la cual entrevisté (y también una mujer a la cual traté en una sesión privada), si están aburridas o solas, cualquier cosa valdrá para eliminar esos sentimientos. Esto está relacionado con las mentiras que se dicen a sí mismas, que no van a involucrarse si tan sólo están «jugando», y si están «sólo jugando», entonces no tienen ningún riesgo emocional o físico. Pero, ¿desde cuándo estar «sólo jugando» evita que una mujer sea violada?

Las mujeres han demostrado en repetidas ocasiones que cuanto más tiempo violan sus normas y límites, más fácil es hacerlo la próxima vez. Se proporcionará más información sobre los límites en el capítulo 11, pero por ahora es importante saber que nos entrenamos para aceptar los comportamientos de otros. Esto significa que los comportamientos patológicos empiezan pareciendo bastante normales si el único tipo de hombres con los que has salido son patológicos o peligrosos. Cuanto más tiempo aceptas cierto sistema de creencias, más se convierte en tu manera de ver el mundo. Las mujeres siempre se asombran cuando se dan cuenta de que han quedado con cuatro o cinco hombres peligrosos. Todas quieren saber cómo cayeron en un patrón tan destructivo y tal vez mortal. Lo hicieron teniendo normas débiles sobre sus límites personales e ignorando las señales de alarma en cada relación, hasta que tuvieron un historial de varias relaciones peligrosas, y estos hombres empezaron a ser «justo el tipo de hombres con los que salían».

Esto no es difícil de comprender. Si continuamos ignorando las señales de alarma emocionales, espirituales y físicas que nuestro cuerpo y psique nos envían de manera fiel, entonces, por último, nos entrenaremos para ignorar cualquiera de los mensajes que nos llegan. Ésa es la razón por la que las mujeres que piensan que escogen de un modo consciente «simplemente jugar» o «tan sólo quedar» con alguien que encaja en una de las categorías de hombres peligrosos están en realidad jugando con algo más que una mera diversión o distracción. Se están entrenando para aceptar al siguiente hombre peligroso que esté contento de distraerlas. Y, como he mencionado antes, cuanto más tiempo salga una mujer con hombres patológicos, más se conforma con la relación patológica para que le sea más fácil continuar con ella. Esto me recuerda al síndrome de Estocolmo, en el que las personas secuestradas empiezan a enfatizar e identificarse con los captores para poder adaptarse a su situación. Es demasiado incongruente tener una relación con alguien cuyo pensamiento y comportamiento es perturbador. Algo tiene que encajar, así que las mujeres aceptan el pensamiento y comportamiento patológico para erradicar la preocupación que sienten.

Algunas mujeres en un programa hospitalario en el que trabajé «parecían patológicas» durante las sesiones de terapia grupal. Sin embargo, más tarde se confirmó, por medio de pruebas psicológicas, que ellas no eran las patológicas. Eran lo que nosotros llamamos «pseudopatológicas». Cada una de ellas había tenido relaciones con varios hombres patológicos durante tanto tiempo que empezaron a «actuar» de ese modo aunque no hubieran sido diagnosticadas como tales.

74

Falta de conocimiento

Las mujeres quieren otorgarse mucho más conocimiento del que realmente tienen. Puede que tengan conocimiento, pero en algún lugar del juego de las citas éste se abandona y las mujeres continúan con una serie de relaciones sin salida con hombres peligrosos. Estas mujeres no han captado lo que los fallos de sus pasadas relaciones les podían haber enseñado. Ignoran sus propias historias y patrones. Se excusan por no examinar sus propias vidas. Actúan basándose en impulsos y en la intensidad de la atracción emocional o sexual.

Su falta de conocimiento ha sido reemplazada por «el pensamiento fantasioso». Este último ignora la realidad y la sustituye por la fantasía. Rechaza la lógica e incluye el pensamiento ilusorio. Lo quiere todo, pero con la persona incorrecta. Se aferra a los cuentos de hadas y al folclore, en el que la Bella Durmiente es besada por un príncipe y despierta en una nueva vida, y Cenicienta escapa de una familia disfuncional mientras baila con un príncipe.

Conclusiones

Cada una de nosotras, si deseamos utilizarlas, disponemos de las siguientes herramientas que nos sirven de ayuda para permanecer seguras:

- La capacidad para sentir y responder a nuestras señales de alarma.
- La capacidad para analizar nuestras experiencias pasadas y aprender de ellas.
- La capacidad para decirnos la verdad sobre nuestros pensamientos, intenciones y comportamientos.
- La capacidad de escoger de manera diferente mediante la decisión consciente.

Reconocer esta lista sitúa en nosotras cualquier responsabilidad a la hora de escoger relaciones seguras y sanas. Para emplear estas herramientas debemos escuchar de manera intuitiva, estudiar las verdades dolorosas de nuestras elecciones previas y ser fuertes con nosotras mismas sobre nuestras intenciones ocultas y nuestras huidas intencionadas de la realidad, así como realizar diferentes elecciones de manera consciente y ser responsables de ellas.

Antes de que decidas que has aprendido todo lo que necesitas aprender sobre por qué «te han hecho daño» en el pasado, lee los siguientes capítulos sobre las categorías de hombres peligrosos y después echa un vistazo al cuestionario del capítulo 11, «¿Tengo peligro de salir con más hombres peligrosos?». Comprueba en qué situación de riesgo te encuentras a la hora de tener otra relación frustrante, poco saludable y peligrosa. El cuaderno de ejercicios tiene una sección que te ayuda a identificar y a examinar tus errores y qué te dices y te explicas para continuar con una relación peligrosa.

Además, como una manera de recordarte cuánta sabiduría pueden trasmitirte tus señales de alarma, recuerda el siguiente acrónimo. Me gusta recordar el hecho de permanecer conectada a nuestro sistema de alerta roja con el acrónimo SEIM:

> Sistema de
> Entrenamiento de la
> Intuición de la
> Mujer

Y, por último, recuerda que nuestras hermanas en la humanidad tienen mucho que enseñarnos si aprendemos de sus errores. Si hacemos caso a nuestras señales de alarma, asumimos las lecciones que nos ofrece todo lo que hemos vivido y aprendido y escuchamos lo que otras mujeres nos dicen sobre su historia de relaciones peligrosas, entonces podremos disfrutar de unas relaciones seguras y saludables.

Un regalo de nuestras hermanas

A partir de aquí, examinaremos en detalle los diferentes tipos de hombres peligrosos. Cada uno de los siguientes ocho capítulos está dedicado a una de las categorías que se han mencionado en el capítulo 1. Pero, en primer lugar, hay que destacar que algunas de las mujeres que explican sus historias en este libro quieren compartir contigo algunos de sus pensamientos sobre las oportunidades que perdieron al no reconocer sus señales de alarma:

Ignoré los tempranos rumores de que él había discutido físicamente con otras de sus novias. ¿Por qué pensé que sería diferente conmigo? Él incluso me dijo que una vez una antigua novia había utilizado un cuchillo para poder escapar de él. ¿Por qué necesitó un cuchillo? Me pareció extraño que odiara a sus padres y a la mayor parte de su familia. Pero entonces también me dijo que su padre maltrataba a su madre con frecuencia. ¿No decimos siempre que la manzana nunca cae lejos del árbol? ¿Por qué no lo creí? Me dijo que había intentado solicitar «una novia por correo», ya que así podría encontrar a una mujer sumisa. ¿Cómo me pudo parecer bien algo así?

Sabía desde el principio que él me recordaba a mi padre, que solía pegar a las mujeres. Mentía como mi padre y los dos eran alcohólicos. Las señales de alarma hacían mucho ruido pero yo no las escuchaba. Que él fuera tan parecido a mi padre debería haber sido una pista más que suficiente, pero como él era rico y famoso quería creer que se casaría conmigo. No obstante, tuve que aprender a escuchar no lo que sus palabras me decían, sino lo que su comportamiento me seguía diciendo y lo que mis señales de alarma indicaban.

AMY
(La historia de Amy aparece en el capítulo 9)

No debería haberme sentido atraída por simples conversadores que tienen un encanto superficial. Demasiado encantador es definitivamente una señal de alarma. Si alguien ahora muestra un comportamiento que me hace sentir incómoda, huyo tanto de su presencia como de la relación. Ahora sé que hay una razón por la que me siento incómoda en esas situaciones. He aprendido a escuchar, a investigar a través de los amigos y la familia de un chico, y a aprender todo sobre una persona muy pronto en la relación para evitar sorpresas. Si investigas y vas despacio, siempre puedes alejarte con más facilidad que si estás muy involucrada demasiado pronto. Asimismo, los patrones laborales de los chicos han demostrado decir mucho sobre ellos.

JENNA
(La historia de Jenna aparece en los capítulos 10 y 13)

La mayoría de las mujeres que comparten sus historias en este libro quieren que sepas lo siguiente: no te centres exclusivamente en qué diferencias existen entre sus relaciones con hombres peligrosos y las tuyas. No busques vías de escape en estas historias para que puedas continuar con una relación peligrosa y excusarte sobre por qué él es «diferente» a los hombres que se describen aquí. Por el contrario, afirma qué puntos comunes existen entre las historias de estas mujeres y la tuya. Aprende de las vivencias de muchas mujeres para que puedas estar segura y tener la capacidad y la oportunidad de realizar mejores elecciones.

CAPÍTULO 3

El dependiente emocional

¿**B**uscas un amor que nunca te abandone? Bien, ¡aquí está! Pero recuerda, la palabra clave es «nunca». Cuando escoges a Adán Adoración, él quiere que sea para toda la vida.

Alán Adoración
se convirtió en Sofocación

El dependiente emocional por lo general escoge a mujeres que han pasado mucho tiempo con otro tipo de hombres peligrosos. Los depredadores emocionales, los hombres peligrosos y los hombres emocionalmente inaccesibles (a todos los conocerás en los siguientes capítulos) hacen que el dependiente emocional parezca un regalo caído del cielo… en un primer momento. No es raro que las mujeres abandonen relaciones con otro tipo de hombres peligrosos para luego caer en los brazos de un atento y generoso dependiente emocional. Sin embargo, aunque los depredadores, los hombres violentos, los adictos y los emocionalmente inaccesibles pueden parecer peligrosos a primera vista, los dependientes emocionales dañan a su pareja a través de una agenda oculta de increíble necesidad, una necesidad tan extrema que puede tornarse abusiva.

Éste es un problema compartido por mujeres que mantienen una relación con los dependientes emocionales o sus primos, los hombres que buscan una madre (que se tratan en el siguiente capítulo). Los dos tipos parecen menos patológicos que otras clases de hombres peligrosos que cazan a mujeres con la guardia baja. Ellas no buscan «lo peligroso» bajo su disfraz de «dócil y tierno». Las mujeres que han salido escaldadas por relacionarse con tipos de hombres peligrosos más asustadizos se sienten más o menos seguras si quedan con un chico con la consistencia de un espagueti blando. Pero no te equivoques: los dependientes emocionales son patológicos.

Los dependientes emocionales parecen ser sensibles, una cualidad que las mujeres encuentran irresistible. Como casi todas tus amigas, ellos pueden empatizar, simpatizar y llorar a causa de experiencias dolorosas del pasado. Demasiadas mujeres aceptan el reto de intentar «enmendar» el dolor causado a estos hombres por tus hermanas en el juego de las relaciones sentimentales.

En realidad, la sensibilidad que al principio atrae a las mujeres al final las ahuyenta. Tan sólo enmascara graves problemas neuróticos en el dependiente emocional. Las necesidades no cubiertas en su niñez son el culpable más probable de su extrema necesidad de apego contigo. Pero lo que comienza como un mero deseo de cariño se torna en sofoco. Llega el momento en el que su dependencia comienza a obstruir los conductos de ventilación de las mujeres con las que tienen una relación. Y lo que ella continúa vertiendo en él en términos de atención reciproca sólo le satisface durante breves períodos de tiempo.

Mientras que el hombre que busca a una madre quiere atención materna por tu parte (desea que seas su sirvienta y le mimes), el dependiente emocional está dispuesto a hacer eso por ti. Necesita que no le dejes solo ni un momento y te agotará con su atención personal. Estará dispuesto a respirar el aire que exhalas. Está (demasiado) dispuesto y es (demasiado) capaz de ofrecerte cada pizca de atención que quieras o que puedas soportar.

Los dependientes emocionales son hombres necesitados. A muchos de ellos se les podría diagnosticar un trastorno de la personalidad por evitación (*véase* apéndice). Cuando empiezas a establecer límites con ellos, se tornan víctimas y empiezan a actuar como si les estuvieras pidiendo algo que les mataría. Pero la mayoría de las mujeres piden un poco de espacio o de tiempo con sus amigos. La caja de herramientas para una relación del dependiente está llena de culpabilidad y demandas de tiempo y atención que él utiliza en una mujer para que se quede con él porque tiene poco tiempo o intereses. A causa de su falta de vida, no considera sus demandas irracionales. Pero dejar tus intereses, tus amigos, tu familia y tu vida es justo el comienzo de lo que conlleva evitar que un dependiente emocional no haga pucheros, tenga rabietas o se vuelva paranoico. Cuantas más cosas dejes, más seguro se sentirá él. Pero luego llega la siguiente petición de que abandones tus necesidades, y la siguiente, y otra más. Sus necesidades siguen aumentando hasta que supera las posibilidades de una mujer.

Su requisito de convertirse en el centro de tu atención pronto se torna en «necesitarte completamente». Del mismo modo, la atención que te presta se convierte en celos y paranoia en un intento de evitar que tengas una vida ajena a él. La paranoia del dependiente emocional es una herramienta oculta. Actuará de manera paranoica (se sienta así o no) para controlar que dejes las partes de tu vida que le atemoriza que experimentes. Su paranoia puede versar sobre tus amigas, tu trabajo, tu familia o tus relaciones familiares. En principio, cualquier vida que tengas puede causarle paranoia. Neurótico y dependiente, sólo puede encontrar su sensación de identidad en las relaciones. Por tanto, *cualquiera* le sirve para mantener su conciencia alejada de su falta de identidad propia. Las mujeres con las que sale, en sí, no son en realidad importantes para él. Sólo son importantes en cuanto que le ayudan a evitar sentir sus temores.

Los dependientes emocionales se preocupan por las críticas (reales o percibidas) y el rechazo. Son hipersensibles a la más mínima corrección de sus comportamientos. Un dependiente emocional se ve a sí mismo como un inepto en muchas situaciones y se siente muy inferior. Su comportamiento puede ser descrito como tímido, tranquilo, temeroso y a veces intenso.

Los dependientes emocionales evitan las responsabilidades laborales. Temen las críticas que pueden recibir en un ascenso en el trabajo, así que suelen producir poco en sus carreras profesionales. Un dependiente emocional teme la desaprobación por parte de un compañero de trabajo, de su jefe y de cualquiera. Esto le mantiene en la posición más baja cuando llega el momento de los ascensos porque él no va más allá. Se siente tan raro en las situaciones sociales como en el trabajo y no quiere salir con tus amigos. Para él muchas actividades cotidianas son amenazadoras.

Como un hombre con un trastorno de la personalidad por evitación, lo cual es una forma de patología, encuentra en cualquier relación un refuerzo de su visión como débil e impotente. Cuando una mujer le deja, esa autopercepción siempre cambia con la siguiente mujer que llega. Nunca se siente seguro porque su concepto de él mismo se basa en la mujer con la que está en ese momento. Se vuelve histérico al final de la relación. Intenta evitar que termine, ya que siente que su esencia se desvanece. Su falta de identidad provoca que las mujeres sean su principal foco de atención en su vida para que pueda evitar la soledad y los sentimientos de rechazo.

Los dependientes emocionales son abandonados porque las mujeres acaban agotadas. Tienen historias de mujeres que escapan de sus garras mortales. Ellas les ofrecen más que a los recién nacidos. Los dependientes emocionales cuestan más que la deuda nacional en cuanto a recursos emocionales, pero aun así sus necesidades no están cubiertas. Lo que quieren y necesitan está más allá de lo que las habilidades de una mujer pueden proporcionar. No puedes y nunca podrás cubrir sus necesidades. Es un agujero negro que succiona las almas de las mujeres pero que permanece insatisfecho. Cualesquiera que sean las carencias de su niñez, está claro que consumir la vida de sus relaciones adultas nunca llegará a suplir lo que no consiguieron de niños.

Es difícil romper con los dependientes emocionales. Llorarán, se aferrarán a ti y te amenazarán con hacerse daño, te llamarán repetidamente y rozarán el límite del acoso para evitar que «les dejes» o «sentirse rechazados». Aunque todo este drama puede resultar halagador para algunas mujeres, debes darte cuenta de que no es por ti. No tiene que ver con tu personalidad, tus sueños los dos juntos, o la singularidad de vuestra relación. Se debe a que tú eres un aparato de respiración cuya presencia le ayuda a olvidar lo que más teme: el rechazo. Las mujeres a menudo cometen el error de pensar que si «alimentan» su autoestima, con rapidez «se podrán alejar» de su vida. Evitan romper con ellos para construir su hundida autoestima. Pero hay un problema: su autoestima nunca se llega a construir, nunca existe un momento adecuado para acabar con la relación.

A quién buscan

Puesto que los dependientes emocionales aparecen para sanar las heridas que dejaron otros hombres peligrosos, las mujeres con historias de rupturas recientes, devastadoras o divorcios desagradables son magníficas dianas para ellos. Las mujeres que han escogido una y otra vez a hombres que son narcisistas, egoístas y emocionalmente inaccesibles proporcionan el justo campo de alimentación a los dependientes emocionales. Como a los dependientes emocionales les gustan las mujeres «sensibles» que pueden hablar su mismo lenguaje, para los oídos de estas mujeres es música escuchar a un hombre que expresa justamente lo que ella está sintiendo, ya que él también ha pasado por eso. Ellas tienen una conexión inmediata con los hombres que hablan su mismo lenguaje, el de las personas que han sido abandonadas y utilizadas por sus anteriores parejas.

Las mujeres suelen llamar a los dependientes «buenos chicos» o «el último hombre bueno», porque su verdadero estatus de víctima perpetua está camuflado por el mutuo lametón de las heridas basado en una historia compartida de relaciones pobres. Él le parece a ella un «amigo» que se está recuperando de su propio desamor más que un individuo patológico. Los dependientes emocionales son considerados cordiales, comprensivos y de ideas afines a las mujeres que no quieren nada más que compartir las historias sobre sus dolorosos pasados.

Los dependientes emocionales fantasean sobre relaciones ideales, en especial porque nunca han tenido una. Las mujeres que comparten estas fantasías serán arrastradas a su «concepto» de relación. Todo suena bien, el único problema es que él nunca ha vivido esto antes.

Las mujeres que han crecido en familias con hombres neuróticos pueden estar con la guardia baja ante este tipo de hombres peligrosos. Las que no quieren ser vistas como mujeres que rechazan y que critican terminan con los dependientes emocionales porque, aunque sus señales de alarma pueden empezar a sonar al poco tiempo después de conocerlos, no quieren «herir sus sentimientos» al concluir la relación. ¡Éste es justo el tipo de mujeres con las que cuentan los dependientes emocionales! Las mujeres sensibles, que saben esto como él, y a las que tal vez les hayan herido, son las candidatas ideales para evitar hacer daño a alguien. Es una teoría que tiene buenos resultados, una y otra vez, en su historial sentimental.

Las mujeres que piensan que pueden querer a un hombre por su historia devastadora se sienten en particular atraídas por los dependientes emocionales (así como por los enfermos mentales y aquellos que buscan a una madre). Las que creen que el dependiente emocional «únicamente necesita el amor de una buena mujer» deberían dedicarse a escuchar música country y canciones del oeste en los karaokes en vez de salir con este tipo de hombres, porque les puede llevar años recuperarse y recuperar su vida después de una relación con un dependiente emocional.

Por qué tienen éxito

Los dependientes emocionales tienen éxito por su capacidad de venderse en un momento en que estás necesitada. Son, obviamente, lo contrario a los hombres que te hirieron antes, de modo que se convierten en el héroe al que nunca abandonarás.

Su atención es excesiva, aunque al comienzo parece la que estás buscando. Por una vez el fútbol no tiene prioridad. Tampoco sus amigos (¡no tiene ninguno!) ni su profesión. No hay otras mujeres a su alrededor por las cuales debas preocuparte. Para algunas mujeres esto es tan diferente a sus relaciones anteriores que se preguntan si «eso es lo que las relaciones son».

Los dependientes emocionales pueden verbalizar lo que puede parecer ideas sanas sobre las relaciones. Esto se debe a que esa relación existe de manera natural es sus fantasías. Sus fantasías incluyen que nunca será rechazado y tienen visiones de que viven una vida plena y activa. Que sean capaces de hablar sobre estos sueños como si fueran reales puede ser atractivo para mujeres que o son tímidas o quieren a un hombre que sea capaz de «enfrentarse a lo que hay fuera». Sin embargo, con estos hombres de naturaleza evasiva, estos sueños y conceptos nunca parecen materializarse en el mundo real.

Un dependiente emocional se mueve con rapidez para conducirte al centro de su vida. Por supuesto, espera una reciprocidad completa porque él también quiere ser el centro de tu mundo. El cortejo es acelerado y la intimidad parece inmediata. Se implica las veinticuatro horas del día. Su mayor temor es que lo rechaces, así que apresura el ritmo de la conquista para asegurarse una relación sólida antes de que aparezca demasiada realidad. Pronto, ser el centro de su mundo significa renunciar a tu relación en algo o alguna otra cosa.

Es importante darse cuenta de que una de las principales razones por las cuales los dependientes emocionales y, de hecho, cualquiera de los hombres descritos en este libro, tienen éxito es porque los hombres patológicos, en general, tienen un talento especial para atraer a las mujeres, al menos en un primer momento. Pero otra razón por la cual los hombres patológicos son peligros es que la gente que *no* es patológica no capta sus astutas estrategias hasta que las aprende por las malas.

Historias de mujeres

Veamos si puedes identificarte con el sofoco de Willow y Patrina mientras conoces sus historias con dependientes emocionales y los intentos de estas mujeres por escapar de ellos.

La historia de Willow

Willow no entiende qué pudo ir mal. Su primer amor fue Michael, que era un hombre generoso y equilibrado. Sus comienzos fueron buenos, ya que salía con alguien que era normal, responsable y sano, pero su siguiente selección, Dane, era un mujeriego. Su filosofía subyacente era «la poligamia a toda costa». Tenía una idea narcisista sobre su persona que aplastaba a todas las mujeres en su camino. Sus intereses eran él y sus necesidades. Willow se prometió con él, y cuando terminaron de mutuo acuerdo, ella agradeció que nunca tuviera lugar el matrimonio.

No estaba demasiado atenta cuando apareció Garrett. Ella estaba en la universidad y trabajaba a media jornada en una empresa de trabajo temporal. La colocaron en la oficina en la que trabajaba Garrett. Su corazón estaba demasiado dolido por tantas idas y venidas con Dane, y ella quería un tiempo de descanso sin citas. Garrett le pidió que saliera a comer con un grupo de la oficina. Parecía algo inofensivo y una buena manera de conocer a los empleados.

Garrett era lo contrario a Dane. Willow, de veinte años, sintió que si Dane era malo, lo bueno sería encontrar a alguien de características opuestas. Garrett era todas las cosas que Dane no era. Dane estaba centrado en sí mismo, su profesión, sus amigos y otras mujeres. Garrett estaba completamente dedicado a Willow, el fracaso de su relación y cualquier otra cosa sobre la que ella necesitase hablar.

Después de unas cuantas comidas con el grupo, Garrett y Willow empezaron a ir a comer solos. Fue entonces cuando Garrett dijo que estaba separado y que tenía una hija de dos años. Willow no estaba segura de lo que le parecía aquello. Todavía estaba casado y tenía una hija muy pequeña. ¿No debía intentar arreglarlo? Pero él dijo que llevaban separados un año y que su mujer había tenido una aventura antes de la separación. Se sintió victimizado por ella y estaba seguro de que terminarían en divorcio.

El objetivo de Willow era «ver lo que pasaba» y avanzar despacio. Al fin y al cabo, Dane le había hecho daño. Pero parecía que Garrett iba muy deprisa. Él era un poco agobiante. Le prestaba mucha atención y ella no estaba segura de si eso era sano o no, sobre todo porque ella había acabado de salir de una relación con Dane, donde la atención era algo raro.

Garrett quería pasar cada segundo del día con Willow. Parecía que se la tragara en su propia necesidad de avanzar. Pronto, Willow advirtió que no era normal hablar sobre relaciones anteriores o sobre cómo estaba tratando de avanzar ella. Garrett empezó a actuar con celos y como si se sintiera herido cuando ella hablaba sobre Dane, o incluso de sus amigos. Luego empezó a actuar de manera sospechosa con sus amigas. Para Garrett, parecía no haber un lugar seguro en el que Willow pudiera tener amistades, excepto su familia más cercana.

Aunque Willow sintió señales de alarma por los celos de Garrett hacia sus amigas, ella trasformó esas señales de alarma en algo que podía aceptar. Decidió que él «estaba herido porque acababa de sufrir un divorcio, había perdido a su hija y su esposa había tenido una aventura. Él ahora necesitaba un poco de atención, y luego se estabilizaría». Del mismo modo, él insistió en ser suyo, excluyendo cualquier cosa que ella quisiera hacer.

La universidad empezó a ser un problema. Cuando ella se graduó, Garrett le preguntó si realmente quería convertirse en asistenta legal. Parecía que él se sintiera incómodo con la idea de que ella pasara mucho tiempo rodeada de abogados. Él sugirió la idea de que se convirtiera en una secretaria legal.

Willow dejó de trabajar en la empresa de trabajo temporal. Tras cualquier trabajo que ella conseguía, Garrett quería ir a la oficina «a recogerla para ir a comer», aunque lo que en realidad deseaba era averiguar cuántos hombres más había en la oficina. Él decía que lo hacía porque Willow era muy atractiva y que «todos los hombres eran basura» en la que no se podía confiar.

Las amigas de Willow se empezaron a quejar de que nunca salía con ellas por la noche o se iba de compras con ellas. A Willow le parecía que era demasiado costoso convencer a Garrett para salir una noche, y después tener que convencerle durante semanas de que ella había sido «buena». La familia de Willow empezó a decirle que pensaban que Garrett era un «flojo» y demasiado inseguro, necesitado y dependiente. Pero Willow siempre volvía a compararlo con Dane. «Al menos no me evita», pensó. Aun así, había demasiado por lo que preocuparse sobre el comportamiento de Garrett de lo que Willow quería creer. En vez de comparar el comportamiento de Garrett con el de Michael, quien había sido un joven emocionalmente sano, lo comparó con el de Dane, quien había sido horrible. Los dependientes emocionales tienen una manera de parecer mejor que otro tipo de hombres peligrosos cuando se comparan sus comportamientos.

Garrett sólo tenía un amigo. Pero nunca quería hacer nada con él, excepto ir a su casa cuando Willow estaba acompañada. Garrett tenía muy pocos intereses por otras cosas. La mayoría de las actividades que le gustaban las podía hacer en el garaje cuando Willow estaba en casa. Necesitaba consuelo constante de que «nunca le abandonaría», y se sentía abandonado si Willow quería jugar al tenis con una amiga tanto tiempo como quisiera.

Por desgracia, Willow se casó con Garrett y la obsesiva sospecha continuó. Inmediatamente después de la boda, Garrett se quería trasladar a otro estado. Willow no escuchó la señal de alarma que le indicaba que él quería aislarla de su familia. Una vez se mudaron, Garrett no quería que Willow trabajara como asistenta legal. Todo su esfuerzo en la universidad no iba a dar resultados. Empezó a trabajar en otro sector. Muy pronto, él controlaba la ropa que se ponía, a qué hora salía del trabajo y cuándo llegaba a casa.

Los problemas florecieron en el matrimonio, y Willow se dio cuenta de que las obsesiones de Garrett y su necesidad tal vez fueron las causantes de la ruptura de su primer matrimonio. La noche que Willow decidió que no podía estar más tiempo casada, Garrett se colocó en posición fetal en el suelo, llorando y balanceándose, y amenazando con acabar con su vida «si otra mujer le dejaba». El resto de intentos por dejarle resultaron en más amenazas de lastimarse. Willow se fue y Garrett fue trasladado a un hospital psiquiátrico hasta que se estabilizara. Cuando le dieron el alta, Willow había localizado de nuevo a su familia. Garrett empezó a beber mucho y culpó de su adicción «a las mujeres que le habían abandonado». Fue de relación en relación, utilizando su necesidad y dependencia, como Willow dijo, «para secuestrar emocionalmente a las mujeres».

La historia de Patrina

Patrina conoció a Isaac en la universidad. Ella estudiaba periodismo y él humanidades. Ésta fue la primera relación seria de Patrina. En sus años en el instituto había tenido alguna cita ocasional y había evitado las relaciones sentimentales. Consideró que no era suficientemente mayor como para enamorarse. Isaac, por el contrario, había estado ya «muy enamorado» de una docena de mujeres que habían acabado dejándole y «le habían hecho daño», según él.

Patrina dice:

Los primeros comportamientos dependientes de Isaac empezaron tres meses después de que nos conociéramos, él se volvió dependiente de una manera que no era sana y necesitado cuando yo recibí una postal de Navidad de mi anterior novio. Aun así, duramos tres años, lo que no considero un mérito.

Su necesidad, que resultaba de cualquier interacción que tuviera con hombres, era patética. Ni siquiera podía soportar que me fuera a otra habitación si ese día había hablado con otro hombre. ¡Me seguía y me acusaba de no preocuparme por él porque me había ido a la otra habitación! Me preguntaba todos y cada uno de los días sobre cualquier hombre con el cual había hablado: el trabajador de la gasolinera, el de la tintorería, ¡cualquiera! Era penoso, y me entristecía cada vez más y más ver a este despojo de hombre intentar tener una relación con una mujer.

El temor de Isaac por mis interacciones con hombres aumentó. Si tenía cualquier conversación con un hombre, los deseos sexuales de Isaac se volvían insoportables. Tenía una necesidad compulsiva de cercanía física, como parte de su obsesión por controlarme y por validar su propia necesidad de atención. El sexo con él era como una cura. Él intentaba curar su alma utilizando su conexión sexual conmigo. Me sentía como el objeto en el que un perro levanta su pata para marcar que le «pertenece». Fue mi primera introducción en el concepto de que el amor no es dependencia.

Este comportamiento celoso, necesitado, inseguro, posesivo y controlador un día me condujo fuera del Dr. Jekyll y el Sr. Hyde, como lo hizo con una docena de mujeres antes que yo. Lo que me mantuvo atada a él durante tres años era el hecho de que me encantaba su lado tierno y sensible. Actuaba como si me adorara. En los días buenos, me trataba como nadie lo había hecho y estaba convencida de que (al menos al principio) su excepcional comportamiento de necesidad era eso, una excepción. Pero con el tiempo lo experimenté de manera regular. Me di cuenta de que no era a mí a quien quería. Más que la necesidad de querer a

alguien, temía el hecho de estar solo. Le distraje de mucho traba-
jo emocional que necesitaba hacer.

Tuvimos muchas idas y venidas con terapia individual y de
pareja, pero sus problemas nunca se resolvieron porque en reali-
dad nunca los abordó. La negación de su comportamiento era tan
fuerte que nunca fuimos capaces de descubrir, e incluso menos
resolver, lo que había dañado su psique de tal manera para hacer
que fuera ese tipo de persona. Y, ciertamente, mi amor por él no
le había hecho sentirse seguro. De hecho, su amor por mí incluso le
empujó al límite. No podía querer a alguien de la misma manera
que la otra persona sin obsesionarse y hacerla sentir miserable.

Lista de comportamientos de alerta roja

～ EL DEPENDIENTE EMOCIONAL ～

- Te necesita mucho y no puede soportar estar sin ti.
- Suplica, implora, llora, hace pucheros y te culpa para que estés con él, cambies tus planes por él y no lo abandones.
- Amenaza con hacerse daño si alguna vez te vas.
- Te culpa de su necesidad diciendo que su amor por ti le provoca vulnerabilidad.
- Quiere una reafirmación constante de su deseo .
- Desea una reafirmación constante de que no estás interesada en otros hombres, y quiere promesas de que nunca lo rechazarás.
- Se menosprecia a sí mismo para que le reconfortes.
- Te provoca pena para que te quedes con él.
- Tiene muy pocos amigos íntimos.
- Tiene muy pocos, si es que tiene alguno, intereses.
- Se ve a sí mismo como una víctima, ha tenido muchos «desa-lientos» en su vida.
- Ha tenido múltiples relaciones insatisfactorias.
- Puede tener una relación inusual con su madre.
- Te provoca una sensación de agobio cuando pasas mucho tiempo con él.

❤ ❤ ❤

Tu estrategia de defensa

Los dependientes emocionales parecen adorarte desde el inicio de la relación. Parecen leales y fieles hasta el punto de tener un encanto clásico. Actúan de manera honorable y caballerosa. Te prestan la atención que probablemente te faltaba en alguna de tus relaciones anteriores. Pero son demasiado interesados, quieren verte con demasiada frecuencia y son demasiado leales y fieles antes de tener una trayectoria contigo.

Poner el freno en una relación siempre es una buena estrategia de defensa. Ve más despacio y observa cómo reacciona a tu cambio de ritmo. Si se acerca más y parece que te «necesita» más de lo que para ti resulta cómodo, ¡presta atención! Está más interesado en aliviar su sentido del rechazo o abandono latentes que en respetar tus límites. Si empieza a aparecer en sitios donde cree que estás cuando has pedido que el ritmo de la relación sea diferente, haz caso a las señales de alarma. Su adoración es sólo una tapadera para sus comportamientos neuróticos.

Éstos son hombres con patrones de relaciones fallidas debido a la sofocación de sus parejas. Les escucharás decir que nunca nadie ha sido justo o leal con ellos. Son víctimas en las manos de mujeres sin corazón. Si empiezas a sentir pena por un hombre o quedas con él porque lo primero que sientes por él es lástima, probablemente estés con un dependiente emocional. Reserva tu pena para los trabajos caritativos, no debería ser un sentimiento inicial en una relación de pareja.

Los dependientes emocionales son propensos a la ansiedad y la depresión, así que también asegúrate de ver estos síntomas. Las fobias sociales son frecuentes en los dependientes emocionales, lo que explica por qué no disfrutan con tus amigos o desean actividades sociales. Además, pueden tener cualidades que sean similares o se solapen con aquellas de los hombres que quieren una madre (*véase* el siguiente capítulo), haciéndoles excesivamente necesitados o dependientes.

Los dependientes emocionales a menudo tienen relaciones inusuales con sus madres. Como adultos puede que estén demasiado cerca y relacionados con sus madres, o tal vez tengan madres evasivas o controladoras. Cualquiera de estos tipos de cuidados maternales no se solucionará al tener una relación contigo. Bajo toda esta devoción subyace la patología.

Recuerda que la mejor manera de protegerte de los dependientes emocionales es tomar el mando del ritmo de una relación y observar la reacción. Las mujeres necesitan resistirse a ser engatusadas por su adoración, y, en cambio, precisan escuchar y observar con cuidado cuando él habla sobre sus relaciones personales, rechazos sentimentales, soledad y traición. La dependencia no es amor.

Pensamientos de mujeres

Mirando atrás, Willow ahora afirma lo siguiente sobre su relación con Garrett:

Ahora que miro atrás, me imagino que hay un problema cuando nadie en tu familia piensa que tu chico está bien y cuando tus amigos hablan sobre por qué él te necesita tanto. No es un cumplido ser necesitada de tal manera, porque él en realidad no te necesita «a ti» per se, simplemente precisa no estar solo. Yo podría haber sido un cartón a tamaño real de mí misma y eso le habría bastado para evitar enfrentarse a sí mismo. Como adultos, ¿en realidad «necesitamos» a alguien para sentirnos completos? Ahora eso me asusta un poco. Si no se siente completo consigo mismo, estoy segura de que no voy a lograr eso por él. Hay una razón por la cual él no se siente completo. Otra persona no hará que seas algo que no eres.

Hablaba mucho sobre por qué yo lo era todo para él, pero no hacía ni dos meses que me había ido cuando ya estaba con otra, una mujer mayor que vivía con él. Simplemente necesitaba a alguien para evitar sentirse solo. Era todo lo que yo era. Se estaba divorciando cuando le conocí y no quería enfrentarse a sí mismo, así que yo le llené su tiempo.

La mujer que vino después de mí no duró mucho tiempo. Después apareció una mujer muy joven, pero ella tampoco duró. Más tarde tuvo una relación con alguien que estaba muy enfer-

ma, con una enfermedad crónica, tal vez pensando que ella no se atrevería a irse a otro lugar, pero lo hizo. Su atención constante llamó mi atención después de que Dane casi no me hubiera prestado ninguna. Pero ahora, incluso demasiada atención es una señal de alarma para mí.

CAPÍTULO 4

El hombre que busca a una madre

Una característica distinguible sobre esta categoría de hombre peligroso es que rápidamente aprendes que su aspecto de niño es en realidad inmadurez. ¿Y qué atractivo puede tener tras cierto tiempo?

David el Infantil

¿Cómo puede un niño de mamá hacer daño a alguien? ¿Qué puede convertir a este eterno niño en patológico? Como el emparentado dependiente emocional, no tiene por qué ser violento, adicto a algo o depredador. No busca a otras mujeres y oculta su vida detrás de puertas cerradas. Su único pecado es que él está alrededor, de continuo, como un bebé mayor sobre tus rodillas. Sí, él está disponible, *siempre* disponible, *demasiado* disponible.

Como los dependientes emocionales, los hombres que buscan a una madre son selecciones comunes para mujeres que han salido con los más temidos tipos de hombres peligrosos. Seleccionar a hombres más pasivos parece ser, en su mente, una elección más segura. La lealtad de estos hombres parece prometedora después de haber salido con unos cuantos chicos que muestran demasiada «testosterona».

Este tipo de hombre peligroso se analiza mejor en términos de edad. Muchos de ellos no llegaron a desarrollar las estructuras de una personalidad adulta. Por el contrario, se quedaron en las etapas tempranas de su desarrollo, lo cual, como se explica en el capítulo 1, termina produciendo un trastorno completo de la personalidad. Las mujeres que salen con hombres que buscan a una madre de inmediato quieren saber por qué son así. Sus corazones sangran a causa de la triste historia de su fallido desarrollo. Se preguntan cómo su amor puede «arreglar» sus deseos por una madre. Pero recuerda, los hombres patológicos no pueden recuperarse, incluso aquellos que «necesitan» a una madre.

De acuerdo con la teoría del desarrollo de la personalidad, buscan a mujeres que sean sustitutas de madres porque fueron heridos en la niñez por sus propias madres o por su falta. (Esto incluso se puede aplicar a hombres homosexuales cuyas personalidades no llegaron a desarrollarse de manera adecuada durante la niñez. Puede que no busquen mujeres con las que salir, pero sí figuras maternas en amigas íntimas). El truncado temprano desarrollo del hombre que busca a una madre podría haber sido fruto de un gran número de factores, incluidos el abuso infantil; unos padres que no eran comprensivos, que no les cuidaban o interactuaban con ellos; padres adictos; o una enfermedad infantil crónica, por nombrar algunos.

Los hombres que buscan a una madre buscan eternamente a una figura materna o paterna ausente. Quizás fue el padre el que nunca estuvo cerca cuando ellos estaban creciendo, o la madre la que nunca estaba presente para ellos a nivel emocional. Muchos buscadores de madres tienen problemas complicados de abandono y separación con sus madres. Pero la clave es que siempre buscan una evasiva figura paterna. Esto significa que incluso cuando alguien está intentando actuar como un padre/madre, por ejemplo una mujer con la cual están saliendo, el padre o madre de su niñez está siempre ausente. El agujero en su alama tiene forma de padre o madre ausente. Y lo que es más importante desde tu perspectiva, ese agujero *nunca* podrá llenarse con algo que tenga tu forma.

El crecimiento emocional retrasado e insatisfecho de alguno de ellos resulta en el comportamiento de un niño de 10 años, mientras otros se parecen a niños rebeldes y bocazas de catorce a dieciséis años. Para detectar a este tipo de hombres patológicos, busca en ellos el comportamiento de un niño de diez a dieciséis años. Esto te permite ver cómo es el comportamiento infantil y te proporcionará una prueba de realidad cuando escuches su triste historia.

El ego de los hombres que buscan a una madre es pequeño, como si se adecuara al rango de edad en el que se estancaron. Necesitan apoyo constante sobre sus elecciones, decisiones y acciones. Muchos podrían encajar en el diagnóstico del trastorno de la personalidad dependiente (*véase* apéndice). Aunque los síntomas son similares a otros tipos de hombres emparentados, los dependientes emocionales, sus intenciones, las maneras en las cuales fueron heridos y el tipo de mujeres que buscan son diferentes. Aun así, los resultados finales para las mujeres con las que se relacionan son los mismos. Del mismo modo en el que tú animas a un niño de catorce años para que saque a bailar a una chica, dejarás que tu vida estimule la hundida autoestima del hombre que busca a una madre para compensar su bajo nivel de productividad. Le lleva mucho tiempo tomar una decisión, y lo logra después de mucha ayuda para sopesar los pros y los contras. Si se queda con esa decisión o no es otro tema. A causa de su carencia de habilidades de la toma de decisiones, no hay mucha acción en su vida. Se la pasa en suspense, pensando, sopesando opciones, escogiendo, pero *haciendo* muy poco.

Puesto que el hombre que busca a una madre está todavía intentando cubrir las necesidades de cuando él era un niño pequeño, quiere que le esperes atada de pies y manos. El papel de madre y criada adoptado por las mujeres con las que se relaciona encaja a la perfección con sus intentos de obtener cuidados. Está intentado llenar el agujero de su alma que dejó un abandono que ocurrió temprano en su vida. Cuando cuidas de él, dice que se siente «bien» o «especial». Sin embargo, en realidad, tu aceptación del rol de sirvienta *no* repara el daño que sufrió en su infancia.

El hombre que busca a una madre no participa en muchas tareas de adulto. Te parecerá que no tiene interés, habilidad o motivación para ayudar en la rutina de las tareas diarias. Pintar la casa está descartado, junto con pagar las facturas, llevar a los niños al colegio o cualquier otra cosa que se pueda esperar de un adulto. Pero estará más que dispuesto a hacer deportes con los niños, ver dibujos o imitar lucha libre profesional en tu sala de estar. Su mayor contribución a la vida familiar será jugar con los niños.

Shayla, quien se casó con uno de ellos, lo explica de esta manera:

Dan tenía la mentalidad de un niño de trece años. Yo también tenía un hijo adolescente y los dos salían juntos y jugaban a baloncesto. Es bueno que un padre salga con su hijo, pero de lo que hablo aquí no es de terapia familiar. Al final del día, tenía que llamarles a los dos para que cenaran, decirle a los dos que se lavaran las manos, que no pusieran el balón en la mesa, preguntarles si habían tomado sus vitaminas y si habían ido a trabajar y a estudiar. Incluso tuve que guardar el sueldo semanal de Dan porque gastaba mucho en equipamiento deportivo y en música; también tenía que asegurarme de que mi hijo guardara su dinero cada semana y no se lo gastaba en videojuegos. No había ninguna diferencia entre Dan y mi hijo, excepto que yo tenía sexo con uno de ellos.

La delegación de las tareas era otro tema de disputa. Como un niño de trece años, el hombre que busca a una madre no inicia nada por su cuenta, así que le asignas una tarea y se enzarza contigo en una pelea por el poder. Aunque le gusta que le ordenes que haga cosas que no es capaz de hacer por sí solo, todavía tiene problemas de control relacionados con su incapacidad de iniciar algo.

La búsqueda de trabajo, tareas, *hobbies* y las amistades adultas no tienen lugar para el hombre que busca a una madre sin toques de atención, amenazas y orientación por tu parte. En consecuencia, tiene muy pocos intereses, así que siempre está a tu lado, como un niño pequeño enganchado a tus rodillas. Necesita consuelo constante de que todo estará bien antes de que responda a los toques de atención y las amenazas.

Como un niño de once años, el hombre que busca a una madre se tumbará en la cama y querrá cuidados especiales cuando tenga la garganta irritada. Y durante episodios de otras enfermedades menores, puedes esperar que su tolerancia al dolor sea baja y su necesidad de mimos alta. Si no actúas como una sirvienta, esté enfermo o no, empezará a hacer pucheros. Shayla dice: «Mi hijo y mi marido tenían la gripe y era una competición entre ellos por ver cuántas veces ayudaba a cada uno. Se ponían puntos y chocaban los cinco entre ellos si les daba la medicación en la cama».

La pareja del hombre que busca a una madre no tarda mucho tiempo en sentirse débil por cargar en sus hombros el peso de la vida de otra persona. Pero él está repleto de avisos para ti sobre todas las otras mujeres que antes le fallaron. La carga de la prueba de que la mujer en su vida puede redimirse recae sólo en ti. Si eres dependiente y estás dispuesta a curarle con tu amor, esta dinámica te mantendrá secuestrada en la relación, hasta el agotamiento.

A quién buscan

Los hombres que buscan a una madre son la selección número uno y de moda para algunas mujeres. Las mujeres con estructuras personales que son excesivamente cuidadoras escogen salir con estos niños grandes. No son mujeres a las que tan sólo les gusta mimar a los demás un poco. Son mujeres que encuentran sentido a su existencia al rescatar y criar a los hombres emocionalmente dependientes. Se trata de una relación simbiótica que se basa en el hombre que necesita a una madre y la mujer que precisa a un hijo. En algún lugar a lo largo del camino, las necesidades de la infancia del hombre y las maternales de las mujeres se torcieron, y en vez de buscar a un terapeuta cada uno, ellos encontraron una relación. Las mujeres con historias de abuso infantil son candidatas idóneas para este tipo de hombres. Una mujer que fue objeto de abusos puede engancharse a un niño de mamá para que pueda imitar el tipo de cuidado que necesitaba y que no pudo obtener en su niñez dándoselo a un hombre adulto. Sin embargo, cuando una mujer intenta que sus necesidades sean cubiertas a través de un cuidado excesivo de su pareja, por lo general no le sale a cuenta. Por el contrario, termina con otra persona que no la cuida ni la valora.

Algunas mujeres confunden sus profesiones con su vida privada. Las mujeres que trabajan en campos relacionados con los cuidados, como, por ejemplo, las enfermeras y otro tipo de trabajadoras de la salud, trabajadoras sociales, clérigos y profesoras, están en riesgo de salir y casarse con hombres que buscan a una madre, dependientes emocionales, adictos, enfermos mentales u hombres que son una combinación de éstos. Del mismo modo, mujeres que de manera regular son voluntarias en iglesias o cuidadoras a largo plazo de miembros de la familia y amigos pueden no estar en guardia con estos hombres cuyas necesidades son tan naturales para ellas. El dicho «la caridad comienza en casa» encuentra un nuevo significado en mujeres que literalmente piensan que esto significa casarse con el tipo de persona a la que sirven en su profesión o a través del trabajo voluntario. Por el contrario, el trabajo caritativo necesita permanecer en su sitio, en la iglesia, en el hospital, o en el edificio de servicios sociales; *no* debería entrar en tu vida de pareja y de casada.

Las mujeres que quieren más hijos a menudo buscan de manera inconsciente a hombres que buscan a una madre para cubrir en cierto sentido esa necesidad. Esto no significa que las mujeres que quieren hijos o a las que les encanta cuidar de los mayores o los enfermos sean cuidadoras patológicas y que haya algo que falle en ellas. Pero *ciertas* personalidades serán atraídas a este tipo de hombres patológicamente trastornados. Esto se debe a que sus necesidades de cuidados, orientación, guía y ayuda general están de acuerdo con los patrones de dar y dar.

De un modo sorprendente, a algunas mujeres con fuerza de voluntad y controladoras también les gustan los hombres que buscan a una madre. Estos hombres peligrosos disfrutan de la estructura y el control que este tipo de mujeres llevan a la relación. Ellas llevarán la estructura y el control allá donde puedan, en la forma de la figura maternal amable y cuidadora o la resolutiva criada. Cualquiera que sepa organizar y manejar su vida es un blanco para el hombre que busca a una madre.

El temor al abandono de los hombres que buscan a una madre les provoca moverse de relación en relación, buscando de manera urgente otra fuente de cuidado cuando una termina. Tienen dificultades para estar solos y quieren o necesitan a gente a su alrededor de continuo en sus intentos por evitar sus sentimientos de soledad y abandono. Las mujeres a las que no les importa cuántas parejas ha tenido un hombre son atractivas para el hombre que busca a una madre.

Las mujeres que salen con los hombres que buscan a una madre tienen que ir por encima y más allá de la llamada al deber de estos hombres. Un buscador crea un escenario en el cual la mujer está dispuesta a ir tan lejos como sea necesario para demostrar que ella no será como la madre que le dejó herido y descuidado. Estos hombres manipulan sus historias tristes y el buen corazón de una mujer establece una doble sujeción que la deja en una situación en la que nunca gana. Para que ella se ponga a prueba y para que él «se sienta querido», ella tiene que realizar un esfuerzo hercúleo y mantener una continua atención y adoración. No se le permite estar cansada o cuidar de sus necesidades. Mostrar su amor a su niño grande herido es un trabajo de 24 horas diarias que nunca termina.

Por qué tienen éxito

Los hombres que buscan a una madre suelen ser juguetones y parecerse a los niños. No son detectados por el radar de las mujeres porque son como «niños grandes». No hay nada que resulte peligroso. De hecho, hay algo «dulce» acerca de la no dañina desorganización del buscador que te recuerda a tu hermano. Ves su lado sensible cuando habla de su familia disfuncional. Necesita a una mujer para arreglar su casa, su armario, su vida. Es como un gran chico torpe, como los amigos de tu hermano. Es como el chico de la puerta de al lado que recuerdas de tu niñez.

Les gusta que las mujeres les llamen «mi bebé» o «un niño de espíritu». No se oponen a cualquiera de tus referencias a su conducta juvenil y comportamiento. Buscan a mujeres que tomen la iniciativa, que parezcan organizadas y que tengan hijos. Las mujeres solteras o divorciadas con una gran capacidad cuidadora se sienten especialmente atraídas por estos hombres. Las mujeres con sus propios problemas de maternidad sin resolver puede que no estén en guardia contra este tipo de hombres peligrosos; los dos pasarán tiempo lamentándose de sus inadecuadas madres.

Sin embargo, muy pronto todos estos problemas con mujeres empiezan a revelarse. Para él, la responsabilidad de «sentirse querido» reside en su pareja. Es ella, de alguna manera, la que tiene que hacerle superar sus años de abuso, soledad y necesidades no cubiertas por una madre. Cubrir estas necesidades por él es imposible, pero él todavía no lo sabe. Ella debe mostrar continuamente extraordinarios festines de devoción para demostrar que será la mujer que le amará, a diferencia de las que le fallaron. Esto constituye un secuestro emocional en su forma más elevada.

Pero el hombre que busca a una madre es un pozo sin fondo de necesidades. Es un recipiente agrietado que no puede contener lo que se vierte en él. Todo el amor que le des simplemente se escapa por las grietas de su herida psique. Él deteriora la relación necesitando mucho amor, que nunca será suficiente. La mujer que quiere al hombre que busca a una madre termina sintiéndose incapaz en sus intentos por quererle. Se siente exhausta de haberle dado más a él que a nadie en toda su vida, y todavía, según él, no ha llegado a conseguir satisfacerlo.

Los hombres que buscan a una madre asumen poca responsabilidad por sus propias necesidades emocionales o físicas, y sitúan gran responsabilidad en sus parejas para que cumplan esas necesidades. Es un trabajo a jornada completa y sin beneficios para la mujer.

Y aun así es muy difícil romper con los hombres que buscan a una madre. Para una mujer con un gran corazón, con hijos propios o con sus propios problemas de madre, dejarle es como abandonar a un hijo. Se preocupa y se pregunta: «¿Cómo se las podrá apañar solo?». Como el emparentado dependiente emocional, debes recordar que la dependencia no equivale a amor.

Historias de mujeres

Laura intentó hacer de canguro de una serie de hombres que buscan a una madre. Shayla, por suerte, aprendió la lección la primera vez. En ambos casos, observa que consentir a sus hombres no les valió la pena.

La historia de Laura

Laura tenía sólo dieciséis años cuando empezó a salir con hombres que buscan a una madre. Pertenecía a una familia de clase media-alta. Era la menor y recibió toda la atención que se reserva para el pequeño de la familia. Su padre trabajaba en la construcción y su madre era trabajadora social. Tenía una vida estable y cómoda. Al observar el trabajo de su madre, aprendió todo acerca de mostrar compasión por aquellos que tenían dificultades, hasta llegar a los marginados sociales. Pero Laura terminó confundiendo el trabajo social como profesión con una vida sentimental con buscadores de madres.

Laura concluyó su formación para conseguir el certificado como auxiliar de enfermería mientras todavía estaba en el instituto. Poco después, empezó a coleccionar peleles como otra adolescente colecciona animales de peluche. Las tristes historias de los chicos, extrañamente similares las unas a las otras, le llegaban al alma. La mayoría de ellos tenían historias tristes sobre sus madres, quienes les tuvieron demasiado jóvenes y no pudieron cubrir sus necesidades emocionales. Sus tempranos problemas dejaron enormes agujeros en sus almas, y Laura sintió que sólo ella podía llenarlos.

La historia de cada chico era más triste que la anterior: hogares de acogida, madres adictas, padres desconocidos, abandono, acostarse con hambre. Y entraron en la vida de Laura. Cuanto más triste era la historia, más interés parecía tener en salir con ellos. Un día tras otro, llegaban y se iban mientras Laura pagaba la factura de las citas, con subsidios por su desempleo crónico e intentando pagar su camino fuera de una vida de problemas. Se aprovechaban de su corazón, de su dinero y de su confianza.

La educación de Laura la había animado a creer que con que sólo *ella* fuera suficientemente estable, él se «trasformaría» en alguien igual. Así que rodeó a cada hombre con su familia, deseando que se les contagiara algo de su estabilidad, aunque sabía que eso no iba a ocurrir. Laura, como cualquier otra mujer con una profesión en el campo de los cuidados, advirtió que ser una auxiliar de enfermería certificada era compatible con adoptar el rol de cuidadora en sus relaciones. Utilizaba sus habilidades para intentar cuidar a cada triste hombre que era un buscador de madre y trasformarlo en emocionalmente sano.

Empezó con David, un delgado y malnutrido adolescente que había vivido en la calle desde los primeros años de su adolescencia. Nunca conoció a su padre, y su madre era demasiado joven cuando le tuvo a él y después cayó en una adicción. Uno de los novios de su madre abusó sexualmente de él. Ella no aparecía en semanas, así que por último confió su vida a las calles. ¡Pronto apareció Laura para rescatarle! Apareció la familia de ella: su madre, que era trabajadora social, escuchó las historias tristes de David; su padre intentó ayudarle a que encontrara un trabajo; su hermana le condujo de ida y vuelta a los trabajos. Pero al final, David sólo quería meterse en la cama en posición fetal y esperar a que su madre llegara a casa.

Después llegó Charleton. Su madre también era adicta, y confiaron su custodia a sus abuelos, quienes lo criaron. Ahora su madre estaba en la cárcel y se moría a causa del sida. De nuevo, ahí estaba Laura para rescatarlo. Le apoyó muchísimo cuando él no era capaz de trabajar porque estaba deprimido por su madre. Ella financiaba sus citas, incluida su graduación y todo lo demás. Le llevaba y le recogía de la prisión para que pudiera ver a su madre, y finalmente a la cama de su madre cuando ésta murió.

El siguiente fue James. Su padre abandonó a su familia para huir del país escapando de acusaciones criminales. La madre oscilaba entre el alcoholismo, la adicción a las drogas, la pobreza crónica y el desempleo. James también se ganaba la vida con pequeñas actividades delictivas. Él decía que nadie de su familia había trabajado y «que no sabía cómo se hacía» porque no había tenido un modelo a seguir. ¡Laura al rescate! Ella tenía un apartamento, trabajaba en dos sitios e hizo que James se fuera a vivir con ella. Él iba a «aprender cómo» trabajar y ser productivo. El padre de Laura tuvo conversaciones largas con él sobre la ética del trabajo. Mamá, la trabajadora social, diseñó un presupuesto económico para que pudieran vivir. James jugaba a videojuegos y salía con amigos pero nunca encontró un trabajo a tiempo completo o un trabajo fijo. Cometió más delitos y fue trasladado de nuevo a la cárcel. En ese momento, la relación entre James y Laura finalizó.

Laura pasó varios años en el escuadrón de búsqueda y rescate de Tristes Hombres Jóvenes. Y todos los hombres con los que tenía relaciones querían ser rescatados. Aun así, Laura nunca adquirió el título de heroína o ganó la Medalla al Mérito.

La historia de Shayla

Shayla era una mujer deslumbrante. Muy cuidada y profesional, trabajaba como enfermera psiquiátrica. Tal vez tenía la suficiente formación como para reconocer los problemas emocionales de Dan. Pero no fue detectado por su radar de señal de alarma y se plantó en su vida, sin ser descubierto. Se casaron y tuvieron tres hijos. Shayla lo incluía como su cuarto hijo. A menudo, hablaba sobre reunir a los niños en fila para sonarles la nariz, darles las vitaminas y las fiambreras. Dan estaba con ellos.

Lo conoció en la universidad mientras ella estaba haciendo unas prácticas de enfermera psiquiátrica. Él era un atractivo jugador de fútbol. Se dio cuenta enseguida de que era un poco desorganizado y le faltaba motivación. Por suerte, el fútbol le llevó donde sus estudios nunca lo hicieron. Ponía muchas excusas sobre su falta de éxito en la vida real por el bien del deporte. Pronto, este patrón contagió la relación con Shayla. Dan estaba desmotivado, era indeciso como un niño, e irresponsable. Incluso después de que los niños llegaran, él dejó trabajos porque simplemente «no le apetecía ir a trabajar». Más y más responsabilidad recaía en Shayla. Trabajar, organizar las actividades de los niños, cocinar, limpiar y pagar los recibos era justo el comienzo de lo que suponía cuidar a Dan.

Sus rarezas incluían dejar trabajos cuando estaba aburrido o cuando no le apetecía trabajar, gastar dinero en equipamiento deportivo en vez de en la hipoteca, ponerse del lado de los niños en contra de Shayla y discutir desde el punto de vista de un niño, intentar hacerse rico con rapidez en vez de tener trabajos reales y despilfarrar sus ahorros en elaborados viajes de pesca o en innovadores juguetes para él.

Pronto, Shayla empezó a trabajar en dos sitios, y después en tres, haciendo todo lo posible por mantener a la familia a flote mientras Dan jugaba al baloncesto en el jardín con los niños. Pasaba las tardes escribiendo y elaborando planes para Dan, trabajos que ojear, proyectos en la casa y recados que hacer. Pero nunca se hacían.

Buscaba trabajo durante un tiempo y después dejaba de hacerlo. Comenzaba un proyecto y luego perdía el interés. Lloriqueaba si tenía que hacer recados. Shayla cada vez estaba más agotada. Finalmente, su única decisión fue deshacerse de una de las cosas que le causaban estrés, y la mayor era Dan. A Dan le entró el pánico sólo de pensar en la idea de perder a Shayla. ¿Quién le ayudaría a organizarse, cubrir sus necesidades, recordarle sus citas, estar ahí para él? Temía la pérdida de un rol femenino en su vida.

Como Dan, el hombre crónico que busca a una madre, no podía mantener un trabajo, tenía un historial pobre de empleo. En consecuencia, tuvo que pedir una pensión alimenticia a Shayla. Enseguida, los niños ayudaron a cuidar a Dan. Los fines de semana en su casa los pasaban limpiando y fregando los platos que había ensuciado cuando ellos ni siquiera estaban ahí. Los ingresos de sus trabajos de media jornada pagaban cosas que la mayoría de los padres normalmente cubren. Incluso los hijos empezaron a sentir el peso de cuidar de su padre.

La siguiente conquista de Dan fue una profesora de secundaria. Como Shayla, ella ignoró las escasas habilidades de Dan y pronto se casó con él. Su salario le mantuvo durante unos años hasta que ella terminó exhausta. El principal temor de Dan era quién cuidaría de él. ¿Quién ocuparía el rol de madre si su segunda esposa le había dejado?

Lista de comportamientos de alerta roja

∼ EL HOMBRE QUE BUSCA A UNA MADRE ∼

- Quiere consuelo constante.
- Desea que seas su sirvienta y rechaza hacer cosas básicas por sí mismo.
- No ayuda con las tareas de adulto.
- Espera un trato especial debido a su necesidad.
- Hace pucheros si no eres su sirvienta.
- Afirma que quiere que hagas cosas por él porque le hacen sentir bien.
- Quiere que le digas qué hacer y necesita orientación para hacer cualquier cosa.

- Desea que tomes decisiones en su vida.
- No tiene ni quiere relaciones fuera de la relación, amigos o intereses.
- Sus necesidades emocionales son infantiles.
- Es poco eficiente para así evitar responsabilidades.
- Tiene un historial de rescate, cuidado o protección en relaciones.
- Probablemente haya tenido varias relaciones fallidas.
- Parece necesitar un consejero en todos los ámbitos de su vida.

Tu estrategia de defensa

Tu estrategia de defensa con el hombre que busca a una madre debe comenzar con un buen análisis de tu persona. ¿Qué hay en ti que puede hacer que un niño grande y patológico te considere una pareja adecuada para tener una relación o casarse? ¿Qué hay en su dependencia y vulnerabilidad que encuentres llamativo, atractivo o sexy? Preguntarse una misma estas cosas puede llevarte a examinar tus propias intenciones.

Aparentemente, la dinámica entre una mujer y un hombre que busca a una madre puede parecer la de una mujer en control de un hombre infantil. Pero observa de nuevo. Los dos están en un empate donde la mujer le controla a través de sus cuidados maternales y el hombre la controla a través de su bajo rendimiento. Se sostienen en su posición mediante una tensión mutua que proviene de cada uno de ellos controlando al otro, uno de manera abierta y el otro oculta. Ninguna de las posiciones representa algo que pudiera ser considerado una relación sana.

Los hombres que buscan a una madre encuentran su identidad cuando son cuidados. Es su intento por sobrellevar un miedo que les frena por la falta de una figura materna en sus vidas. Intentan llamar la atención para que les prestes tu ayuda.

Las mujeres que confunden el rescate con una relación sentimental encuentran irresistibles a los hombres que buscan a una madre. Cuidar de un individuo aparentemente indefenso les proporciona una sensación de poder. Un hombre que da la impresión de ser una víctima o con apariencia de niño debería ser una señal de alarma para las mujeres. Tiene muchísimas historias tristes que acompañan a su necesidad de una figura materna, pero no es tu responsabilidad cicatrizar estas historias.

Los hombres que tienen patrones de ser «cuidados» o «protegidos» en relaciones son los más idóneos para ser hombres que buscan a una madre. Todos aquellos que no tienen un recorrido de responsabilidades propias de la edad en una relación, un trabajo o una vida adulta son tal vez hombres altamente regresivos que también carecen de la capacidad de cambiar y crecer. Los hombres que buscan a una madre no pueden regular sus propios impulsos motivadores. Tienen un interior desorganizado y, como resultado, son desorganizados en su vida exterior.

Sería inteligente por parte de la mujer preguntar el tipo de cuestiones que puedan revelar el nivel de funcionamiento de un hombre en la vida, en el trabajo y en una relación. Puedes descubrir la respuesta a algunas de estas preguntas a través de otros individuos. No rechaces lo que otra gente pueda decirte sobre un hombre con el cual estás considerando salir, incluso si procede de su antigua exnovia. Los hombres que buscan a una madre pasan de una relación a otra para encontrar cuidadoras. Puede que desees saber más sobre sus relaciones anteriores. ¿Cuánto tiempo pasó entre relación y relación? ¿Cuántas ha tenido? Y escucha las razones que te da por las cuales sus relaciones terminaron. Lee entre líneas mensajes que puedan indicar que las mujeres se sentían sobrecogidas por su necesidad infantil o que precisaron un descanso después de controlar en exceso su vida. Él tal vez perciba esto como un abandono.

Determinar si él está bien es clave. Los hombres que buscan a una madre tienen un alto riesgo de sufrir depresión, ansiedad y trastornos de adaptación. Puede que tengan síntomas del trastorno de la personalidad límite, una patología. Las enfermedades crónicas de niño o un diagnóstico infantil de trastorno de ansiedad de separación pueden predisponer al hombre que busca a una madre a un diagnóstico de trastorno de la personalidad dependiente, otra condición permanente (*véase* apéndice para la descripción de estos términos).

El bajo rendimiento crónico puede ser otra señal. Estos hombres no son estúpidos; simplemente producen muy por debajo de su potencial. Cuando CI, motivación y potencial no encajan, presta atención. Como consecuencia de la escasa motivación del hombre que busca a una madre, las mujeres intentarán pronunciar un discurso motivacional a estos hombres para que hagan *algo* con sus vidas. Los buscadores crecen sin ninguna disciplina. Probablemente, sus padres no les hicieron respetar ningún tipo de límites. Sus hogares fueron descuidados, no a causa de un padre despreocupado sino de un padre que no se involucró. Todo esto se traduce en una falta de disciplina en sus vidas adultas.

A un buscador de continuo le falta un sentimiento de seguridad sobre su capacidad de tomar decisiones diarias porque él no recibió ninguna orientación de pequeño. Por tanto, no tiene ni idea de qué hacer. Tiene muy pocas habilidades sociales, escasa motivación en el trabajo, casi inexistentes habilidades relacionales de adulto y muy pocas habilidades parentales.

Por último, los hombres más «normales» se resisten a ser curados. Por el contrario, los hombres que buscan a una madre son los originales hombres «a reformar». No les importa que una persona llegue e intente curarlos o cambiarlos. Parecen reforzarlo y actúan con agradecimiento, aunque en realidad nunca cambia nada. La mayoría de la gente se cierra cuando intentas curarlos. Pero un buscador actúa como si él deseara aceptar toda la ayuda que pueda obtener. No puede verse como un adulto, un padre o un sostén de la familia porque no tiene modelos para esos roles, así que necesita las indicaciones de un adulto. Si no se niega a los intentos de alguien por cambiarlo o curarlo, una señal de alarma debería sonar con fuerza. «Curar» a alguien es una señal de codependencia. No es una señal de madurez emocional en ti o en él.

Pensamientos de mujeres

Laura se pregunta:

¿Qué hay en mí que me hace querer a este tipo de hombre? Me imagino que eso es lo que debo preguntarme. ¿Y por qué me atrajeron tantos del mismo tipo? Ahora sé el resultado desde el

principio. Siento su necesidad desde los primeros pasos de la re-
lación. Pero no puedo decir que haya parado, todavía no. Hay
un impulso en mí que piensa que le puedo querer y que él se
convertirá en un chico especial para mí. En el fondo sé que no
va a ocurrir, pero siento debilidad por ese triste niño pequeño
que no tuvo una madre. Y muy pronto intento arreglar su vida
y convertirle en un verdadero adulto. Pero eso nunca ocurre. Es
decir, hay algo sobre estos chicos que nunca madura. He estado
con demasiados. Quizás lo estoy entendiendo, aunque despacio.
Estoy tan cansada emocionalmente que espero comprenderlo. No
sé cuántas veces más puedo pasar por esto. Si quiero un niño,
¿por qué no tengo uno?

Shayla dice:

No hay muchas mujeres que piensen que estos hombres en apa-
riencia sean peligrosos. Pero ¡resultan muy caros en todos los as-
pectos! Debía haber prestado atención en la universidad cuando
nada ocurría en la vida de Dan. Él simplemente deambulaba
sin rumbo fijo. Su vida entera había sido de esa manera. Si no
hubiera sido por mí, no sería propietario de una casa, no ten-
dría un vehículo, no pagaría las facturas o no tendría una vida
adulta del tipo que fuese.

Las mujeres no se dan cuenta de que estos hombres son ago-
tadores chupadores de vida que pueden consumirte. Cualquier
recurso que tengas lo perderás con él: tu vida emocional, tu eco-
nomía, tu espiritualidad, tus amigos, la calidad de tu profesión,
todo. Ellos requieren tu vida entera porque todavía tienen trece
años. Me casé con este niño grande e invertí muchos años en mi
matrimonio. Pero, por último, llegó el día en el cual tener sexo
con él parecía «incestuoso» porque me sentía como si yo le hubie-
ra criado. Entonces supe que nuestra relación estaba enferma.

CAPÍTULO 5

El hombre
emocionalmente inaccesible

¿Qué hay de malo en una pequeña y divertida relación extramatrimonial entre adultos? ¿O cómo puede un hombre al que realmente le gustan sus *hobbies* hacerte daño? Continúa leyendo. Muchas mujeres están esperando para decirte justo por qué Toni es muy peligroso.

Toni, el No me llames, yo te llamo

Estos chicos malos son la opción número uno en lo que se refiere a elecciones de pareja entre los varios tipos de hombres peligrosos. Esto se debe a que su «peligrosidad», comparada con la de otro hombre peligroso descrito en este libro, puede no ser aparente para una mujer. Las mujeres a menudo piensan que la palabra *peligroso* sólo se aplica a hombres que son abusivos o violentos. Pero el hombre emocionalmente inaccesible causa más caos, y provoca que muchas más mujeres busquen terapia que la mayoría de los otros tipos de hombres peligrosos. Aun así, muchas mujeres ignoran su peligrosidad y no lo ven como lo que es, es decir, ¡una amenaza para su felicidad!

El hombre emocionalmente inaccesible no debería ser considerado apto para una relación de pareja porque sus emociones están conectadas a otro lugar, incluso en apariencia. Su atención se dirige hacia su profesión, educación y *hobbies*, o está casado, prometido, saliendo con otra persona o no le gustan mucho las relaciones. Por las razones que sean, no tiene energía emocional para ti, y tal vez nunca la tenga.

Un tipo de hombre emocionalmente inaccesible dedica la mayor parte de su tiempo y energía a su carrera profesional, metas educativas o *hobbies*, o a una combinación de éstos. La idea es que los hombres emocionalmente inaccesibles están centrados en partes de su vida que encuentran mucho más interesantes o importantes que una relación. Puede que sea un motivado escalador profesional con sus ojos fijados en sólo una cosa. Y no eres tú, es el siguiente ascenso. O quizás está haciendo malabares para terminar la universidad mientras tiene dos empleos. Tal vez se esté sacando la licencia de piloto, esté esforzándose para conseguir el cinturón negro en kárate o esté persiguiendo su objetivo de navegar alrededor del mundo. Quizás sea un apasionado del atletismo, un coleccionista de sellos o un campista crónico. Puede que viva por la pesca con mosca, los ordenadores o la escalada.

No tiene una mujer o una novia y en realidad no quiere tenerla (aunque diga que sí). Por el contrario, tiene intereses que le ocupan mucho tiempo, y salir con mujeres y la vida familiar son sus segundas opciones. Seguro que se pasará por tu casa para acostarse contigo. Pero luego se va a dedicar a lo que *realmente* le interesa. Te exprimirá en uno o dos meses, entre ocasionales citas, reuniones de trabajo o competiciones. Su dinero, fines de semana, vacaciones y subidas emocionales están reservados para el resto de intereses. Puede que te jure que tan pronto como termine la temporada de entrenamiento o ese período frenético de su vida tendrá más tiempo para ti. O tal vez sea suficientemente sincero como para decirte que no quiere tener una relación seria contigo por sus compromisos. Sin embargo, por lo general está más que dispuesto a conservarte a ti y a tus sentimientos en una amistad o quedar «casualmente», lo cual te impide buscar una relación con otros hombres más disponibles.

Estoy segura de que éste es el dilema que se presenta cuando quieres tener una relación con los Lance Armstrong del mundo.

Siempre estarás en segunda posición respecto a sus otros intereses. Añade a esto el hecho de que los chicos que están muy centrados en sus *hobbies* suelen tener más de uno. Tienen intereses variados y diversos que los mantienen atados de manera continua. *No* afirmo que sentir pasión por tu carrera profesional o tus *hobbies* sea un rasgo negativo en un hombre. Tener interés por su vida es algo positivo en una persona. Sé consciente de que hay muchos hombres ahí fuera que tienen carreras profesionales satisfactorias y *hobbies* pero que, aun así, tienen tiempo y energía para una relación sana. *Sí*, estoy diciendo que algunos hombres parecen permanecer crónicamente no disponibles para una relación seria y a largo plazo. Siempre tendrán alguna razón o razones por la cual o las cuales no pueden «tener algo serio» contigo; eso es lo que les califica como emocionalmente inaccesibles. El peligro para una mujer que se relaciona con este tipo de hombre es la inevitable frustración o desesperación, o que le hagan daño por desear y buscar una conexión verdadera con él. Por desgracia, los dos no compartís la misma meta.

El otro tipo de hombre emocionalmente inaccesible lo hace inaccesible debido a su relación (o relaciones) con otra mujer (o mujeres). Estos chicos en realidad nunca están comprometidos con una mujer. No ven ninguna relación como necesariamente permanente, incluido el matrimonio; hablan por hablar al asegurar que están profundamente comprometidos con la mujer con la que están en ese momento. Sin embargo, en realidad, no valoran sus relaciones sentimentales o no se las toman en serio, porque están tan sólo «jugando», aunque el compromiso o el matrimonio poco parezca algo con lo que «jugar». No se toman las relaciones en serio porque en algún nivel, incluso subconsciente, saben que pueden encontrar a otra persona que tenga una relación con ellos si su actual aventura termina. ¿Qué otra cosa podría causar que alguien juegue de manera repetida con su futuro como si fuera un negocio arriesgado y sin temer el resultado?

Con cualquier tipo de hombre emocionalmente inaccesible, las mujeres a menudo confunden la disposición *sexual* con la *emocional*, la intimidad y el compromiso. De hecho, la mayoría de esta clase de hombres permanecerán sexualmente disponibles para ti.

Esto no cambia el hecho de que estén «pillados» en otros ámbitos de su vida. Y estos hombres entienden eso. Pero las mujeres a menudo no. Así comienza un patrón en espiral de la mujer que «desea» y «espera» una relación y un compromiso con él. Pero, por definición, alguien que es emocionalmente inaccesible no espera o quiere, o no sabe cómo esperar, un compromiso emocional con otros. El hecho de que las mujeres sigan intentando acercarse a él le causa seguir desplazándose de compañera en compañera o seguir añadiendo otras cuantas más. No le interesa o es incapaz de experimentar sentimientos profundos derivados de la relación con alguien.

Los hombres que están conectados de esta manera no están abiertos a relaciones auténticas y profundas. Una relación con un hombre emocionalmente inaccesible permanecerá en un nivel superficial. Por lo general puede hablar el lenguaje íntimo, pero no puede trasmitir algo real: intimidad emocional duradera. Una relación sana comienza con una conexión emocional. Pero la conexión que dos personas sienten al comienzo es sólo el primer paso para construir una relación. La intimidad real conlleva un continuo y mutuo compromiso para fortalecer y profundizar el vínculo. Eso sólo ocurre con el tiempo, tras compartir experiencias, preocupándote por el bienestar del otro y construyendo la confianza a través de la honestidad y la franqueza. Lo que es peligroso de los hombres emocionalmente inaccesibles es que no responden de una manera auténtica a nivel emocional. Rechazan la emoción.

A un hombre que «engaña» a su pareja o esposa, aunque él tenga múltiples relaciones al mismo tiempo, no le importa la continuidad de esas relaciones. Esto significa que cuando una mujer en particular le descubre y termina la relación, no le importa, aunque él le suplique que se quede y le diga que ella es la que más le importa. No sabe cómo hacer cambios importantes en cuanto a cómo tener una relación. Como no puede ser monógamo, le faltan todas las habilidades para tener una relación seria.

Algunas mujeres tienen una relación con hombres casados u otros hombres emocionalmente inaccesibles de manera regular. Aunque puedan decir que quedan con estos hombres «para pasarlo bien» y que ellas mismas «no quieren nada serio», en realidad sus palabras no concuerdan con lo que dice la psicología y la sociología de las estrategias de las mujeres en las relaciones. Quizás como una forma de justificar el hecho de salir con hombres casados o comprometidos, para algunas mujeres es mucho más fácil decir que están simplemente «pasándoselo bien» que admitir que están saboteando de manera repetida sus propios y más profundos deseos de intimidad.

Los hombres emocionalmente inaccesibles proceden de escenarios muy variados. Quizás de niño vivió con una figura materna que no estaba emocionalmente disponible para él debido a su alcoholismo, adicción al trabajo u otras adicciones; el temprano abuso físico o sexual puede haber insensibilizado sus emociones y le ha desconectado del calor humano, la interacción y la confianza; de joven pudo haber recibido mensajes de que él o el matrimonio no tenían valor; quizás su padre o su padrastro le fue infiel a su madre en repetidas ocasiones.

Algunos hombres pueden tener problemas con una homosexualidad o bisexualidad no reveladas. Esto puede producir un conflicto interno que resta conexión emocional del hombre con sus parejas femeninas. Algunos hombres pueden tener una adicción sexual que alimenta su deseo de dar la vuelta con rapidez a las relaciones superficiales. Quizás su adicción sexual adopte la forma de consumo crónico y compulsivo de pornografía, un patrón que puede reducir la respuesta normal de un hombre. O tal vez tenga problemas mentales que le hagan huir de la intimidad.

Estos son sólo unos pocos escenarios. Hay muchas posibilidades en lo que se refiere a lo que le causó ser crónicamente inaccesible para una relación sentimental. Como con los otros tipos de hombres peligrosos, es más que probable que una historia triste del pasado acompañe su disfunción actual. Puede que tenga la suficiente conciencia como para ser él mismo capaz de unir las piezas del puzle, como en: «Me cuesta confiar en las mujeres a causa del alcoholismo de mi madre y los problemas que me causó en mi infancia», u otra cosa similar, dependiendo de su caso. Pero una vez más, recuerda que *el porqué* detrás de su inaccesibilidad es menos importante para ti que lo que vas a hacer con esta información.

Cualquiera que sea la causa, estos hombres suelen tener dificultades con la monogamia, criando hijos, o cualquier otra cosa que requiera una concentración seria y constante en sus compromisos. Pero debes estar alerta porque si un hombre emocionalmente inaccesible también tiene algunos elementos del depredador emocional se presentará como un padre o un marido dedicado, o como un ciudadano ejemplar de su comunidad. Recuerda, como se comentó en el capítulo 1, que muchos hombres peligrosos aparecen como hombres «paquete combo». Nunca descartes la posibilidad de que tu hombre emocionalmente inaccesible pueda tener múltiples vidas ocultas (siempre es así si está involucrado en aventuras extramatrimoniales), así como ser un depredador emocional. Ciertas combinaciones, por ejemplo, la no disposición emocional, más una vida que continúa ocultándote a ti o a su mujer o novia, más el agudo sexto sentido de un depredador emocional, más una adicción sexual, ayudan a estos hombres patológicos a atraer relaciones superficiales en serie.

A quién buscan

Un hombre con intereses como *hobbies*, carreras profesionales y objetivos educativos puede buscar a mujeres que tengan sus mismos intereses. Puede creer que ella entenderá su «total devoción» por su *hobby*, cuando, de hecho, probablemente no lo hace y no lo hará. Muchos atletas salen con otros atletas. Esto suele funcionar cuando los intereses de las dos partes están equilibrados y no cuando es excesivo en cualquiera de las partes individuales. Pero el hombre emocionalmente inaccesible no sabe lo que significa la palabra *equilibrio*. Sea lo que sea en lo que esté involucrado, es en un grado extremo.

A otros hombres que son absorbidos por su trabajo y sus *hobbies* les gusta quedar con mujeres que no tienen vida. La idea es que la mujer viva indirectamente a través de las actividades del hombre. Él espera que a ella le guste ser capaz de decir: «Mi novio es buceador», cuando su propia vida consiste en el trabajo, la casa y el sofá. Y todavía algunos, como es el caso de muchos tipos de hombres peligrosos, prefieren a mujeres que son hipertolerantes o nada exigentes. Quieren a una mujer que no hunda el barco o que no espere más de ellos de cómo se presentaron. A los intentos ocasionales de ella, él responderá: «Sabías desde el principio que paso los fines de semana en las carreras de coches».

Para el hombre que es inaccesible debido a su involucración con otras mujeres, la disponibilidad de una mujer es un factor decisivo. No hay aventuras si no hay voluntarios. Como las relaciones a largo plazo no son lo que él está buscando, «cualquier puerto en la tormenta» le proporcionará la distracción adecuada de la realidad de su vida.

Además de encontrar a mujeres que estén disponibles, estos hombres deben localizar a las que estén dispuestas a violar sus propios valores emocionales, sexuales y éticos. La ética judeocristiana de nuestra sociedad dicta que una se abstenga de salir o acostarse con alguien que esté casado. Un hombre que busca a una mujer para tener una aventura con ella lo sabe. Así que su reto es encontrar a mujeres con poco estímulo que rechacen sus valores y límites, y participen.

¿Quiénes son las mujeres que rechazan sus propias normas? Las mujeres que no están felizmente casadas forman una parte significante de aquellas que se sienten atraídas por hombres casados o comprometidos. Piensan que tener una relación con un hombre casado es «seguro» y que ellas pueden contar con su confidencialidad. Otras mujeres, aquellas que han sido heridas en el pasado y que, por tanto, «pasan del amor» están tan sólo buscando una distracción. Dicen que no quieren una relación real, así que encuentran a alguien que no les proporcionará una. Las mujeres que tienen una baja autoestima se sienten sólo valoradas como «parte de una relación». Muchas que han sufrido abusos no pueden entender una relación cariñosa. Son buenas candidatas para aceptar a un hombre a tiempo parcial. Es interesante que muchas mujeres cuando se les preguntó dijeron que «no querían salir con un hombre casado» pero, aun así, ignoraron sus propias señales de alarma y sus valores. Con cada hombre casado, cada vez era más fácil acceder y permanecer en esas relaciones «que no van a ninguna parte».

Los mujeriegos también buscan a mujeres que crean sus historias sobre su vida en casa. Muy pocos cuentan lo felices que son en casa, lo maravillosas que son sus mujeres y que sólo quieren tener sexo extramatrimonial sin ataduras. Por lo general, ése no es el argumento, sino que se trataría más bien del siguiente: «Nadie me ha querido nunca y mi esposa tampoco. Ella me atosiga... no me aprecia... malgasta el dinero... me engaña... está desmotivada y no trabaja... no se cuida... odia el sexo... ni me escucha, ni me habla». O, mejor aún: «Nuestro matrimonio terminó hace años, simplemente no lo hemos legalizado».

Por desgracia, las mujeres muerden este anzuelo con mucha frecuencia. En realidad creen que estos temas son los únicos problemas del hombre. Están seguras de que ellas podrán proporcionarle algo que «ella nunca le dio» y que serán capaces de «hacerle sentir amado... escuchado... apreciado». Una vez que le quiere, ella cree que no la engañará. Está segura de que ella puede cambiar esa parte de él. Una mujer que cree esto también cree que una vez que él centre su atención en ella, ésta pasará de centrarse en la esposa a focalizarse en ella. No entiende que cualquier atención por parte de un hombre emocionalmente inaccesible es breve. Su necesidad no es «por una vez y por todas ser querido» tanto como tener sexo, divertirse o distraerse. En algún momento, sin embargo, la mujer se dará cuenta de que sólo porque le haya prestado atención en la cama durante veinte minutos no significa que se vaya a comprometer con ella.

Un hombre que engaña a su pareja también puede buscar mujeres que sean un poco inocentes o que digan que no tienen expectativas con él. Él espera que una mujer inocente le crea cuando le diga que ella «es la única». Aunque seas «la única» que tiene a su lado en ese momento, las estadísticas a largo plazo *no* están de tu parte. El hombre que es emocionalmente inaccesible sigue así. El porcentaje de mujeres que se casan y están casadas con alguien con el cual tuvieron una aventura tiene un único dígito. Y, por supuesto, incluso la existencia de estos pocos matrimonios no indica si el hombre era monógamo, sólo que estuvo casado.

Las mujeres que le dicen a un mujeriego que «no tienen expectativas» sobre el resultado de una aventura son extremadamente llamativas para él. Justo han verbalizado su sistema interno de creencias sobre las relaciones. Pero no utilices tácticas engañosas. No le digas que no estás buscando algo serio y después intentes que él quiera tener una relación real contigo. Su patológico código ético dice: «Si sales conmigo aun sabiendo que no soy monógamo, ya sabes cómo soy. Es injusto que luego pidas algo más».

Por qué tienen éxito

Los hombres que están absorbidos por su trabajo o sus *hobbies* tienen éxito cuando buscan a mujeres porque inicialmente parecen maduros. No salen noche tras noche al bar. Tienen vidas activas y muchos intereses. Para las mujeres desencantadas con los trabajos monótonos o con una existencia que perciben como mediocre, este chico puede parecer bastante interesante. Cada día tiene noticias interesantes sobre la última montaña que ha escalado o cómo ha batido su propio récord en una carrera por la montaña. Quizás sea un hombre que busca acción y que participa en deportes como la conducción de coches de carrera, hacer *puenting* o volar en globo. En el mejor de los casos, la adrenalina de ella se dispara sólo con escuchar sus historias. He tenido pacientes que me han narrado los intereses de sus novios con tanto detalle que parecía que estuvieran describiendo sus propias vidas. Aun así, algunas de ellas nunca acompañaron a sus parejas a uno de los eventos relacionados con sus *hobbies*. Si la vida de tu pareja parece más interesante que la tuya, es una señal de alarma. Indica un deseo de vivir de manera indirecta a través de los logros de otra persona y de evitar observar lo que no está pasando en tu propia vida.

Otra razón por la cual las mujeres se sienten atraídas por hombres crónicamente ocupados que no abusan de las drogas o el alcohol es que ellos parecen sanos en estos tiempos en los que todo el mundo parece ser adicto a algo. Una mujer puede preguntarse: «¿Qué puede haber de malo en el baloncesto? Al menos no está en el bar». Estos chicos pueden pasar desapercibidos fácilmente ante tus radares porque sus obsesiones con su carrera o *hobby* parecen buenas en una cultura acostumbrada a escuchar historias dignas del «show de Jerry Springer».

En lo que se refiere a hombres que son inaccesibles debido a sus relaciones con otras mujeres, debería ser obvio por qué no deberían ser escogidos por nadie. Pero los hechos muestran que las mujeres salen con estos rompecorazones en serie, quizás más que con otro tipo de hombre peligroso, y por lo general lo hacen a sabiendas. Esto sugiere que tales hombres tienen éxito porque las mujeres están dispuestas a salir con ellos. Aquí podemos decir claramente que no son víctimas, son voluntarias.

Esta clase de hombre puede ser muy encantador. Si tiene a otras mujeres u otros compromisos familiares, sepas o no sobre ellos, su vida tal vez sea muy activa. Irónicamente, esta cualidad puede captar la atención de una mujer haciéndole parecer «un hombre activo». Parece tener muchísima energía e intereses externos.

Un mujeriego puede hablar mucho sobre sus relaciones. Puede que comparta información personal de tal forma que las mujeres confundan esto con la intimidad emocional. Ellas creen su historia sobre sus otra(s) relación(es), sin darse cuenta de que lo que escuchan es sólo una versión de los hechos. Sabe muy bien que las mujeres sienten empatía frente a historias de relaciones vacías y tristes, así que él utiliza frases como «actualmente infeliz», «intentando salir de una relación», «un acuerdo mutuo de que podemos salir con más gente», «es cuestión de tiempo que se termine». Pero la relación actual no ha terminado, y mientras ella siga cerca, él quizás también, con ella, contigo, o tal vez incluso con tu amiga. Tiene éxito cuando encuentra a una mujer que cree que si un hombre es «infeliz», él ya está fuera de la relación y disponible para ella.

Tales hombres también tienen éxito cuando encuentran a mujeres que no son felices con sus propias relaciones. Algunas mujeres en una relación infeliz, en vez de finalizarla y permitir que ambas partes continúen con sus vidas, ven en el hecho de involucrarse con otro hombre una especie de respuesta a sus problemas. Aunque estén luchando por una relación que ha fracasado, añaden otra relación condenada al fracaso. Para la mayor parte de las relaciones, tener problemas y después tener que recuperarte de la devastación de haber tenido una aventura con una persona emocionalmente inaccesible viene a ser algo así como el beso de la muerte. Estos hombres te hacen daño a ti, a tu relación actual y a tu futuro.

Al hablar sobre su aventura extramatrimonial, Kayla dice:

Es la situación perfecta para mí en este momento porque tengo dos hijos y estoy casada. Él está casado y hay un bebé en camino. Lo justifico recordando que salimos hace unos años y siempre conectamos, pero el momento siempre era inadecuado. Ahora es la situación perfecta porque ambos estamos «atrapados» y no hay riesgo de ser expuestos por uno o por el otro. Los dos tenemos algo que perder. Si uno de nosotros estuviera soltero, siempre habría el peligro de que el soltero se enamorara, volviéndose posesivo o enfrentándose a la pareja del otro. Aunque deseo que las cosas fueran diferentes, sé que no lo son y que nunca lo serán. No tengo expectativas y soy libre de disfrutar de lo que tenemos.

Hay un problema aquí, Kayla: los hombres emocionalmente inaccesibles a menudo advierten que no tienen nada que perder porque sólo están involucrados en la relación permanente que sí tienen. Contar con que un hombre emocionalmente inaccesible mantenga la boca cerrada es algo estúpido. Si empiezas a ponerle nervioso, puede que lo explique todo para deshacerse de ti, incluso aunque signifique tener que enfrentarse a la pérdida de su relación permanente. Al fin y al cabo, él siempre puede encontrar a otra mujer que esté dispuesta a tener una aventura con él. Su pasado le ha enseñado bien.

Un dato interesante es que casi todas las mujeres que nos contaron su historia sobre tener una relación con un hombre peligroso dijeron que ocurrió en un momento en el que su autoestima era escasa. Puede que ella no reconociera este hecho cuando ocurrió, pero una vez que mira atrás, advierte que o tuvo la autoestima crónicamente baja o estaba saliendo de una relación que dañó su autoestima (como haber sido maltratada o estar en un proceso de divorcio). Las mujeres son más permisivas en momentos de baja autoestima que cuando ésta está bien. Creer que no merece una relación plena, satisfactoria y sana es un reflejo de la baja autoestima de una mujer. Si un hombre le ofrece a una mujer que tiene una baja autoestima un poco de atención, y si le promete que en cualquier momento estará disponible para ella, se divorciará, romperá completamente con su novia, saldrá adelante, se olvidará de alguien, finalizará un horario de trabajo muy exigente, o dejará un *hobby*, entonces, con bastante frecuencia, ella estará más que dispuesta a lanzarse a sus brazos. Por desgracia, demasiadas mujeres pueden decirte que ese momento nunca llega.

Para otras mujeres, relacionarte con un hombre que está casado o saliendo con otra persona es una manera de minimizar riesgos. Si puede alejarlo de una mujer, ella cree que eso significa que «tenía que pasar». Puede que se sienta vencedora. Ésta es una de las maneras mediante las cuales las mujeres no llegan a decirse a sí mismas la verdad sobre lo que están haciendo, sus motivos y el inevitable final. Si ella no tiene éxito a la hora de arrastrarlo de la otra relación, entonces, en cualquier caso, no es su culpa, porque él ya le había dicho que no estaba preparado para tener una relación. Ella puede olvidarlo fácilmente pensando que él no estaba emocionalmente preparado. El problema *real*, sin embargo, no es que él no esté emocionalmente preparado, es que él no es emocionalmente accesible.

Una última razón por la cual un hombre emocionalmente inaccesible puede tener éxito atrayendo a mujeres es porque el efecto estimulante del «momento robado» puede ser tóxico para una mujer que es atraída por el drama de las telenovelas en su vida. Una mujer que está aburrida o una a la que le gusta «hacerle un corte de manga» a las normas sociales puede encontrar en el hecho de salir con un hombre casado la manera perfecta de dar la espalda a los valores según los cuales fue educada.

Algunas de las mujeres que comparten sus historias en este libro comentaron que desde la infancia hasta la madurez muchas de sus relaciones de pareja fueron con hombres emocionalmente inaccesibles. Tuvieron padres, hermanos, novios o maridos que fueron inaccesibles. Durante todas sus vidas se comprometieron con este tipo de hombre, así que les resultaba difícil ver cuándo entraba en su vida un nuevo hombre peligroso. Simplemente estaban repitiendo algo a lo que se habían acostumbrado.

Historias de mujeres

Nada es más triste que la inevitable historia del Hotel Desamor, en especial cuando llegas a entender que se podía evitar. Las mujeres que cuentan sus historias en este libro están intentando evitar que tú te alojes en él.

La historia de Jamie

Jamie, una diseñadora gráfica de mediana edad, estuvo casada dos veces. Sus dos maridos la habían engañado y tenían características depredadoras. (*Véase* capítulo 10 para más información sobre depredadores). Contrajo matrimonio con su primer marido poco después de acabar el instituto, y al poco tiempo él empezó a tener aventuras amorosas. Su autoestima recibió un fuerte golpe. Esperaba que después de que su primer matrimonio fuera un fracaso, su segundo matrimonio fuese diferente. Pero no lo fue. Escogió al depredador número dos, y él pronto empezó a tener aventuras. Pero Jamie esperó durante un tiempo y se esforzó para que las cosas funcionaran.

Jamie sabía qué se sentía al estar casada con un hombre emocionalmente inaccesible que tenía aventuras con otras mujeres. Una puede pensar que como Jamie tuvo maridos que la engañaron, ella nunca haría algo así a una mujer. Es posible pensar que sentiría una empatía natural hacia las otras mujeres. Pero como dice: «Me cansé del ciclo de relaciones porque en lo que se refiere a escoger a hombres soy lo peor, simple y llanamente. Te desesperas sobre a quién escoger y luego todo vale. Tan sólo bajas el listón. Y muy pronto, eres tú quien está haciendo eso a otras mujeres».

Jamie osciló de los depredadores a los hombres emocionalmente inaccesibles. Después de su segundo divorcio, Jamie tuvo, a sabiendas, relaciones con hombres casados en dos ocasiones diferentes. La primera vez comenzaron como amigos. Él se ofreció para ayudarle a salir de una relación y la aventura fue más allá, aunque ella sospechaba que ésa era parte de su motivación desde el principio. «Es peligroso tener como amigos a hombres casados. Casi nunca la cosa se queda ahí». Al poco tiempo, la «mala situación» de la cual estaba saliendo se convirtió en algo terrible porque estaba teniendo una aventura con este hombre casado. «No podía creer lo que estaba haciendo. Me sentía fatal, pero ahí estaba».

La segunda vez, Jamie conoció a un hombre casado por internet, y «conectaron». Compartían intereses similares, y él parecía ofrecerle lo que ella pensaba que necesitaba. No le dijo enseguida que estaba casado y a ella no se le ocurrió pensar que la manera menos segura de salir con alguien era por el ciberespacio. No hay ninguna manera de verificar en persona lo que él dice sobre sí mismo, y no existe ningún lenguaje corporal que analizar. Tu sistema de alerta roja está en desventaja porque no estás recibiendo vibraciones basadas en tus sentidos físicos. Salir con alguien de internet es interactuar basándose en la fantasía, y la gente tiende a imaginarse más de lo que probablemente existe o vaya a existir.

Pero Jamie descubrió todo esto a tiempo. Cuando supo que estaba casado, sus emociones ya estaban comprometidas en la relación, así que Jamie justificó su implicación diciendo que ella era la que se sentía como su esposa. Se dijo a sí misma que ellos estaban más conectados a nivel emocional de lo que él lo estaba con su mujer legal. Se dijo a sí misma que ella y la esposa estaban recibiendo lo que querían de la relación. La mujer tenía el dinero y la legitimidad, mientras que Jamie estaba segura de que ella era la que recibía «sus emociones, su tiempo y a él». Por supuesto, la mayor parte de su involucración consistía tan sólo en intercambios de correos electrónicos.

En repetidas ocasiones le pidió que se casara con él, pero nunca terminaba con su matrimonio. Jamie no se dio cuenta de que ésta era una proposición ridícula. Él quería otra esposa, aunque ya tenía una y no estaba haciendo nada para divorciarse. Era una manera de colgar una zanahoria enfrente de Jamie para mantener la relación mientras él no hacía nada para acabar con su matrimonio. Esto es una estratagema común en estos hombres peligrosos. Su estado de «infeliz pero en casa» puede perdurar durante años.

Finalmente, la realidad golpeó a Jamie y ella rompió la relación. «Empecé a estar resentida con su mujer por tenerle todas las noches, fines de semana y vacaciones. Sus promesas constantes de divorcio que nunca tenían lugar y su incapacidad de completarme me estaban destruyendo. Al comienzo, pensé que ella y yo teníamos lo que queríamos de él, pero, de hecho, eso no era verdad porque empecé a estar molesta con ella, con él y con la relación. No lo quería admitir, pero quería más».

Jamie dice que sus razones para tener una relación con dos hombres casados no tienen nada que ver con la inocencia, la seguridad percibida o pasar un buen rato. Según ella:

Accedí no porque no supiera lo que era un hombre casado. Lo sabía. No pensaba que él fuera a salvarme de mi vida actual, aunque con algunos de los hombres esperaba que hubiera algo más. No era simplemente por el contacto sexual. Era porque por unos pocos momentos robados yo era importante para alguien y ellos me querían y me veían como nunca me había visto yo misma, tan bonita y maravillosa. Por supuesto, eso es lo que pensé que él decía y sentía todo el tiempo. Pero, si era tan bonita y maravillosa, ¿dónde está él?

La historia de Tina

Tina también salió en repetidas ocasiones con hombres emocionalmente inaccesibles. Ella, que estudia un máster, afirma que se ha tenido que recuperar recientemente de un adicto al trabajo, un hombre centrado en su carrera profesional. Que te dejen por la carrera profesional de alguien no es más fácil de asimilar que cuando un hombre vuelve con su mujer. Inaccesibilidad emocional de cualquier tipo se reduce a que él no está presente en tu vida.

Tina ha conseguido conocerse un poco, así como sus selecciones de parejas. Sin embargo, su relación más reciente no fue la primera vez que se sintió atraída por este tipo de hombres. Su pasado estaba contaminado de solterones inaccesibles.

Afirma:

Crecí sin un padre. Huyó para evitar pasarme la pensión alimenticia, lo cual me dolió bastante, así que me prometí a mí misma que siempre me protegería a mí y a mi corazón. He buscado a hombres que me parecieran seguros. Pero para mí, lo que hacía a los hombres seguros era que estuvieran en situaciones en las que yo sabía que ellos no podían o no querrían acercarse más a mí y que probablemente, en algún momento, se irían.

A la vez que me hacía mayor, me preguntaba por qué continuaba escogiendo el mismo tipo de hombres: mayores, los que tenían otras relaciones, algunos que vivían fuera del estado, hombres centrados en su carrera profesional que deseaban ascensos u otros que acaban de terminar la carrera de medicina y que no tenían tiempo para una relación.

Por otra parte, me autodestruí escogiendo a hombres que yo sabía que no se acercarían a mí o que ni siquiera tenían el tiempo para eso, pero me quedé con ellos porque quería creer que en algún momento me darían lo que quise conseguir de mi padre, la sensación de que en realidad les importaba. Quise que me compensaran por lo que había sucedido con mi padre. Esperaba que alguien que estaba «ocupado» dejara, por una vez, a un lado su carrera, su trabajo, sus estudios. Alguien en algún lugar del universo daría el paso y me dejaría ser una parte importante de su vida. Necesitaba ver que alguien se alejaba de lo que le importaba y se acercaba a mí.

No tiene sentido. Y tampoco ocurrió. Una y otra vez, ellos se fueron. Me engañaban, rompían conmigo, volvían con sus novias o mujeres, aceptaban un nuevo empleo que les dejaba incluso menos tiempo para mí o se apuntaban a más clases. Yo simplemente permanecía esperando, con las manos vacías.

Me imagino que de alguna manera tuve éxito en mis primeros objetivos. De manera exitosa no escogí a hombres que me pudieran dar lo que yo quería.

La historia de Jonalyn

Jonalyn, de mediana edad avanzada, que escribe para revistas y afroamericana, respondió a mi demanda de información sobre hombres emocionalmente inaccesibles de una manera entusiasta y segura de sí misma. Me dijo de una forma confidencial que su último marido empezó a salir con ella mientras estaba casado con otra persona. Por último contrajeron matrimonio, y mientras su salud empezaba a resentirse, ella empezó a tener relaciones sexuales con otro hombre casado. Pensó que el hecho de que ambos estuvieran casados era una garantía de que ninguno de los dos revelaría la aventura. Pero, en un momento, a él se le escapó, y una vez estaban enfrentados dejaron la aventura.

Jonalyn, sin embargo, tuvo otra aventura que duró varios años. Cuando su marido murió, su amante la dejó de inmediato porque tenía miedo de su disponibilidad para una relación más permanente. Este hecho es algo común en los hombres emocionalmente inaccesibles. Tener una aventura es una cosa y tener una relación permanente es otra. Y es más que probable que este último no sea su objetivo.

Jonalyn prometió que no cometería estos errores otra vez. Segura de que había aprendido la lección porque un hombre la destrozó y otro la abandonó tan pronto pasó a estar disponible, sintió que con independencia de la razón que la había llevado a este tipo de hombres, seguramente estaba en ella. De hecho, su dolor y angustia le enseñaron que esos hombres nunca iban a estar dispuestos a «estar disponibles».

Pero Jonalyn tuvo *otra* relación con un hombre casado, que conocía desde hacía años. Él le dijo que su matrimonio estaba acabado porque su mujer había dado a luz y toda su atención se centraba en el bebé más que en él. No es de extrañar que Jonalyn aprendiera que un hombre que describe su matrimonio como «en ruinas» y un hombre que realmente lo está rompiendo son dos cosas diferentes. Aun así, su aventura duró varios años y él nunca dejó a su mujer. Jonalyn, de nuevo, había invertido años en una relación que acabó.

A pesar de este último episodio, Jonalyn dijo que sentía que estar involucrada con hombres emocionalmente inaccesibles encajaba con su estilo de vida y que era justo lo que ella quería, más que algo más serio. Aunque sus afirmaciones anteriores indicaban que la habían herido, había aprendido a ser insensible a los efectos de sus implicaciones con hombres peligrosos y se había resignado a este tipo de relaciones.

«Las normas de las relaciones no son para mí», afirmó con valentía. Al menos, eso es lo que se dijo a sí misma para sobrevivir a la cadena de relaciones malditas con un poco de su autoestima todavía intacta. Pero después de reflexionar admitió: «Yo soy la emocionalmente inaccesible». En algunas mujeres, esto puede ser cierto. Se sienten atraídas por los hombres emocionalmente inaccesibles porque ellas también son inaccesibles debido a sus propias historias o problemas de salud mental. En el caso de Jonalyn, juntarse con este tipo de hombres evitó que se diera cuenta de que ella tampoco estaba preparada para las tareas de la monogamia y la intimidad.

Lista de comportamientos de alerta roja

~ EL HOMBRE EMOCIONALMENTE INACCESIBLE ~

- Tiene intereses, *hobbies*, deportes, trabajos, metas educativas, amigos o alguna combinación de estas cosas que siempre se anteponen a la relación y tus necesidades.
- Está ocupado con su carrera profesional hasta tal punto que las relaciones a largo plazo, el compromiso o el matrimonio nunca son considerados como una opción.
- Está todavía casado, prometido, saliendo con alguien o tiene alguna relación con alguien más.
- «No ha roto todavía su relación» pero es «infeliz» con ella.
- Necesita a alguien que «le entienda».
- Da a entender que tiene una conexión inmediata contigo porque eres alguien que «le entiende» de la manera que «ella no lo hace» .
- No se toma tiempo entre el fin de una relación y el comienzo de otra.
- No parece estar afectado por el fin de una relación.
- Promete acabar su relación con alguien, pero siempre hay «razones» por las cuales no puede hacerlo.
- Tiene un historial de aventuras e indiscreciones.
- Puede tener un historial de enfermedad mental o un diagnóstico patológico.
- Puede ser un adicto.

❤ ❤ ❤

Tu estrategia de defensa

Los hombres emocionalmente inaccesibles al principio de una relación son excitantes. En un primer momento, son atentos y les gusta divertirse. Aquellos que se mueven por otros intereses parecen sinceros cuando te prometen que sacarán tiempo para ti. Los que tienen otra relación parecen misteriosos; vuestros momentos juntos pueden incrementar la intriga. Parecen del todo infelices cuando describen sus otras relaciones y cuando hablan de lo felices y completos que les haces sentir. Te prometen que eres la siguiente en la lista. Pero tu turno nunca llega.

Puede parecer obvio que de todas las categorías de hombres peligrosos, relacionarte con este tipo es la que más se puede prevenir. Es cierto, siempre hay historias de mujeres que no sabían que un hombre estaba muy comprometido con su trabajo o intereses o estaba «pillado». (*Véase* capítulo 6 sobre el hombre con una doble vida). Pero esa información siempre sale a la luz en algún momento.

En relación a los hombres que tienen otras relaciones, sólo tú puedes tomar una decisión. La psicología nos enseña que el dolor es una motivación básica. Cambiaremos nuestro comportamiento cuando hayamos alcanzado nuestro umbral del dolor. Te enseñará a evitar a hombres casados por la misma razón que no te pinchas con agujas en el ojo. La segunda razón, que es igual de importante, es rechazar a hombres casados para preservar tu integridad. Cuando sepas que tiene otra relación, concluye la tuya con él. Dile que deje de llamarte. Si es necesario, cambia tu número de teléfono o tu correo electrónico, haz lo que sea preciso para romper el contacto con él.

Las mujeres necesitan preguntarse lo emocionalmente conectado que puede estar un hombre con ellas cuando pasa ochenta horas a la semana en el trabajo o es absorbido por sus *hobbies*, o si está casado, comprometido o saliendo de manera seria con alguien. Si una mujer busca a un hombre cuyos sentimientos estén centrados en ella, salir con un hombre emocionalmente inaccesible es una de las mejores maneras de sabotearse a sí misma y a sus emociones. Estos hombres son peligrosos porque el resultado de tener una relación con ellos es siempre, como mínimo, frustrante y doloroso, y en la peor situación desastroso. También son peligrosos porque parecen preocuparse poco por el caos que ocasionan. Además, algunas mujeres de un modo erróneo piensan que si un hombre está casado tampoco puede tener un trastorno mental, una adicción, una condición patológica o ser violento. En realidad, tiene tanto potencial para padecer esos problemas como cualquier otra persona. No descartes esta posibilidad al pensar que su único problema es estar centrado en algo que no es su relación contigo.

Los hombres que son infieles *contigo* te serán infieles *a ti*. Su problema no es que están con la persona equivocada; es que su carácter está equivocado. No será diferente cuando esté contigo a cuando estaba con ella, porque no tiene nada que ver con la mujer con la cual está pero tiene que ver con él. El carácter está constituido por los rasgos integrados en la personalidad de un individuo. No cambia cuando alguien se cambia de ropa o de corte de pelo.

Preocuparte por tu propia integridad puede ser una estrategia de defensa viable para evitar involucrarte con un hombre emocionalmente inaccesible. Si un hombre casado se acerca a ti, es cierto que su integridad no está intacta. Pero, ¿dónde está la tuya? Realiza una promesa para no salir con hombres que estén casados, comprometidos, que tengan una relación seria con otra mujer o que no manifiesten interés por una relación. Por esta razón, muestra integridad por ti y por tu propia salud emocional realizando una promesa de que no saldrás con hombres que estén demasiado absorbidos por sus otros objetivos como para tener un interés real en una relación seria.

Integridad también significa no ser una amiga casual de un hombre casado, comprometido o que esté saliendo con alguien. Las mujeres con la más mínima fisura en sus límites tienen el riesgo de terminar teniendo una aventura con alguien con el que sólo querían tener amistad. Ellas necesitan preguntarse: «Si estuviera con este chico y tuviera dificultades en nuestra relación, ¿querría que él compartiera información sobre ello con una mujer a la que acaba de conocer? ¿O con una colega del trabajo mientras toma algo después de trabajar? ¿Querría que la historia de mi relación fuera una manera de ligar con otra mujer?». Si la respuesta es negativa, entonces pregúntate por qué escuchas su historia de dolor. Cualquier chico que comparta demasiada información sobre su relación actual tiene problemas graves de límites o grandes problemas con las mentiras. Se trata de retar a tu carácter y tener la voluntad de enfrentarte a lo que te hace disponible para los hombres peligrosos. Esto presenta una oportunidad para tu propio crecimiento.

Por último, recuerda las experiencias de las incontables mujeres que pueden decirte que aunque seas una jugadora nata, es más que improbable que un hombre que tiene una relación con alguien más alguna vez llegue a estar disponible para ti. Aunque muchos de estos hombres ven incluso el matrimonio como algo temporal, algunos querrán estar casados incluso cuando tengan aventuras, porque al hacer eso evitan que los otros líos se conviertan en algo serio. Pueden afirmar estar casados por creencias religiosas (incluso cuando prefieren saltar a tu cama), por el bien de los niños o por razones económicas. Lo más importante para él es mantener el *statu quo*: una esposa en casa y otras mujeres o diversiones por otro lado.

Pensamientos de mujeres

Una respuesta común entre las numerosas mujeres que participaron en mi investigación y han tenido relaciones con hombres emocionalmente inaccesibles la resume Ali, una ejecutiva de treinta y cinco años de Oriente Medio. Según ella:

Me creía todo lo que él me decía sobre lo genial que era. No había sido muy ligona, así que no tenía mucha experiencia. Tenía una baja autoestima, aunque en aquel momento no pensaba que fuera así, ¡pero tenía que serlo, si no, no me lo explico! Me sentía bien escuchando lo que él me decía. No me importaba que estuviera casado. De todas formas no íbamos a tener nada serio. Me preguntaba por qué su esposa soportaba todas sus estupideces, pero nunca consideré que fuera yo quien le estaba hiriendo. Era su marido quien causaba el daño. O al menos es lo que llegué a creer.

A diferencia de algunas mujeres, Ali llegó a algunas conclusiones realistas acerca de los hombres emocionalmente inaccesibles y el daño que éstos infligen a otras personas. Ella continúa:

Al principio, pensé que era divertido… y a costa de otros in-
dividuos. Ahora pienso que no tengo el derecho de decidir si la
relación de alguien debe terminar o no. Ellos deben decidirlo
mutuamente y no porque yo me haya interpuesto en su relación,
sino basándose en los méritos en la misma. No puedes hacer eso
en mitad de una aventura. Entonces nada está claro. Ahora estoy
triste por el daño que causé a su familia. Aunque su mujer nun-
ca se entere, le hice daño y jugué con su matrimonio, en el que yo
no debía interponerme. No era el mío.

Charla, una belleza sureña de cincuenta y cuatro años, dice que
la razón por la cual ha estado disponible para su hombre emocionalmente inaccesible es porque: «Quería ser yo *quien* rompiera esa
pared y le enseñara lo que era querer a alguien de verdad. ¿No parece narcisista? Como si fuera una mártir o algo así. ¡No funcionó!
Treinta y cuatro años con él y sigo aquí, ¡sola!».

Jamie, cuya historia aparece en este mismo capítulo, nos recuerda el dolor que debe haber en el corazón de una mujer para que
tolere a un hombre peligroso. Afirma:

Todas buscamos alguna relación, por alguna razón, para no es-
tar solas. Ahí es donde nos llevan. Tiran de las cuerdas de nuestro
corazón y el resto sigue solo. En ese momento no importa que
ellos no sean del todo tuyos, aunque nunca lo serán. Es duro
sentir compasión por mí misma por el dolor que siento ahora
mismo. Yo lo hice. ¿Qué me hizo pensar que aquello estaba bien?
¿Por qué escogí a alguien así? La señal de alarma era evidente; si
está con otra persona, no salgas con él. Odio haber hecho algo así
a las mujeres. Simplemente quieres que las mujeres permanezcan
en un plano moral más alto en lo que se refiere a esta cuestión.
Podemos. Sé que podemos.
Es indiferente que él diga que es muy infeliz cuando está con
otra persona. Significa que no está siendo claro con su relación,
así que, ¿por qué pienso que va a serlo conmigo? Éste es su carác-
ter: miente a las mujeres. Y yo soy una mujer, y él me mentirá.
De hecho, ya lo hizo. Estos hombres no dejan a la persona con la

que están. No buscan el amor, buscan una distracción de quienes en realidad son.

Soy una buena persona. O pensaba que lo era, pero que haya puesto en peligro mi propia salud emocional haciendo algo que obviamente es estúpido me hace cuestionarme cosas sobre mi persona. Sé muy bien que esto nunca funciona. Todos sabemos el final de estas historias. Es muy previsible. Así que fui a terapia. Hay una razón más importante por la cual hice esto. Una parte de mí quiere escapar y no volver a mirar lo que hice. Pero no quiero volver a hacerlo, así que estoy dispuesta a sufrir al analizar la situación. Quiero restarle importancia y decir que era por diversión, o que no lo sabía. No deseo contarlo tal como es. Mi terapeuta me ha hablado mucho de esto, es el toque de atención que necesitaba. Esto dice tanto acerca de mí como de él. Porque si digo que quiero una relación que pueda llegar a algo permanente, tengo que pescar en un lugar donde al menos eso sea posible. Y ése no lo era.

CAPÍTULO 6

El hombre con una doble vida

Cuando piensas que conoces a tu hombre, Diego el Desconocido te recuerda que, a veces, no lo conoces como deberías. Y no es necesariamente porque no lo hayas intentando. Es porque no te deja.

Diego el Desconocido

Quizás, de todos los tipos de hombres peligrosos, el hombre con una doble vida es el que embauca y engaña más a la mujer. Una mujer no puede decidir si un hombre no es apropiado para ella si no puede saber de verdad a qué se dedica. No puede tomar una decisión informada sobre él si no lo conoce. Son hombres muy reservados. Lo que no sabes *puede* hacerte daño y tal vez lo hará. Él lo comprende, y ésa es la razón por la que tú no estás al tanto de ninguna información sobre su vida pasada, sus problemas actuales o lo que esté planeando para su futuro.

Estos hombres tienen historias complicadas. No hay respuestas simples de por qué se comportan de la manera en que lo hacen. Algunos tienen muchísimos problemas mentales que les han llevado a desarrollar un estilo de vida de secretismo y mentiras. Otros han tenido infancias difíciles o padres que de manera intencionada vivían fuera del alcance de la vista de mucha gente. Quizás él tuvo un padre o una madre que fue criminal o camello o una madre prostituta. O tal vez tuvo un padre que fue un ejecutivo exitoso y que ocultaba su riqueza para no pagar impuestos. Con independencia de la situación, en muchos casos fueron miembros de su familia los que le enseñaron cómo mantener parte de su vida fuera de la vista de otros. En otros casos, los comportamientos problemáticos de este tipo de hombres están relacionados con adicciones: sexual, relacional, drogas y/o alcohol, el juego o la mayor de todas, una adicción en búsqueda de la emoción. Cualquiera que sea su historia, el hecho de que este hombre peligroso se haya convertido en un oculto patológico es la razón por la cual las mujeres deben estar en guardia.

Los hombres con una doble vida en realidad no se sienten relacionados con la gente. Su atención está más centrada en la excitación, la adrenalina y la búsqueda de la emoción que en el amor de una mujer. Desean el punto álgido de la emoción, la persecución y el reto de evitar ser capturados por la policía, por sus madres o por ti misma. La adrenalina es su amante cuando tú no estás cerca. Como gran parte de su energía es absorbida para ocultar su rastro mientras están buscando de manera activa la siguiente emoción, los hombres con una doble vida pueden estar vinculados en muchas actividades, la mayoría de las cuales quizás te sorprendan al descubrirlas. Otros están comprometidos en sólo una actividad ilegal, ilícita o inmoral. Sus actividades pueden cambiar con frecuencia, quizás para ocultar su mal comportamiento en el pasado. Sus identidades cambian con su último interés.

Las mujeres describen a los hombres con una doble vida como distantes y distraídos, y están en lo cierto. ¡Ocurren demasiadas cosas interesantes cuando tú no estás presente! Las identidades de estos hombres no están ligadas a sus relaciones. A diferencia de los dependientes emocionales o los hombres que buscan a una madre, no intentan encontrase a sí mismos en tu persona. Están en muchas cosas a la vez mientras tú permaneces en la sombra. Se necesita mucha energía para que ocurran tantas cosas al mismo tiempo.

Como describo comportamientos ilícitos, ilegales y peligrosos, parece que esté hablando de parásitos sociales. Pues, de hecho, no tiene por qué ser así. Los hombres con una doble vida pueden ser oficiales de policía, médicos, hombres de negocios, músicos o clérigos. Su «trabajo durante el día» normalmente no tiene nada que ver con lo que hacen en otro lado. Estos hombres tienen una asombrosa habilidad para compaginar sus existencias para que sus vidas profesionales y sus vidas ocultas y patológicas parezcan no estar relacionadas, al menos en sus mentes.

Todo esto casi garantiza que un hombre con una doble vida sea un hombre «paquete combo». Sus problemas mentales, adicciones, indisposición y sus instintos depredadores combinan de tal forma que le convierten en alguien a quien temer. Sus juegos del escondite hacen que las mujeres no tengan ni idea de cómo es en realidad.

¡Pero él cuenta con eso! Tiene el lujo de vivir una vida completamente diferente más allá del alcance de tu vista e inteligencia. El mundo es un campo abierto para él. Lo que él está haciendo y con quién lo está haciendo está sólo limitado por su imaginación y tu falta de información.

Se siente con derecho a tener su pastel y también a comérselo. Al fin y al cabo, no es de la incumbencia de nadie lo que haga con su vida privada, una creencia común entre los hombres con una doble vida. En realidad, consideran que sus vidas son suyas y que pueden hacer lo que quieran con ellas mientras no lo hagan delante de ti. Normas, leyes, expectativas de la sociedad, todas son frívolas para el hombre con una doble vida, incluso si trabaja en el ámbito de la ley o en su refuerzo. Darle una charla sobre normas sociales y convenciones tiene tan poco sentido como mostrarle estadísticas. En lo que se refiere a alguno de los aspectos de su vida que guarda en su armario, las normas no son aplicables a su persona.

Incluso los miembros de su familia y sus amigos más cercanos no siempre saben a qué se dedica. Pueden aludir al secretismo que siempre han abrazado. Él «es un hombre reservado», «no le gusta que la gente se meta en sus asuntos», «siempre se ha guardado su vida personal para él». Probablemente haya razones por las cuales estas cosas sean ciertas, razones que deberías saber, porque una «vida reservada» es por lo general una manera adecuada de decir «vida oculta». Y sabemos demasiado bien el tipo de cosas que se esconden en los armarios, cosas como esposas, otras mujeres, hijos no reconocidos, adicciones a drogas u otras sustancias, historiales criminales, segundos hogares, nombres falsos, deudas ocultas, enfermedades, bisexualidad no revelada, hospitalizaciones psiquiátricas, episodios transexuales, órdenes de arresto y agresiones sexuales. Y esto es sólo el principio de la lista.

Una mujer debería querer conocer estos aspectos de la vida de un hombre y su carácter *antes* de tomar la decisión de tener una relación con él.

A quién buscan

El enemigo número uno del hombre con una doble vida es una mente que inquiere, seguida de preguntas persistentes y una intuición activa. Así que es razonable que las mujeres en las que este desastre de pareja está interesado sean aquellas que no inquieren, preguntan o van detrás de él.

A los hombres con esa vida les gustan las mujeres que son confiadas y, más importante, las que quieren mantener la confianza. Algunas apuestan por mantener la confianza como un valor central en sus relaciones con los hombres, hasta el punto de que están dispuestas a mirar a otro lado para evitar ver cómo se ha violado su confianza. El sistema de confianza de una mujer y su deseo de confiar son claves para este hombre peligroso.

Una y otra vez en mi investigación sobre mujeres que salían con hombres peligrosos, las mujeres mencionaron que fueron criadas en hogares cuyas madres destacaron la importancia de confiar libremente en la gente. Las mujeres que terminaron con hombres que tenían una doble vida mostraron un patrón que no exigía que la gente mostrara su carácter y confianza de manera clara. La confianza se ofreció de un modo abierto y libre, sin cuestionarle mucho. Las violaciones de esta confianza fueron contestadas con segundas, terceras y más oportunidades. Ésta es exactamente la mujer que este tipo de hombre peligroso quiere: la «pequeña mujer» que equipara una falta de confianza con el hecho de ser irrespetuosa. E irrespetuosa es lo peor que puedes llamarle. Parece no pensar que terminar muerta, violada o herida sea peor que ser irrespetuosa.

Las mujeres que están distraídas corren un segundo por detrás de aquellas que son demasiado confiadas en cuanto se refiere a su atracción por estos hombres. Una mujer puede estar distraída por un divorcio duro, porque los hijos no se comportan bien, por una profesión estresante, por una vida activa, por sus propios intereses, básicamente cualquier cosa que evite que vea, pregunte y siga las contradicciones de él y sus pálpitos.

Las mujeres que sólo buscan quedar «de manera casual» son también buenas candidatas para este amor clandestino. Las que quedan con indiferencia no siempre tienen el hábito de cavar para encontrar información personal. Si la relación se torna más seria, tal vez ella busque este tipo de información. Mientras tanto, es feliz con ocasionales citas para cenar, unas vacaciones juntos o acostarse con él, ya que todo esto parece divertido y nada perjudicial. Poco sabe ella sobre el riesgo que está asumiendo.

Por último, lo que estos hombres ocultan influye en las personas con las que salen. Un hombre que esconde el hecho de estar casado, por ejemplo, puede salir con un tipo de mujer distinto que un hombre que esconde tráfico de drogas.

Por qué tienen éxito

Un hombre con una doble vida en un principio puede atraer. Tu falta de información sobre él puede hacer que estés intrigada. Incluso su inaccesibilidad puede parecer excitante para algunas mujeres. Espera que encuentres algo sobre su comportamiento reservado que resulte suficientemente atractivo como para que vuelvas a él.

El hombre con una doble vida no es estúpido. Sabe qué tipo de cosas irritan a las mujeres y las hacen huir, con lo que ocultar comportamientos desagradables se convierte en una motivación para él. Es posible que haya aprendido a mantener en secreto sus travesuras patológicas porque en el pasado hicieron que las mujeres huyeran. Ha aprendido por experiencia qué hacer público y qué mantener en privado, y ha decidido mantener en privado buena parte de su existencia.

Por otro lado, algunos hombres no ven ningún problema en lo que hacen. Ellos piensan que pueden separar sus vidas. Creen que hacen «bien» en una ocupación, que compensa lo «malo» que están haciendo en otra parte. Ven su vida como una balanza. Mientras su «maldad» esté equilibrada con su «bondad», todo irá bien. Tiene éxito cuando encuentra a una mujer que también comparte su comportamiento. Si es rico, famoso o atractivo, algunas mujeres creen que eso compensa el hecho de que esté casado, o que tenga un problema con el juego, o una enfermedad de transmisión sexual.

Otra razón por la que este hombre peligroso tiene éxito es porque es ambiguo. Disfraza su vida secreta llamándose una persona «muy reservada». Su carácter y control pueden parecer fuertes y dignos si en el pasado has salido con hombres cuya falta de límites les llevó a revelar demasiada información muy pronto. Un poco de «discreción» por parte del hombre es quizás algo atractivo para algunas mujeres.

Pero observa más de cerca y escucha bien. Cuando empiezan a emerger historias que se enfrentan unas con otras, esto siempre indica una necesidad de obtener más información. Quizás sus amigos mencionaran detalles sobre su vida que tú nunca escuchaste. O miembros de su familia aludieran a gente de su pasado de la que él nunca te hizo referencia. Tal vez su historia incluya nombres que él utilizaba, por los que tú no le conoces, o profesiones que no encajan con lo que hace en la actualidad. En vez de simplemente creer lo que te dice: «Eso es mi pasado y ahora estoy empezando de nuevo», puede que quieras saber de dónde parte de nuevo y por qué.

Para complicar las cosas, el hombre con una doble vida es por lo general un individuo «paquete combo». La naturaleza de su carácter le suele englobar en al menos una de las categorías de la lista de hombres peligrosos. Quizás sea un depredador emocional o un adicto. En la mayoría de los casos, son los hombres con problemas mentales los que no tienen ningún escrúpulo a la hora de mentir a las mujeres. Los hombres «paquete combo» son los más destructivos porque, por definición, con ellos nunca estás lidiando tan sólo con un tipo de peligrosidad. En su lugar, sus patologías se entrelazan para tejer una red complicada y potencialmente dañina.

Historias de mujeres

Los horrores de estas tres historias que siguen deberían inspirarnos a poner a prueba, cuestionar y examinar a cada nuevo hombre que entre en nuestras vidas.

La historia de Natasha

Natasha, una enfermera con cuatro hijos, se presenta como una persona muy estable. Ella es tierna, profunda, compasiva y paciente en lo que se refiere a los defectos de otros y a los suyos propios. Parecía más inteligente de lo que era normal para su edad. Pero aun así no pudo evitar a Buck.

Buck era un camaleón carismático que podía ser cualquier cosa que ella necesitara. Distraída a causa de su recién acabado matrimonio, ella necesitaba una persona en la cual pudiera confiar. Buck apareció en escena, un psiquiatra con su propio y largo historial de matrimonios fallidos. Aunque eso hubiera sido una señal de alarma para algunas mujeres, Natasha le recibió como alguien con el que podía hablar. Buck, con sus ojos de cachorrito y su compasiva conducta, ofreció a Natasha todo el tiempo que ella necesitaba para hablar.

Pronto, los dos se casaron y unieron sus familias. Con los cuatro hijos de Natasha y los tres de Buck, ¡menuda familia de nueve!

Pero Buck tenía un importante trastorno narcisista. Su práctica psiquiátrica era más importante que el trabajo de enfermera de Natasha y su reciente ingreso en la universidad para estudiar una carrera. Su necesidad constante de reconocimiento hacía que trabajara durante muchas horas. Él siempre había querido ser jefe de psiquiatría en el hospital; cualquier cosa menos que «no era suficientemente bueno». Natasha era resolutiva en su trabajo y como estudiante, además de cuidar de sus siete hijos. Buck por lo general tenía reuniones por las tardes, así que la mayoría de las necesidades de los niños durante la cena recaían en Natasha.

Buck a menudo pronunciaba conferencias sobre temas como el matrimonio, las relaciones, las adicciones y el abuso. Aunque tuvo varios matrimonios fallidos en el pasado, no veía nada hipócrita en el hecho de que él se presentara como un especialista en relaciones.

Buck nunca fue bueno con el dinero. Su naturaleza impulsiva hacía que gastara dinero para distraerse de su creciente aburrimiento. Se aburría con la vida doméstica, su matrimonio, su trabajo o él mismo. De hecho, Natasha no sabía decir en qué consistía el aburrimiento de Buck. Pero finalmente descubrió unas cuantas cosas de cómo sobrelleva él esto. Después de unos años de matrimonio, ella se dio cuenta de que Buck bebía mucho. Supo que tenía un historial de abuso de drogas y que incluso le habían despedido de algunos empleos por consumo inapropiado de drogas o alcohol con pacientes una vez éstos estaban fuera del hospital. Ocultó el abuso de drogas y alcohol y Natasha se dio cuenta de que éste aumentaba y disminuía dependiendo del interés por la familia.

Después, Natasha supo que había tenido una relación con una becaria de psiquiatría. Descubrió que las becarias eran siempre un buen objetivo para Buck, ya que sólo permanecían en el centro durante un año o dos y luego se marchaban. El hecho de que Natasha descubriera su última aventura se convirtió en el principio de lo que resultó ser la caja de Pandora.

Cuando empezó a escudriñar con atención, Natasha encontró entre las cosas de Buck listas de números de servicios sexuales, cajas cerradas con candados que contenían pornografía, artilugios sexuales (para quién, se preguntó) y confusos cargos bancarios en tarjetas de crédito. Empezó a prestar atención a sus inexplicables ausencias a cualquier hora del día y de la noche.

Cuando se enfrentó a Buck, él actuó como si tuviera remordimientos y reconoció un historial de adicción sexual que tenía su origen en su adolescencia. Frecuentaba cines de películas para adultos y tenía sexo sin protección. Practicó sexo con desconocidos en lavabos públicos. Recurría a la pornografía de manera frecuente, tomaba drogas y alcohol para ahogar su culpabilidad, tuvo continuas aventuras y relaciones inapropiadas con pacientes, y la lista continuaba... Natasha calculó que Buck había tenido centenares de relaciones sexuales sin protección con gente desconocida. A causa de su comportamiento, ella tenía un riesgo considerable de contraer el sida.

La palabra devastación no basta para describir lo que sintió Natasha. Su marido no solamente la había traicionado, sino que ella estaba horrorizada y asustada por su salud. Y aun así, empezó a acudir a terapia matrimonial con Buck. Durante varios años, ella permaneció con él. Asistían a terapia de pareja y ella también iba sola para poder cicatrizar lo traicionada que se sentía.

Después de unos años, Buck dijo que todo su comportamiento patológico pertenecía al pasado. Afirmó que Natasha debía superarlo porque él lo había hecho, y una vez más se empezó a quejar de sus crecientes sensaciones de aburrimiento. Para combatir esta tanda de apatía y para ascender, Buck escribió un libro que le otorgó cierta atención dentro de su campo. Pero incluso esta fama no era suficiente para erradicar su creciente descontento. Tuvo una relación con la persona que transcribió su libro.

Muy pronto, después del dolor de intentar enmendar el matrimonio con un adicto al sexo, Buck le dijo a Natasha que quería el divorcio, que había conocido a otra mujer. Buck se casó con ella. Se trasladó a otro estado donde no se conocieran sus múltiples matrimonios y abrió una nueva consulta. Por último, se divorció de su esposa.

Buck era capaz de conseguir a varias mujeres que se quisieran casar con él porque era bueno escondiendo la mayor parte de sus comportamientos patológicos. Cuando lo necesitaba, era capaz de mantener la compostura lo suficiente como para presentarse como un «hombre familiar y normal» y un exitoso psiquiatra. Pero debajo de estas apariencias había otra vida, una que merecía un premio a la interpretación en el género de cine de terror.

La historia de Gina

No todos los hombres con una doble vida ocultan historias de pervertidos sexuales. Gina llevaba divorciada desde hacía unos años. Era consultora en quiropráctica y ayudaba a los médicos a que establecieran sus prácticas. Vivía una vida apresurada en el trabajo, con los amigos y viajando. No estaba buscando una relación cuando conoció a Derrick. Pero él sí la buscaba y finalmente pudo quedar con ella. Él parecía un chico suficientemente agradable como para pasar tiempo con él. Pero Gina no quería algo demasiado serio. Al fin y al cabo, su vida estaba dominada por los viajes, los negocios y sus hijos adolescentes.

Era difícil localizar a Derrick porque su trabajo hacía que viajara mucho. La historia sucedió antes de que existieran los buscas y los teléfonos móviles, así que Gina confiaba en que él se pusiera en contacto con ella cuando su trabajo se lo permitiera y cuando ella también estuviera en el pueblo. El tiempo que pasaban juntos se limitaba casi siempre a los fines de semana. Él pasaba una noche del fin de semana en su casa, pero, curiosamente, ella nunca pasó una sola noche en su casa. De hecho, no sabía dónde vivía. Sabía la zona del pueblo pero no dónde exactamente.

Gina y Derrick vivían a cuarenta minutos de distancia más o menos. Cuando Gina le sugirió que pasaran cierto tiempo en su casa para cambiar un poco la rutina, Derrick alquiló un apartamento para sus fines de semana juntos que ofrecía un «acceso más fácil» a ambos. La distancia de cuarenta minutos se había reducido con el alquiler de un apartamento a medio camino entre sus casas.

Una noche, Gina recibió una llamada de una mujer que se identificó como la esposa de Derrick. Discutió con Gina por la «aventura» que estaba teniendo con su marido. Derrick estaba casado y vivía con su esposa. Pasaba una noche del fin de semana en su casa. Cuando Gina le enviaba a la tienda o a hacer algún recado, Derrick iba a casa a fichar. Su trabajo con los continuos viajes hacía que no estuviera disponible para ambas mujeres. Era tan escurridizo que nunca nadie sabía dónde estaba en un momento en concreto. Su estrategia había funcionado con Gina durante un año.

La historia de Joy

Joy es una ejecutiva de cincuenta años. Estaba ascendiendo en la escala empresarial en un «trabajo de hombres» tras divorciarse de un músico famoso. Fue entonces cuando conoció a Bo, un fornido hombre que era el propietario de una empresa de construcción. Qué cambio con el músico, pensó. La fuerza de él y la clase de ella les hacían una pareja digna de contemplar.

Se fueron a vivir juntos mientras «esperaban el divorcio de él», y Joy continuaba ascendiendo en su trabajo. Pero pronto el negocio de Bo dejó de ir bien. Así que lo vendió, con pérdidas, según él. Cada mañana, Bo estaba despierto y vestido y fuera de casa a las

8:00 horas, «saliendo a la calle» en busca de nuevas oportunidades. Pero nunca se materializó nada, en especial teniendo en cuenta el esfuerzo que hacía para encontrar trabajo. Lo intentó en una aseguradora, luego compró un bar y también «perdió dinero». Pero estaba convencido de que iba a encontrar trabajo, así que salía de su casa cada mañana buscando una oportunidad laboral para un hombre de más de cincuenta años.

Joy y Bo se casaron, y él continuaba buscando «oportunidades laborales». Al final, sin embargo, Joy descubrió que lo que realmente estaba buscando era una vida en el juego (con su dinero) y que había tenido un gran número de relaciones con mujeres que le pagaban por su compañía o tan sólo para «ayudarle», sin saber que estaba casado con Joy. Después, estaban las juergas ocultas de borrachera, el dinero que había sacado de su fondo de pensiones para ganarse a otras mujeres e invitarlas a cenar, las deudas del juego, las mentiras sobre su búsqueda de trabajo, los impagos de la pensión para su hija retrasada mental y una red de mujeres que cubrían el área de tres estados, ninguna de las cuales sabía de las otras.

Bo había estado casado con más mujeres que con la que había tenido una hija. Joy descubrió a muchas mujeres que habían sido la «Sra. Bo» en algún momento u otro. Y la mayoría de ellas nunca supieron exactamente cuántas veces había estado casado.

Como Bo le hizo a Joy, además de poder salir corriendo con tus bienes materiales, estos hombres peligrosos también siembran el caos en tu corazón y tu alma, tu autoestima y tu capacidad para confiar en tus presentimientos.

Lista de comportamientos de alerta roja

~ **EL HOMBRE CON UNA DOBLE VIDA** ~

- No contestará de manera directa a preguntas sobre adónde va, qué hace o con quién está.
- Oculta información importante sobre sí mismo que sólo descubres más tarde.
- Tiene pseudónimos.

- Tiene un comportamiento reservado.
- Es imposible localizarlo, no tiene una dirección, simplemente un buzón de voz o un buzón de correo.
- Se resiste a revelar información personal sobre su persona, así como en qué lugar fue criado, quiénes son sus familiares o dónde fue al colegio.
- No revela información personal sobre sus anteriores (o actuales) esposas o novias.
- Explica historias que no encajan con sus acciones o con lo que sabes sobre él.
- Recibe llamadas telefónicas misteriosas, mensajes o cartas, y tiene citas misteriosas, trabajos o reuniones.
- No es claro con la información o los detalles sobre su trabajo o cómo consigue dinero.
- Pasa cierto tiempo sin que sepas nada de él.

Tu estrategia de defensa

La mejor estrategia de defensa ante un hombre con una doble vida es desarrollar una mente curiosa. En contra de lo que te puedan haber enseñado, no todo el mundo es de fiar. Lo que él diga, sin importar lo convincente que parezca, puede que sea verdad o no. Pocos adictos al sexo, por ejemplo, confiesan rápidamente que han tenido más de quinientas relaciones sexuales sin protección. Hasta que llegas a conocer bien a un hombre, siempre ten en cuenta que puede tener esposas y otras vidas en cualquier lugar.

Estos hombres peligrosos son propensos a varios trastornos, así que debes estar atenta a adicciones ocultas en múltiples áreas. Y, por supuesto, la patología es siempre un factor que debe considerarse, ya que estos hombres mienten sobre su vida con mucha facilidad.

Escucha, observa y atrévete a comparar sus historias y sus acciones. Haz preguntas y continúa preguntando. Es útil tener a un hombre en período de prueba en tu mente hasta que tus preguntas sean respondidas de manera coherente, ya sea por sus acciones o a través de la confirmación que recibas de otra parte.

Si los hechos de su vida no encajan, ¡ellos tampoco! No debes hacer que encajen en tu mente para que puedas salir con él. Reconoce y dile también a una amiga o a un amigo que tienes preocupaciones, preguntas y dudas sobre su vida. Sobre todo no dejes de decirte la verdad sobre lo que tu señal de alarma te está diciendo.

Cuanto más tiempo quedes con una persona y más despacio te muevas en una relación, más podrás ver y observar. Cuanto más ves, más puedes preguntar. Cuanto más preguntas, más oportunidades tienes para tener más información. Cuanta más información tienes, más poder posees. Las vidas de las mujeres que aparecen en este capítulo han sido destruidas por haber descubierto información alarmante sobre hombres que ellas pensaban que conocían bien. Dos mujeres creían que conocían suficientemente bien a sus hombres como para contraer matrimonio con ellos, pero en realidad no sabían bastante como para permanecer a salvo.

La historia de Natasha nos recuerda que las mujeres son con frecuencia patológicamente indulgentes con las mentiras que descubren. Una mentira descubierta conduce a la siguiente, y en vez de cuestionarse qué más descubrirán, las mujeres tienden a justificar todo diciéndose: «Esto es todo; estoy segura de que no hay nada más». Las mujeres deberían darse cuenta de que si una relación empieza con mentiras, tienen conocimiento de un importante, y quizá patológico, defecto en el carácter del hombre. Es posible que un destacado defecto sea la razón para el fin de tu relación con él. Sin duda, es una señal de alarma.

Pensamientos de mujeres

Joy lamenta:

> *Lo peor es sentirte tan estúpida, tan tonta. Soy una mujer de negocios y estoy alerta ante cualquier tipo de problema en los negocios, pero no logré ver pistas claras en mi relación con Bo. En mi relación, no apliqué el mismo pensamiento racional por el*

que soy conocida en los negocios. Mi raciocinio no prevaleció en mi relación, ¡y eso es muy estúpido! ¡No usamos nuestras mentes porque estamos saliendo con alguien! ¿Qué nos pasa?

Tengo que decir que hubo un gran número de avisos durante toda la relación. No sólo al final. Los recuerdo al principio. Pero existía cierta prisa por la emoción. ¿Qué es lo que exactamente hace la emoción a nuestros cerebros? ¿Por qué no pueden coexistir la emoción y la lógica? Justifiqué e ignoré su carácter y, lo más importante, me mentí a mí misma sobre cómo era en realidad. Tenía destellos de incoherencias, impresiones de que él no estaba donde decía o incluso que no era quien decía ser. No hice suficientes preguntas ni lo examiné lo suficiente durante la relación cuando mi intuición estaba gritando. Si lo hubiera hecho, hubiera llegado a la rápida conclusión de que era un mentiroso o un estafador, y quizás hubiera tomado otras decisiones. Esto fue un error costoso para mí, puesto que me robó sesenta mil dólares. Y también me hizo daño emocional y perdí la autoestima. Ahora dudo de mí. ¿Alguna vez sintonizaré con mis señales de alarma, las escucharé y estaré a salvo?

Gina tiene sensaciones parecidas a las de Joy. Afirma:

Es para llorar. ¡Soy una persona que ayuda a los médicos a organizar sus prácticas y ni siquiera puedo aplicar los mismos principios a mi vida personal! No sé si soy muy estúpida o si él era muy bueno en lo que hacía. ¿Quién paga otro apartamento para evitar conducir veinte minutos más? Es ridículo, y probablemente lo sabía y lo ignoré, porque, si yo hubiera tirado del hilo, ¿qué hubiera descubierto? ¿Su historia, esta relación, mi fantasía? Todo ello, y hubiera sido lo mejor que me hubiera podido ocurrir. Sólo sé que tiene una doble vida. ¿Qué otros secretos oculta en su armario?

CAPÍTULO 7

El enfermo mental

Al intentar tener una relación con un hombre como Miguel hay muchas posibilidades de que resulte en un colapso, ¡para ti! Tener una relación seria con alguien que padece una enfermedad mental significa una vida comprometida con el dolor de alguien. ¿Realmente es eso lo que quieres?

Miguel el Colapso

Etiquetar a los hombres que sufren una enfermedad mental como «peligrosos» presenta alguna dificultad sociopolítica. Nadie quiere ser clasificado como una opción de pareja indeseable basándose en algo que él o ella no puede evitar, como un diagnóstico de algún tipo de enfermedad mental. Así que, permíteme decir claramente que no trato de juzgar a la gente que sufre una enfermedad mental. Yo trato a enfermos mentales. Muchos llevan unas vidas honradas y nada violentas, una existencia que hace que no puedan englobarse en la categoría de «peligrosos». Además, muchas mujeres que están leyendo este libro podrían ser diagnosticadas con una o más de las patologías que se analizarán en este capítulo. Es difícil hablar sobre enfermedades mentales mientras intentas evitar los estigmas que suelen llevar los pacientes de salud mental. Además, no todo el mundo a quien le diagnostican una enfermedad mental comete los actos que en este libro se califican como «peligrosos».

Del mismo modo, la razón por la cual el enfermo mental se ha ganado un capítulo en este libro es porque pacientes a los que les han diagnosticado algunas de las patologías descritas aquí tienen una tendencia hacia la peligrosidad cuando no están bajo el cuidado regular de un psiquiatra, terapeuta o asistente social, y/o cuando no siguen la medicación.

Lo que se califica como enfermedad mental es muy amplio. Pocas mujeres saben lo suficiente sobre los síntomas de enfermedades mentales para reconocer algunos de los complejos y permanentes trastornos de estos hombres peligrosos. El hecho de analizar cualquier tipo de enfermedad mental que puede afectar a una relación está más allá del alcance de este libro, pero este capítulo te ayudará a reconocer algunos de los trastornos más problemáticos a los que hay que estar alerta. Además, el apéndice, al final del libro, describe de manera más detallada algunas de las patologías que se mencionan en este capítulo. Asegúrate de revisar las secciones en el capítulo 1 que tratan la patología y las enfermedades mentales crónicas. Lo más importante: quiero destacar que si ves algún comportamiento en tu hombre que pueda causarte alguna preocupación, por favor, tómate tiempo para estudiarlo con un profesional que pueda ayudarte a ver los síntomas desde una mejor perspectiva. Es mejor preguntar y descubrir que no hay nada por lo que preocuparse que evitar preguntar y terminar herida.

Para poder entender de manera adecuada la enfermedad mental necesitamos huir de las imágenes de individuos enfermos a las que la televisión nos ha acostumbrado. Las descripciones que aparecen en *Alguien voló sobre el nido del cuco*, *El silencio de los corderos* y *Una mente maravillosa* no nos ayudarán a detectar a hombres peligrosos en nuestras vidas. Esto se debe a que muchas enfermedades mentales no se manifiestan de las maneras dramáticas representadas en las películas. De hecho, muchos hombres con enfermedades mentales pueden no haber sido diagnosticados. Muchos han evitado el diagnóstico porque no buscan tratamiento o porque su condición real ha escapado la detección cuando lo han buscado. Un hombre con un diagnóstico clínico de enfermedad mental puede incluso no ser consciente de que padece una patología. Eso significa que la detección, una vez más, depende de ti.

La enfermedad mental tiene su origen en muchas y diferentes circunstancias de la vida. En el capítulo 1, se trataron ciertas cuestiones de psicopatología y enfermedades mentales crónicas. Como ya se vio, algunas enfermedades son genéticas, lo que significa que el individuo nace con un problema relacionado con la estructura de su personalidad. Estos problemas no cambiarán. Otros individuos tienen alteraciones en la química cerebral que les hacen ser inestables, y aun así otros han superado extremos traumas infantiles que, combinados con factores genéticos o alteraciones bioquímicas del cerebro, crean un trastorno de proporciones enormes. Como las causas y los síntomas de las enfermedades mentales son diversos, es muy difícil tratar en un solo capítulo todos los problemas de identidad, estructuras de la personalidad y comportamientos peligrosos que pueden ser asociados a diferentes trastornos. La enfermedad mental es un complejo cuadro de bioquímica, genética y comportamiento adquirido que puede hacer que sea difícil tratar a una persona e incluso vivir con ella.

La razón principal que hace que los hombres con una enfermedad mental sean peligrosos es el hecho de que sus problemas lo son a largo plazo. Si tu objetivo es en algún momento encontrar a un compañero de por vida o incluso a alguien de cuya compañía puedas disfrutar durante un largo período de tiempo, ¿por qué un hombre que tiene una enfermedad mental puede ser adecuado para ti? ¿Por qué una vida de posibles hospitalizaciones, delitos, depresión, episodios maníacos, medicación, terapia o inestabilidad en el hogar y el trabajo puede ser atractiva para ti?

Quizás, para algunas mujeres, la palabra *posible* crea una fisura que les permite imaginar que su hombre puede ser la excepción. Pero los profesionales en el campo de la psicología saben que el mejor indicador del comportamiento futuro por lo general es el comportamiento pasado. El historial de un hombre de síntomas asociados a cualquier desorden que pueda tener proporciona luz sobre las posibilidades de su futuro. Lo que está claro es que con la enfermedad mental nunca puedes estar segura de la futura estabilidad del paciente. A lo que se parece, cómo actúa y funciona hoy puede que no sea igual en una semana, un mes o un año. Las oscilaciones en la salud mental de un paciente se basan en numerosos factores que a menudo no pueden ser predichos, incluido el estrés u otros procesos médicos de la enfermedad, reacciones a la medicación, falta de medicación o la propia biología del paciente, que puede cambiar a medida que envejece.

Mientras trabajaba en un centro para víctimas de violencia de género, observé que una gran proporción de las mujeres que buscaban seguridad lo hicieron en hombres violentos que también sufrían una enfermedad mental. De manera regular, observamos a mujeres que buscaban esta seguridad en hombres a los que les habían diagnosticado trastornos de la personalidad antisocial, hombres que eran esquizofrénicos y estaban sin medicar, hombres con trastornos bipolares no tratados y hombres con trastornos de la personalidad límite. Añade drogas, alcohol o el estrés por el desempleo y tendrás una bomba lista para explotar.

Los hombres que tienen una enfermedad mental hacen que las mujeres tengan que esforzarse mucho. Aun así, los enfermos mentales son otro tipo de hombres a los cuales a las mujeres les cuesta dejar. Causan compasión en ellas, que confunden sus propios sentimientos de pena por la pasión. Estas mujeres están dispuestas a quedarse con ellos para evitar el estigma y la culpa de ser tachadas de alguien que «abandona» a una persona con una enfermad mental. Ponen su seguridad y la de sus hijos en segundo lugar para mantener una relación que es emocionalmente inestable. Estas mujeres hacen una gran apuesta. Si no puedes predecir la estabilidad de un hombre, ¿cómo sabrás que tú, tus hijos y tu futuro están seguros?

A quién buscan

Un número alarmante de mujeres se sienten atraídas por hombres con graves enfermedades mentales. Por qué es una pregunta interesante. Yo no creo que busquen a hombres que tengan una enfermedad mental, pero aun así, algo en ellas es atraído por alguna cosa latente que se halla en el hombre potencialmente patológico, y tiene lugar una conexión. Sólo después (y a veces demasiado tarde) se dan cuenta de que el hombre con el que estaban saliendo está enfermo.

Las mujeres que fueron criadas por padres con una enfermedad mental (diagnosticada o no) tienen mayor riesgo de ver la enfermedad mental como un patrón normal de comportamiento. A menudo, las mujeres que han salido con enfermos mentales se dan cuenta tarde de que sus padres o madres también eran enfermos mentales sin diagnosticar. Y empiezan a entender por qué el comportamiento del hombre no les pareció extraño. Por ejemplo, una historia de trastorno bipolar en tu familia (antes conocido como trastorno maníaco-depresivo) puede hacer que los síntomas asociados a ese trastorno parezcan menos inusuales o dignos de atención.

El tipo de mujer que cruza los límites y carga con alguna función de su carrera profesional en su vida personal saliendo con un hombre que se parece a un paciente es a menudo el tipo de mujer que se llevaría a un enfermo mental a casa. Las mujeres con profesiones que implican cuidados a pacientes se encuentran en mayor riesgo entre aquellas que terminan teniendo una relación con hombres enfermos. Esto incluye a enfermeras, otras trabajadoras en el ámbito de la medicina, trabajadoras sociales, religiosas e incluso profesoras y cuidadoras de día.

Las mujeres que salen con este tipo de hombres peligrosos suelen englobarse en dos categorías. O salen con aquellos que son más dependientes, como los dependientes emocionales o los hombres que buscan a una madre, o con aquellos que son más patológicamente impredecibles, como los depredadores, los hombres emocionalmente inaccesibles o los adictos.

A las mujeres con una tendencia crónica al cuidado, a la cura o a la orientación, algunos trastornos mentales no les parecen peligrosos. Las que han quedado con dependientes o buscadores pueden encontrar algunos rasgos de estas personalidades en otros hombres peligrosos, así que ignoran sus señales de alarma sobre lo que posiblemente vaya mal en estos hombres. Esto puede incluir a hombres con patologías como un trastorno de la personalidad dependiente, un trastorno de la personalidad evitante o un trastorno de la personalidad paranoica. También puede incluir a hombres a los que les han diagnosticado diferentes enfermedades mentales crónicas, como la depresión, la ansiedad, el trastorno obsesivo-compulsivo o incluso diferentes niveles de bipolaridad.

Otro tipo de mujeres encuentran algunos de los comportamientos de los hombres peligrosos similares a los depredadores emocionales, hombres emocionalmente inaccesibles, adictos u hombres abusivos o violentos con los cuales hayan salido. A estos hombres les podrían diagnosticar trastornos patológicos como el de personalidad antisocial, el de personalidad límite o un trastorno crónico como, por ejemplo, el trastorno de estrés postraumático (a veces relacionado con la guerra). Algunos bipolares violentos pueden encontrar el camino hacia la vida de estas mujeres. Las mujeres que se sienten atraídas por este tipo de hombres a menudo buscan emociones, prefieren una vida acelerada y excitante y les gustan las dramáticas subidas y bajadas que «hacen que la vida sea interesante», que son «arriesgadas», o que tienen sus propias historias de delitos, adicción o problemas mentales. Por otro lado, no es del todo inusual encontrar a mujeres de temperamento suave, e incluso pasivo, a las que les gustan estos «chicos malos» tan particulares. Quizás sea su manera de «caminar por el lado salvaje».

Observar a tus padres y determinar si uno de ellos o los dos adultos que te criaron tenían una enfermedad mental puede ayudarte a ver qué tipo de hombre con una enfermedad mental es más probable que selecciones en el futuro o hayas seleccionado en el pasado.

La conclusión es que un hombre con una enfermedad mental debe encontrar a una mujer que ignore su comportamiento perturbador, y a veces patológico, así como su estilo de vida irresponsable. Necesita a una mujer que sea muy paciente o muy tolerante y que esté dispuesta a renunciar a la normalidad por él. Como alternativa, encontrará a mujeres a las cuales *les guste* el caos y la inestabilidad que provoca una enfermedad mental. Algunos buscan a mujeres con sus propias historias de enfermedad mental, con las cuales a menudo forman una relación muy combustible. (No me refiero a situaciones en las que, por ejemplo, dos esquizofrénicos o individuos discapacitados mentales se conocen y salen, quizás en un entorno de tratamiento diario o porque viven en la misma residencia).

Nuestra investigación ha demostrado que muchas mujeres que terminan con enfermos mentales no acaban la relación incluso cuando ya tienen información sobre la enfermedad. Como se ha mencionado, esto ocurre a menudo porque no quieren ser el tipo de mujer que «abandona» a aquellos «menos afortunados». Muchas mujeres también continúan con la relación incluso cuando saben que el hombre con una enfermedad mental no sigue las indicaciones de su médico o no está recibiendo ningún cuidado médico o psicológico. Como verás, por lo general se trata de una elección errónea.

Por qué tienen éxito

Los hombres peligrosos que tienen una enfermedad mental tienen éxito a la hora de atraer a las mujeres porque muchas no saben lo que la enfermedad mental les acarreará con respecto a los comportamientos peligrosos o patológicos del hombre. Por ejemplo, la mayoría de las mujeres entienden la dinámica básica de la depresión e incluso pueden ser capaces de evaluar, de una manera realista, las dificultades que esta alteración puede representar en una relación. Pero es posible que no se den cuenta de que una depresión severa puede dar lugar a un comportamiento psicótico. Puede que no se den cuenta de que los individuos más propensos a intentar suicidarse son aquellos a los que les han diagnosticado un trastorno de la personalidad límite o aquellos bipolares sin medicar durante una fase maníaca, o que aquellos más propensos a asesinar o violar tienen trastornos de la personalidad antisocial. ¿Cuántas mujeres entienden en realidad lo extraño que puede ser el comportamiento de una persona si tiene un trastorno ilusorio como la esquizofrenia y no toma su medicación?

Las mujeres terminan haciendo un curso intensivo en psicología cuando salen con un hombre que encaja en esta categoría. Primero, descubren su inestabilidad, las consecuencias inevitables de no seguir el tratamiento y tomar la medicación, y la horrible cara del comportamiento irracional y siniestro. Las que ignoraron o pasaron por alto las señales de alarma sobre la enfermedad mental de su pareja finalmente acaban aprendiendo lo suficiente como para ser capaces de dar una clase, «Cómo sobrevivir cuando tu hombre es un enfermo mental». Aprenden a analizar las señales de un choque emocional inminente, cómo escapar con rapidez, cómo proteger a sus hijos, cómo hospitalizarlo en contra de su voluntad, cómo superar la ruina económica y cómo volver a trasformar su comportamiento para que parezca menos enfermo.

Aun así, como muchas mujeres no quieren ser vistas como alguien que se siente perjudicada por una enfermedad mental, se quedan con ellos. Algunas confunden su pena con su potencial; otras esperan que la relación termine de mutuo acuerdo. Ciertas mujeres intentan querer a sus hombres lo suficiente como para curarlos. Y muchas no entienden su diagnóstico, de manera que están dispuestas a «esperar y ver».

Los enfermos mentales en un primer momento tienen éxito con las mujeres porque algunos de sus síntomas se pueden ocultar. Puede llevar un tiempo darse cuenta de comportamientos inusuales que están relacionados con la enfermedad mental, en especial si su trastorno es cíclico. Puede que le conozcas cuando esté manifestando su trastorno de un modo extraño. Cuando las mujeres se dan cuenta de que algo no va bien, muchas están ya enganchadas a la relación y son reacias a abandonarla o carecen de habilidades para hacerlo. Con algunos tipos de enfermedades, la respuesta de un hombre a una mujer que está intentado acabar con la relación puede provocar miedo. Las mujeres que tienen miedo a terminar una relación por el comportamiento errático del hombre pueden salir con él más tiempo del que en un principio desearon. Continúan con la relación esperando que acabe de mutuo acuerdo y que ellas sean «liberadas». Éste, sin embargo, puede ser un juego de espera peligroso.

En general, los hombres patológicos pueden tener éxito porque algunas mujeres no tienen el valor para finalizar una relación de manera preventiva y con firmeza. Estas mujeres saben cómo flirtear y quedar con alguien, pero no tienen ni idea de cómo acabar las cosas de una manera segura. Una mujer que no puede salir con facilidad de una relación cuando quiere no debería empezar *otra* hasta que no aprenda cómo hacerlo.

Historias de mujeres

Las mujeres cuyas historias han aparecido antes pueden enseñarte de primera mano las consecuencias de no tomarse el tiempo necesario para entender lo que la enfermedad de tu hombre significa para *ti*.

La historia de Sierra

Sierra estaba divorciada y tenía cinco hijas cuando conoció a Chase. Ella era una profesional de la salud que dirigía una unidad hospitalaria, y él cuidaba de su madre moribunda, que era una paciente en la unidad de enfermos terminales. Él era tierno y atento a cualquiera de las necesidades de su madre. Sierra recordaba el viejo refrán: «Observa cómo un hombre trata a su madre, porque así es como te tratará a ti». Finalmente, aprendió que se trataba de un viejo cuento para esposas.

Sierra empezó a salir con Chase después de que la madre de él muriera. Le mostró la misma atención que le había mostrado a su madre. Lo que ella no sabía era que a Chase no le interesaba compartir que le habían diagnosticado un trastorno bipolar (antes llamado maníaco-depresivo). Desde entonces, también le diagnosticaron un trastorno de la personalidad antisocial. Se casaron, y por último Sierra se dio cuenta de que él tenía problemas mentales, que posiblemente le diagnosticaron en la infancia. Chase tenía cambios extremos de humor y rechazaba tomar su medicación. Sin que Sierra lo supiera, durante sus fases maníacas había cometido actos delictivos.

Cuando Sierra se enteró de sus actividades delictivas y sus aventuras con otras mujeres, quiso divorciarse. Hubo diversos intentos de que su matrimonio terminara. Pero durante las fases depresivas de Chase, él se tornaba dependiente, infantil y necesitado. Cuando Sierra estaba preparada para separase, entonces él caía en una profunda depresión que resultaba en intentos de suicidio y hospitalizaciones. Entonces llegaba el período de rehabilitación. Sierra esperaba, deseando que se estabilizara para que ella pudiera intentar de nuevo separarse de él. Pero el ciclo empezaba de nuevo. Durante años, estuvo atrapada en la relación hasta que se le presentó una salida.

Los arrestos de Chase por robo y por tráfico de armas y drogas estaban empezando a acumularse. Las mujeres de las cuales Sierra no tenía noticia alguna empezaban a aparecer en la cárcel para pagar su fianza. Sierra encontró un gran número de permisos de conducir que revelaron que también estaba traficando con identificaciones ilegales y mercancía robada. Pronto, le notificaron a Chase que iría a la cárcel por un robo de diez mil dólares, tráfico de armas y delitos por drogas. Sierra pensó que era el momento perfecto para acabar con la relación.

Le dijo que se fuera y que no volviera cuando terminara su condena. Chase accedió, ya que había muchas mujeres dispuestas a rescatarlo, mujeres que disfrutaban de la emoción de sus fases maníacas y del «cuidado maternal» que él necesitaba durante sus depresiones. Pronto, sin embargo, Sierra le presentó los papeles del divorcio y él pareció abatido. Estaba preocupada de que no tuviera «nada de lo que vivir»; ya había dicho que si «perdía» a Sierra y a sus hijas su vida estaría «vacía». Un día, mientras Sierra estaba en el trabajo y las niñas estaban en el colegio, él fue a la casa, encerró al perro de las niñas dentro y la quemó. No había ninguna prueba que lo relacionara con el crimen, excepto su enfermedad mental. Pero no hubo condena.

Después de esto se encontraba agitado, y su obsesión le estimuló a traficar con más drogas y armas. Sierra recibió una llamada telefónica de alguien que alegaba que Chase la había violado. No pudo llegar antes a una cárcel para demandar a Sierra, pero otro episodio criminal estaba por llegar. Involucró a la policía en una persecución a gran velocidad que resultó en un tiroteo. Finalmente, terminó en la prisión estatal. Pero para Sierra y sus hijas, el coste de su matrimonio fue su casa reducida a un montón de cenizas.

La historia de Constance

Constance, una profesora de educación primaria de veintitantos años, narra su historia con su exmarido, que sufría un trastorno crónico de estrés postraumático (TEPT). Había sufrido un trauma emocional en su trabajo como policía y se había vuelto quimicodependiente, lo cual es algo común en pacientes con un TEPT. Según

Constance, parecía nervioso incluso cuando estaban saliendo. Ella no sabía que su ansiedad era parte de su estrés postraumático. Pensó que tal vez estaba pasando por un período de su vida en el cual las cosas estaban tensas. No salió con él lo suficiente como para ver si su ansiedad se reduciría alguna vez. Se casaron, y poco después ella tuvo que vivir «con pies de plomo» mientras intentaba eliminar cualquier posible causa de estrés en su vida para que su volcán de emociones no estallara. Él tenía *flashbacks* y sufría ataques de pánico, y depresión e ira. Su nivel de productividad oscilaba. Trabajaba durante una temporada y después pasaba por períodos de tiempo en los cuales estaba incapacitado para trabajar. La vida de Constance giraba en torno a intentar estabilizarlo.

Cuando Constance fue violada en 2001 por un extraño, se derrumbó emocionalmente. En ese momento necesitaba el apoyo de su marido, pero él de inmediato la abandonó. Su estrés y su incapacidad para manejar su vida mientras ella se recuperaba de su trauma supusieron el fin de su relación. Ella dice: «Fue entonces cuando me di cuenta del alcance de su enfermedad. A causa de lo que no estaba bien en él, no podía estar por mí. Estaba demasiado dañado. Yo podía estar en su vida mientras estuviera apoyándole en su enfermedad, pero no había nada que él pudiera hacer por mí. Ojalá hubiera sabido lo que en realidad significaba un diagnóstico de estrés postraumático».

La historia de Tessa

Tessa era profesora de universidad. Nos cuenta qué supuso su relación con alguien que tenía un trastorno de la personalidad:

Quedé con un hombre que era brillante, pero con el tiempo me di cuenta de que me empezaba a sentir un poco «incómoda» con él. Pensé que su comportamiento era un poco extraño, pero él siempre hacía que pareciera como si lo extraño me sucediera a mí. Yo no tenía un historial de problemas en relaciones, así que me pregunté qué pasaba realmente con este hombre y por qué no lo podía tolerar. Con él me sentía constantemente irritada.

Empecé a preguntar a mis amigas si las cosas que él decía sobre mi comportamiento eran verdad. No me dijeron nada que me indicara que necesitaba examinar algo de mi comportamiento, así que me uní a un grupo de apoyo para hablar de cómo me sentía en su presencia. Aprendí que lo que me estaba volviendo loca era que estaba intentando adaptarme a su enfermedad. Cuanto más intentaba estar bien con él o calmarlo, ¡peor me ponía!

Todo estaba enfocado en él, sus intereses, su trabajo y su interminable necesidad de que su ego estuviera reforzado a cualquier coste. Era nauseabundo intentar tener una conversación con este hombre, ¡siempre hablaba de él! Intentar sobrellevar su ego era una carga muy pesada. Finalmente me dijo que le habían diagnosticado un trastorno de la personalidad narcisista. Como es un trastorno patológico, significa que es justo la manera en la cual está estructurada la personalidad. No había mucho que hacer. Él podía aprender un par de cosas para ser menos ofensivo con la gente, pero, básicamente, él era así.

He aprendido por las malas que querer a un narcisista es la cosa más fútil que puedes hacer. Es inútil querer a alguien que tiene una enfermedad mental que no puede mejorar y que sólo puede empeorar. Pero aprendí las señales de aviso. Si alguna vez vuelvo a conocer a otro hombre con este trastorno, ¡correré!

La historia de Geneva

Geneva, una profesional de medicina paralegal de treinta años que nunca había estado casada, nos cuenta su historia sobre una cita a ciegas que fue mal:

Tuve una cita a ciegas con un hombre que me presentó una amiga. Era un hombre de negocios con éxito, atractivo y muy inteligente. Pero durante la cena empezó a explicarme su necesidad de protegerse. Siempre llevaba una pistola en la guantera y numerosos rifles en el maletero. ¿Qué tipo de negocio tenía para necesitar ese tipo de protección? Después, fue obvio que su negocio no era el problema. Era que tenía problemas mentales. Había convertido su sótano en un búnker abastecido en caso de «ataques de gente desconocida». Sospechaba del gobierno, temía a cualquier tipo de persona, tenía miedo de cualquier cosa. Podía recitar de carrerilla una lista de miedos relacionados con cualquier ocupación conocida del hombre. Sospechaba de la gente que tenía motivaciones de las cuales él no tenía ni idea. Me di cuenta durante la cena de que tenía un trastorno de la personalidad paranoica. Finalmente, reconoció que estaba en tratamiento. Por lo que pude comprobar, estaba bastante lejos de ponerse bien, si es que lo hacía. Cambié de número de teléfono al día siguiente. Soy una de las afortunadas que reaccionó con rapidez a lo que no me pareció correcto.

La historia de Kyla

Kyla, una dependienta de treinta y dos años, habla sobre casarse con un hombre al que le habían diagnosticado un trastorno de la personalidad límite:

Puedo decir lo difícil que ha sido mi vida intentando querer a un hombre con esta patología. He vivido la inestabilidad de su estado de ánimo, su frialdad e indiferencia y en un instante su extremo apego hacia mí. Le falta cualquier tipo de conciencia de lo que está haciendo, así que la terapia fue de poca ayuda. Simplemente «no capta» lo que le hace a otra gente. Cuando se comporta como un maleducado en una situación social, no se da cuenta. Ya nadie viene a nuestra casa porque su comportamiento es incorrecto. Niega que algo no vaya bien en él, aunque le hayan diagnosticado y lo entienda.

Me siento muy insegura con nuestra relación. ¿Cómo puedo estabilizarme con alguien tan inestable, cuando todo apunta a que nunca va a ser diferente? Tengo que decidir entre vivir así y encontrar una relación que no esté basada en la enfermedad de alguien. Me siento desestabilizada y como si me estuvieran siempre irritando. Nunca sé qué me encontraré en casa o con quién se habrá peleado o quién le habrá ofendido.

¡Dejé mi matrimonio y a mis dos hijos por este hombre! Él no puede controlar a mis hijos porque es como un niño. Está celoso

de ellos porque requieren la atención que él pide. Sé que no puede soportar tenerlos alrededor sin enfadarse, así que, ¡he perdido mucho contacto con ellos por este hombre que está muy enfermo! Ellos tienen que pasar más y más tiempo con su padre biológico porque él está muy enfermo y no puede tener una vida normal con niños.

Pero estoy en el momento en el cual me doy cuenta de que las cosas son como son. Si no puedo aceptarle como es ahora, no tengo nada que hacer en esta relación porque estaré siempre esperando cambios que, según mi terapeuta, no van a ocurrir. Ahora sé que la patología significa eso.

La historia de Lydia

Lydia, una mujer soltera de veinticuatro años y propietaria de una tienda de moda, afirma:

He salido con muchos hombres con algún tipo de enfermedad mental. Es algo que debo tener en cuenta. El que era más difícil de tratar era un hombre con un trastorno obsesivo-compulsivo. Jack tenía que pasar muchas horas cada día realizando arduos rituales que incluían calcetines, objetos en su apartamento, etcétera. No estaba limpiando la casa, sino que organizaba todo de una manera metódica y compulsiva. Al principio pensé que lo podía sobrellevar. Al fin y al cabo, me gusta ser una persona ordenada, pero esto no era lo mismo. Era triste ver cómo todo le llevaba diez veces más de tiempo que al resto de personas. Era muy inteligente y trabajador, pero tenía un trabajo miserable por debajo de su nivel de inteligencia y ganaba muy poco porque no podía terminar ninguna tarea en un período razonable de tiempo debido a su concentración obsesiva y su trastorno mental.

Continuaba diciéndome las cosas raras que pasaban por su cabeza sobre mí. Me asustaba. Durante semanas seguí intentando hablar y razonar con él sobre estas extrañas fantasías, pensando que habría algún final para su proceso. Estaba claro que era simplemente parte de su trastorno, y yo cada vez era más objeto de su obsesión. Así que puse fin a la relación. Nunca fue desagradable. Sólo se sentía triste consigo mismo. Pero en realidad dañó mi mente. Necesité mucho tiempo para superarlo. Tuve que analizar bien la razón que me llevó a pensar que señales obvias de que algo iba mal para mí era algo que iba «bien». ¿Por qué lo hice? La experiencia fue muy desconcertante. ¡No pude tener citas durante un tiempo!

Lista de comportamientos de alerta roja

∼ EL ENFERMO MENTAL ∼

- Pueden estar medicándole.
- Ha sido hospitalizado por problemas emocionales o comportamientos que atentaban contra la vida.
- En la actualidad está siendo tratado por un trastorno psiquiátrico
- Se ha sometido a un tratamiento psicológico de adulto sin ningún éxito.
- Le llevaron a terapia de pequeño, pero los resultados no fueron positivos.
- En el pasado o actualmente está bajo la supervisión de un asesor en los servicios de salud mental.
- En el pasado o en la actualidad está en libertad condicional.
- Está incapacitado por una enfermedad mental.
- Siempre centra la conversación en él.
- Tiene pensamientos dicotómicos.
- Es inflexible y tiene dificultades para ser espontáneo.
- Cree que las normas son para todos menos para él.
- Piensa que es especial y único y quiere ser tratado así.
- Participa en comportamientos temerarios.
- Le han diagnosticado alguna de las siguientes enfermedades:
  - trastorno bipolar (antes denominado depresión maníaca);
  - trastorno de estrés postraumático u otro tipo de trastorno de la ansiedad;
  - trastorno de la conducta (de niño);
  - trastorno de la personalidad antisocial;
  - trastorno de la personalidad narcisista;
  - trastorno de la personalidad límite;

- trastorno de la personalidad dependiente;
- trastorno de la personalidad evitante;
- trastorno de la personalidad paranoica;
- trastorno obsesivo-compulsivo;
- esquizofrenia u otro trastorno ilusorio;
- abuso químico o dependencia;
- depresión mayor.

(*Véase* apéndice para descripciones de estas patologías)

Tu estrategia de defensa

Los hombres peligrosos que sufren una enfermedad mental presentan un buen argumento por el cual necesitas prestar atención a tus sensores internos tan pronto como recibes un mensaje de que algo «no va bien». Ellos demuestran por qué tenemos que confiar y *responder* a las reacciones instintivas que nos dicen que algo no va bien, incluso aunque no podamos decir exactamente lo que es. Aunque no tengamos esa información tras nuestro primer encuentro con un hombre, es importante que respondamos tan pronto como sea posible.

Las mujeres necesitan dirigir las conversaciones con una pareja o una pareja potencial de tal manera que puedan obtener la información que necesitan. Tienen que aprender a percibir señales y síntomas de la enfermedad mental de un hombre con la información que reciben y con su propia intuición. Las enfermedades mentales se pueden presentar de muchas maneras, porque hay muchos tipos de enfermedades mentales. No todas son obvias en un primer momento, por lo que conocer el historial familiar del hombre es a menudo clave para poder entender si deberías preocuparte más por su salud mental. Algunas enfermedades mentales son genéticas. Lo mismo ocurre con las adicciones, que se estudian en el siguiente capítulo. Toma nota de familiares de los cuales habla y que sufren esquizofrenia, un trastorno bipolar u otros desequilibrios bioquímicos. Obtener información de su familia u otra gente que le conoce es siempre inteligente.

Las mujeres a menudo temen descubrir información «que realmente no quieren saber». Por ejemplo, ¿qué pasa si su hermano tiene esquizofrenia? Eso no significa de manera automática que no debas quedar con él. Pero sí que debes hacerlo con «los ojos bien abiertos». Significa que guardas esa información en tu mente para que puedas observar si presenta algún síntoma.

Cuando estaba en un centro privado tratando a mujeres con tendencia a salir con hombres peligrosos, teníamos una política de puertas abiertas por la que podían llevar a cualquier hombre con el que tenían una relación potencialmente seria para que pudiéramos observarla. Esperábamos que nuestras pacientes hubieran aprendido lo suficiente sobre hombres peligrosos y patológicos en el transcurso de su terapia para evitar escogerlos. Pero en el caso de que estuvieran inseguras sobre un hombre, ellas lo podían llevar durante dos o tres sesiones. Después, le dábamos nuestra opinión en privado y verbalizábamos cualquier preocupación importante. La mayoría de las veces, las mujeres habían aprendido cómo escucharle a él y a sus señales de alarma, a lo que les hacía sentir incómodas, y elegían mejor. Pero una mala elección me viene a la mente. Theresa, que había pasado dos años en terapia por sus elecciones de hombres peligrosos y por un temprano episodio de abuso infantil, llevó a su nuevo hombre, Ted. Le había conocido en la iglesia. Le expresamos nuestra preocupación por el hecho de que estaba saliendo con un hombre peligroso con una enfermedad mental. Dos semanas después, Ted violó a Theresa.

Tú también puedes comentar tus preocupaciones con un profesional de la salud mental. Será dinero bien gastado ir a una sesión individual o dos para que puedas hablar de señales y síntomas de enfermedad mental, tanto en él como incluso en ti. Si la relación avanza, acudir a un par de sesiones de terapia de pareja está muy recomendado en el caso de mujeres con un historial de relaciones con hombres peligrosos. Un terapeuta puede informarte de problemas que él o ella ve en el hombre o en la relación. Si le importas realmente a un hombre o está interesado en tener algo serio contigo, es posible que esté dispuesto a visitar a un terapeuta contigo un par de sesiones. Sólo tiene que sincerarse. Dile que tienes un historial de relaciones perjudiciales o destructivas, y que quieres asegurarte de que ésta empieza con buen pie. Si no está dispuesto a ir, puede que sea una señal de alarma. Hay una razón por la que un hombre intenta evitar a un terapeuta, y por lo general tiene que ver con el hecho de que tiene miedo a que el terapeuta vea algo en él. ¡Ésta es la razón por la que tienes que escuchar lo que el terapeuta te tiene que decir!

Otra estupenda estrategia de defensa es saber algunos de los síntomas de la enfermedad mental. Si asistes a una clase de psicología o incluso si lees libros de autoayuda estarás más al tanto de los trastornos a los que te expones.

Otras mujeres son grandes fuentes de información. Habla con mujeres que hayan salido con hombres peligrosos. ¿Cómo empezó? ¿Cuándo se dieron cuenta de su enfermedad? ¿Qué síntomas tenían? ¿Cómo terminaron la relación?

Ten una «amiga de confianza» con la que seas totalmente honesta. Esto puede ayudarte a mantener la mente despejada y los ojos bien abiertos. Las amigas que se pueden enfrentar a ti con tu elección «menos sabrosa» no tienen precio. No escojas para este rol a una amiga pasiva y dependiente que tenga también una relación con un hombre peligroso, sino a una mujer que desee elecciones más sanas o que ya las haya hecho.

Pensamientos de mujeres

Los comentarios de Sierra son típicos. Afirma lo siguiente:

Yo, puesto que trabajo en el campo de la salud, debería haber sido capaz de darme cuenta, como mínimo, de que algo no iba bien. Cuando quedaba con él tenía la confirmación de su antiguo diagnóstico de trastorno bipolar (por parte de él y de su psiquiatra). Eso mismo debería haber sido una preocupación importante para mí. Entiendo lo que este diagnóstico conlleva. ¿Qué pensé?, ¿que iba a ser su enfermera a jornada completa durante el resto de su vida?, ¿que mis conocimientos en medicina iban a curarle? Si el que tiene una enfermedad mental no va a cuidar de sí mismo, entonces es poco lo que alguien puede hacer por él. Ciertamente, nuestro matrimonio no le motivó a preocuparse por su trastorno. Incluso el amor que les profesaba a mis hijos no lo hizo.

Pero, además, pasó algún tiempo entre que me di cuenta de su comportamiento, supe su diagnóstico y nos casamos. Tuve mucho tiempo para darme cuenta de lo que estaba pasando si hubiera admitido que mi vida se estaba tornando cada vez menos manejable a causa de sus comportamientos. Me imagino que es lo que tienen las enfermedades mentales. Las motivaciones normales para cambiar el comportamiento no funcionan con estos individuos. Están conectados a un sistema que el resto no entendemos. Comprenderlos no es efectivo. Nuestra familia le ofreció un entorno estable, seguro, cariñoso y que le ofrecía apoyo. No creo que pudiera apreciarlo, simplemente no sabía responder a ello. No era suficiente ayudarle con su problema. Alguien que quema tu casa, viola a una mujer y tiene un tiroteo con la policía es una persona a quien pocas de nosotras podemos entender. Me di cuenta de que no todos los bipolares son tan extremos. Pero su enfermedad, sea cual sea, golpea tu vida. No existe nada peor que una vida que es sacudida cuando tienes una relación con alguien que tiene una enfermedad mental. He llegado a tener un nuevo respeto por las cuestiones de la enfermedad mental.

Kyla afirma:

Debería haber hecho los deberes. Cuando la terapeuta dijo que tenía un trastorno de la personalidad límite, tendría que haber leído lo que significaba. Si hubiera dicho que tenía cáncer de próstata, me hubiera informado en internet. Pero la enfermedad mental parecía algo que no pudieras comprobar. Me parecía mal leer sobre algo tan personal. ¡Personal, qué demonios! Es personal cuando arruina tu vida.

Mi señal de alarma era que le habían diagnosticado algo que no entendí de inmediato, por tanto, hubiera tenido que leer sobre ello. Cuando lees sobre lo que es el trastorno de la personalidad límite, adviertes que ¡es horrible! Pero es real. La descripción de su patología coincidió con la situación que viví. Si voy a vivir con un hombre con una enfermedad mental, debería, como mínimo, saber lo que he firmado. Y si hubiera leído sobre el tema, me conozco a mí misma lo suficiente como para saber que no me hubiera casado con él. La patología es muy grave. Nos costó demasiado a mí y a mis hijos. Siento que él tenga un problema, pero no es algo que yo pueda solucionar y es algo que ha golpeado mi vida de manera muy fuerte. Si hubiera tenido la información, quizás hubiera escogido de manera diferente para mí y para mis hijos. Hay algunos trastornos, en especial los patológicos, que indican que la persona no está hecha para estar casada o tener la responsabilidad de tener hijos. No pueden sobrellevarlo. Éste es uno de ellos.

CAPÍTULO 8

El adicto

El juerguista puede prometer un buen rato, pero al final del capítulo entenderás por qué ofrece menos que un buen rato, tanto a ti como a cualquier otra persona.

Jorge el Juerguista

Esta clase de hombre peligroso suele producir una reacción dicotómica en las mujeres: o temblamos o nos encogemos de hombros. Lo tememos por el dolor y el caos que puede crear en nuestras vidas, o creemos que no es alguien al que debamos temer, lo que nos lleva a considerar que no es un problema para nosotras. Muchas mujeres terminan con adictos precisamente porque no tienen cuidado con ellos. En algunos casos, las mujeres ni siquiera saben qué son las adicciones.

Las adicciones pueden clasificarse de una manera muy amplia en dos categorías, de las cuales sólo una resulta muy familiar. La categoría más conocida incluye las adicciones claramente perjudiciales a sustancias tales como el alcohol o las drogas, o a comportamientos como el juego o el sexo. La otra categoría abarca las que yo denomino adicciones «pseudoproductivas». Éstas incluyen comportamientos a los que no solemos considerar adictivos, tales como adicción al trabajo o a la productividad. No creemos que sean adictivos porque muchas de nosotras asumimos la ética americana del trabajo, que cada vez se está extendiendo por más lugares. ¿Qué es más americano que trabajar con ahínco, por ejemplo? Pero cuando ese comportamiento se torna compulsivo, puede crear un patrón verdaderamente destructivo.

Las adicciones pseudoproductivas pueden adoptar varias formas. Algunas personas trabajan hasta el punto de no tener tiempo para sus familias (la clásica «adicción al trabajo»), algunos son individuos que destacan y para los cuales nada es suficiente en términos de sus propios logros, otros esperan la perfección de ellos mismos y de otros, y algunos buscan la aprobación de manera constante. Una adicción pseudoproductiva incluso más insidiosa es una en la cual una persona trabaja extremadamente duro para «rescatar» a las personas que quiere o a los miembros de la familia, los cuales a menudo son adictos, sin permitirles enfrentarse nunca a las consecuencias de su propio comportamiento. Sobreproteger a una persona es común en varios tipos de adicciones pseudoproductivas. Por supuesto, hombres y mujeres pueden ser adictos de cualquier tipo.

En apariencia, las adicciones pseudoproductivas no parecen los comportamientos peligrosos que nos vienen a la mente cuando hablamos de adicciones. Pueden incluso parecer, de alguna forma, satisfactorias para el adicto y para los miembros de su familia. Al fin y al cabo, pueden dar lugar a que el adicto salga adelante, gane mucho dinero o logre la atención y la aprobación. En cambio, la otra categoría de adicciones, que podemos denominar adicciones «improductivas», parecen muy poco fructíferas. Estos adictos pueden perder todo. A menudo no pueden conservar ni tan siquiera un trabajo. Gastan dinero en el juego, drogas, alcohol, pornografía o actividades que buscan segregar adrenalina. Pero cualquiera que haya vivido con alguien que tenga una adicción pseudoproductiva sabe muy bien que este tipo de adicciones tienen el mismo impacto negativo en el adicto y en la familia que las adicciones improductivas.

Es fácil pensar que las adicciones se pueden identificar de una manera muy fácil. Pero a veces, ciertos comportamientos han sido normalizados por generaciones enteras en el seno de una familia.

Los hijos y los nietos crecen y adoptan el mismo estilo de vida, de manera que es común la afirmación «simplemente a lo que esta familia se dedica». Las identidades de individuos y de familias enteras pueden estar ligadas a varias adicciones. Esto es perceptible en familias que han trabajado en sus propios negocios día y noche hasta la exclusión de cualquier tipo de vida familiar. Puede verse en familias cuyos miembros han trabajado en casinos, carreras de caballos, bares familiares, clubes de striptease u otros negocios cuyo éxito puede residir en las adicciones de los clientes y los propietarios. Optar por algo diferente a trabajar en el negocio familiar o a participar en la adicción es negar la herencia de tu familia.

A veces, no logramos ver adicciones en individuos que parecen candidatos poco probables a ellas. ¿Quién sospecharía de una mujer de ochenta años que de vez en cuando atiende la barra del local de Veteranos de Guerras Extranjeras de ser una borracha o una adicta al juego? Apostaba en carreras de perros y caballos, deportes y el bingo, cualquier sorteo que se conoce, básicamente cualquier cosa en la que se pueda apostar. Los viernes por la tarde iba a las reuniones de veteranos de guerra y no volvía a casa hasta el lunes. Mientras estaba allí, bailaba y festejaba, jugaba al póquer, apostaba y trabajaba un turno o dos. Todo el mundo se maravillaba de la vida tan ocupada que llevaba para su edad. Sin embargo, en realidad, estaba ocupada satisfaciendo sus adicciones. Pero muchos otros en su familia habían servido en el lugar de las reuniones de veteranos de guerra de la misma manera que ella lo hacía. Algunas adicciones pasan desapercibidas porque forman parte de la estructura familiar o de historia de ésta.

Con ello quiero destacar el hecho de que el tema de la adicción es importante en la vida de una mujer, no sólo en términos de los adictos con los que puede salir, sino también en los de las adicciones ocultas que pueden rodearla a ella o a su vida familiar. Las mujeres que tienen historias familiares de adicciones ocultas o conocidas tienen más probabilidades de salir con adictos. E involucrarse con un adicto garantiza un efecto bumerán en tu vida.

La adicción de una persona impacta en el resto de individuos alrededor de él o ella. Incluso si sólo quedas «de manera casual» con un adicto, en algún momento, su estilo de vida te afectará, porque todas las adicciones irrumpen en tu vida. Los adictos luchan contra sus ansias toda la vida. Incluso algunos en proceso de recuperación tienen períodos de recaídas continuas, sin importar qué utilicen como elemento de su adicción (la sustancia o el comportamiento que sirva como «droga de elección»). Es común en los adictos que alternen períodos de consumo activo y otros de «abstinencia» (cuando el adicto no está relacionado con en el comportamiento adictivo). Tener un período de abstinencia *no* significa que el problema se haya erradicado. Las recaídas pueden ocurrir después de veinte años de abstinencia. Intercambiar adiciones, por ejemplo, dejar el alcohol y luego comenzar a fumar marihuana cada día, también es común. Además, el comportamiento disfuncional, destructivo o de bajo rendimiento puede continuar incluso aunque él o ella no esté consumiendo. Un largo plazo de abstinencia no significa de manera automática que el adicto haya trabajado en los problemas relacionados con su adicción. Y, de hecho, no significa que el adicto haya desarrollado alguna habilidad para las relaciones. Esto se denomina comportamiento del «alcohólico abstinente» (incluso a pesar de que la adicción no sea al alcohol). Un adicto puede estar «limpio y sobrio» y aun así estar emocional y relacionalmente desequilibrado.

Si buscas a un hombre que esté activo en su adicción para irte rápidamente a Barbados durante un fin de semana, piénsalo de nuevo. Las adicciones roban los recursos económicos (o temporales, en el caso de las adicciones pseudoproductivas) a los individuos y a las familias. Es común que los adictos tengan dificultades económicas que no te revelan. El juego, la pornografía, el sexo y las drogas son caros, y el dinero que cuestan cada día va aumentando. Eso se debe a que el adicto siempre consume más y más. Todas las adicciones son progresivas. No hay adicciones «regresivas».

Si el consumo ocasional y «fuera de control» no te preocupa, considera esto: se estima que el 80 % de toda la violencia de género se comete bajo la influencia de las drogas o el alcohol. El problema de un adicto significa que tus oportunidades de éxito en el futuro con él están limitadas por tratarte constantemente de una manera irrespetuosa.

Las personas con ciertas enfermedades mentales son en especial propensas a la adicción. Los individuos con esta combinación son los que tienen menos probabilidades de mantener la abstinencia. El conjunto de enfermedades mentales y adicciones se observa sobre todo en individuos con trastorno bipolar, trastorno de estrés postraumático, depresión o trastorno de la personalidad límite. (*Véase* apéndice para las descripciones de estas patologías). También es perceptible en otros trastornos, además de los que se mencionan aquí. Consulta con un profesional de la salud mental para más información sobre adicciones y enfermedades mentales.

Tipos de adicciones

A continuación se muestra una lista de las numerosas formas que puede adoptar una adicción. Una persona puede hacerse adicta a una o más de las siguientes sustancias y comportamientos:

- drogas;
- alcohol;
- alimentos;
- el juego;
- relaciones;
- sexo, pornografía, masturbación;
- logros, trabajo;
- aprobación, perfeccionismo;
- adrenalina, crisis, caos, drama;
- religión.

A quién buscan

Puede parecer una anomalía que algunas mujeres, y en especial aquellas que abusan de sustancias o que fueron criadas en hogares donde uno o ambos padres abusaban de sustancias, no estén en particular «alerta» contra los adictos. Suelen caer en las redes de adictos porque este tipo de comportamiento ahora les parece normal. Las mujeres que se criaron en hogares donde la adicción estaba presente a menudo «prometen» que ellas nunca saldrán con alguien que tenga una adicción. Con el tiempo, y de nuevo, terminan con alguien que tiene una adicción, «oculta» o no.

Para un adicto, encontrar a otro adicto que «no dé la lata» o «no se queje» de su consumo es algo básico. Esto significa que las mujeres que tienen sus propias adicciones (incluso si una adicción no se parece en nada a la suya) son sus opciones número uno de pareja. Corriendo un segundo tras de él estará la mujer que se haya criado en un hogar donde la adicción estaba presente, incluso si ella no consume. Conoce los juegos del adicto y sus encubrimientos, y sabe lo que se espera de ella al estar con alguien que consume. Los dos comparten una historia de mutua comprensión.

Los adictos buscan a mujeres que sean muy pacientes y que crean que el adicto va a dejar su adicción. Muchos adictos dicen que van a dejarlo o que están dejándolo, y pueden incluso ser sinceros, aunque continúen sin tener éxito. Si alguien está consumiendo o lo ha dejado recientemente, cualquier mejora significante en el comportamiento, estado laboral, economía y habilidades relacionales puede estar a años luz. Cuando un adicto deja de involucrarse en el comportamiento adictivo o de consumir la sustancia adictiva, el cambio real no es inmediato. Esto significa que las mujeres que han desarrollado tolerancia al desempleo de su pareja y sus cambios de humor, y que tienden a restar importancia a sus propias necesidades tendrán una cualificación alta para un adicto.

Las mujeres que sufrieron abusos cuando eran niñas o agresiones ya de adultas parecen estar particularmente atraías por los adictos. Los efectos secundarios de cualquier tipo de violencia dejan a la mujer vulnerable para seleccionar relaciones que repitan su anterior trauma emocional, físico o sexual. Tener una relación con un adicto que te deja con tus necesidades insatisfechas tiene un parecido extraordinario con el trauma emocional de los episodios anteriores de abuso.

Por qué tienen éxito

Las razones por las cuales los adictos son peligrosos y tienen éxito no son siempre obvias. Esto resulta especialmente cierto si una persona no entiende el campo de las adicciones. Algunas mujeres no conocen los signos de las adicciones y, por ello, caen presas de su ignorancia. Pero hay un gran número de mujeres que han salido, a sabiendas, con adictos porque no creían que la adicción del hombre presentara peligro «para ellas», incluso si se daban cuenta de que él estaba jugando con cosas que la podían dañar personalmente. Una vez más, si las mujeres no se dicen a sí mismas la verdad sobre sus motivos reales para quedar con ellos («Estoy tan sólo quedando con él por diversión»), hay muchas posibilidades de que, antes o después, tengan una relación con un adicto. La inocencia no es una habilidad vital. Y no ignoremos a la mujer que piensa que su deber en la vida es «cambiar» al adicto o volverle sobrio. Su creencia de que puede llevarle por el camino correcto con su amor es más que común.

Los hombres que continúan con sus adicciones por lo general tienen éxito a la hora de retener a la mujer en la relación porque prometen que van a dejarlo. O nunca cumplen su promesa o cambian las sustancias adictivas. Muchos adictos tienen múltiples adicciones que conllevan momentos de recuperación y de recaída. Las mujeres a menudo piensan que sus parejas están limpias porque no buscan los signos y los síntomas de las diferentes adicciones. Y no es sólo la pareja del adicto quien está engañada, sino que por lo general también lo está el adicto en recuperación. Si fue adicto a las drogas y ahora sólo toma cerveza, según él ya no está «consumiendo». Los cambios comunes incluyen sustituir las drogas y el alcohol por sexo o comida, el comportamiento que busca la adrenalina por sexo sin protección, y las adicciones al trabajo por relaciones en serie o el juego.

Los ciclos de múltiples adicciones pueden llevar años de evolución. Una mujer puede estar llena de esperanza cuando ve que su marido ya no bebe, aunque más tarde descubra que está consumiendo cocaína. Cada vuelta puede atarla a extensos períodos de tiempo mientras «piensa» que está viendo un período de sobriedad, sólo para que se dé cuenta de que ha cambiado de adicciones. Quizás *ella* sea adicta a la esperanza. Como muchas adicciones se mantienen en privado, si tienes una relación con un adicto, por desgracia no siempre sabrás cuándo y si estás en peligro económico, sexual, físico o emocional. Como se ha visto en la historia de Natasha (capítulo 6, «El hombre con una doble vida»), este patrón puede tener efectos devastadores de por vida en tu salud física y emocional. Esperar sinceridad de un adicto puede costarte muchísimo.

Cada mujer que he conocido que salía o se casó con un adicto me ha dicho lo mismo: «Cuando no está consumiendo, es el mejor hombre del mundo». Los adictos suelen ser chicos encantadores en sus días buenos. Tienen que serlo para que sus parejas sigan dispuestas a tolerar el otro 80 % del tiempo. Chicos agradables, buenos, generosos, con un gran corazón, monadas, dulces… cualquiera que sea el eufemismo, recuerda que la *mayor* parte del tiempo son adictos cuyo comportamiento te romperá el corazón. Y hay muchas posibilidades de que siempre luchen en contra de lo que luchan en la actualidad. Mientras el adicto siga consumiendo, ésa es una garantía. El camino del adicto hacia la recuperación es largo y sinuoso, contaminado con las vidas de las mujeres y los niños que se perdieron en el trayecto.

Historias de mujeres

La historia de Annie ilustra la infinita espiral hacia abajo que una persona puede tomar si tiene una relación seria con un adicto.

La historia de Annie

Algunos familiares de Annie eran adictos al alcohol. Así que ella creía que estaba suficientemente al tanto del problema del abuso de sustancias. Por esta razón, en el instituto rechazaba salir con alguien que veía bebiendo demasiado en las fiestas o tomando drogas. Por el contrario, salió con Bobby, al que conocía del instituto y habían sido amigos durante años. Él era un chico fuerte y con una gran personalidad que agradaba a todo el mundo. Ambos se marcharon para estudiar en la universidad y volvieron a encontrarse en una visita a casa. Entonces, Bobby había adelgazado y había madurado. La relación empezó a construirse.

Annie había ido a fiestas de fraternidades universitarias. Sabía en qué consistían y no rechazaba un poco de fiesta ocasional. El consumo de alcohol, en su opinión, era un poco socializador. Estaba accediendo a la profesión de médico y no quería meterse en líos. Así que la atracción por la fiesta pronto desapareció a medida que Annie se acercaba a la graduación y a las responsabilidades de la carrera en medicina.

Hasta ese momento, Annie y Bobby habían sido amigos durante años y habían salido durante los dos últimos años. Decidieron casarse. Ella empezó a trabajar en el turno del hospital de 15:00 a 23:00 horas mientras él luchaba por mantener su trabajo. Ella no entendía cuál era el problema con su incapacidad de conservar un empleo. Creía que intentaba «encontrarse a sí mismo» en su trabajo. No había terminado la universidad como ella había hecho. De hecho, no había logrado mucho. Pero ella continuó apoyándole para que intentara encontrar su lugar en el mundo laboral.

Bobby encontró un trabajo de camarero en un turno de noche. Cuando Annie llegaba a casa del trabajo, después de las 23:00 horas, él rara vez estaba ahí. Normalmente, trabajaba hasta primera hora de la mañana. Pero ella se preguntaba si la gente realmente comía fuera a las 3:00 horas. Pronto, el dinero no era tan regular como lo había sido. Malas propinas, una noche tranquila, una noche libre, él tenía todo tipo de excusas para sus menguantes ingresos.

Pronto, Annie estaba manteniendo a ambos. Poco después, descubrió la razón real de su falta de ingresos constantes: abusaba de las drogas y el alcohol.

Annie era enfermera y utilizó su conocimiento para convencer a Bobby para que fuera a terapia. Resurgía de la rehabilitación y estaba bien durante unas semanas o meses, todo para recaer de nuevo. Año tras año, el patrón era el mismo. Los ultimatos llegaban y se rompían, y se acumulaba la deuda de las facturas de rehabilitación sin pagar.

Bobby era arrestado y puesto en libertad con tal regularidad que Annie tenía dificultades para concentrarse en el trabajo. Se distraía constantemente con su problema con las drogas y eso estaba afectando al desempeño de su trabajo. Así que Annie se divorció.

Años después, sigue recibiendo información de su constante lucha contra la adicción y su falta de un hogar. Se siente mal porque su vida haya terminado así, pero no por haber acabado con su matrimonio. Ésa también podría haber sido su vida...

Adicciones en las historias de otros capítulos

Las siguientes historias de mujeres aparecen en otros capítulos. Las adicciones juegan un papel destacado en las vidas de los hombres «paquete combo».

Natasha

Como se ha visto en la historia de Buck y Natasha (capítulo 6, «El hombre con una doble vida»), algunas veces las adicciones se centran en el sexo y la pornografía. Como a menudo sucede con la adicción, la enfermedad mental también era un factor que influía. A Buck le diagnosticaron un trastorno de la personalidad narcisista. Rara vez una adicción existe fuera de otros factores peligrosos, una realidad que hace que la relación con un adicto sea mucho más problemática.

Sierra

En el caso de Sierra y Chase (*véase* el capítulo 7, «El enfermo mental»), existía una adicción a la adrenalina, la crisis, el caos y el drama que dominaba la vida de Chase, junto con coquetear con las drogas. La enfermedad mental era también un factor en el caso de Chase, ya que le diagnosticaron un trastorno bipolar y un trastorno de la personalidad antisocial.

Amy

La historia de Amy aparece en el capítulo 9, «El hombre abusivo o violento». Allí, ella describe su relación con un profesor destacado que tenía una enfermedad mental, que era violento y adicto al alcohol. Él también, de alguna manera, vivía una doble vida. Durante el día impartía clases en una universidad prestigiosa y el resto del tiempo bebía. Muchos adictos son calificados como hombres con una doble vida. Si él no hace pública su adicción, la está viviendo tras las puertas cerradas. La historia de Amy nos recuerda que las características de los hombres peligrosos pueden abarcar varias categorías.

Tina

Tina (capítulo 5, «El hombre emocionalmente inaccesible») tuvo relaciones con hombres que tenían adicciones pseudoproductivas (relacionadas con el trabajo) y que, por tanto, eran emocionalmente inaccesibles. Intentar tener una relación con alguien que tiene este tipo de adicción no duele menos que estar con alguien que tiene alguna del resto de tipo de adicciones. Tina escogió a hombres que estaban luchando por ascensos o que acaban de salir de la universidad y estaban motivados a triunfar (pero que en realidad no estaban a la altura de su potencial). Eso hacía que trabajaran incluso con más ahínco. Nunca tenían mucho tiempo para ella, lo cual encajaba bien con su baja autoestima (y la reforzaba). Tina dice: «El final de esa historia es que siempre tengo lo que pensé que tendría: nada. Ellos estaban tan orientados a la productividad que apenas me prestaban atención. Irónicamente, nunca habría quedado con un drogadicto sabiendo que estaba trastornado. ¡Pero *estaba* quedando con adictos!».

Debemos recordar que cualquier adicción consume la vida. Al final, se convierte en el centro del mundo del adicto. Eso por lo general significa que el adicto también se puede calificar como emocionalmente inaccesible. No he conocido a muchos adictos que estuvieran emocionalmente presentes en la vida de otras personas, porque otra gente aparece en el camino de la adicción.

Lista de comportamientos de alerta roja

～ EL ADICTO ～

- Consume la sustancia adictiva casi cada día o en juergas o ciclos.
- Dedica la mayor parte de su tiempo, dinero o intereses a la sustancia adictiva.
- Ha perdido relaciones, trabajos u otras cosas significativas debido a su adicción.
- Miente sobre su consumo.
- Miente sobre su paradero para poder consumir.
- No quiere hablar sobre la sustancia adictiva.

- Es inflexible acerca de la sustancia adictiva.
- Tiene un historial de otras adicciones o su familia tiene adicciones.
- Sitúa a la gente en un segundo plano.
- Te provoca malestar con su actitud sobre la sustancia.
- Está en riesgo o ha estado en riesgo de sufrir problemas de salud o de deteriorar relaciones sociales debido a su adicción.

Tu estrategia de defensa

Las adicciones, incluso las pseudoproductivas, a menudo vienen de familia. Para ser capaz de ver una adicción y evitar cometer el error de normalizarla a tus ojos, primero debes buscar en tu propia familia y tu propia historia para ver si adicciones ocultas o no existen o existieron. En mi investigación, las mujeres que no vieron a un adicto dirigiéndose a sus vidas, o tenían adictos en su familia y, por tanto, estaban acostumbradas a estar con ellos, o no pasaron ningún tiempo con adictos y, por tanto, no sabían qué buscar. En este capítulo, ofrezco pistas para buscar las adicciones si no conoces cómo son.

Para empezar a buscar en tu propia historia y en la de tu familia para ver si hay adicciones, considera asistir a reuniones de Alcohólicos Anónimos u algún programa de doce pasos. Alcohólicos Anónimos es para familiares y amigos de alcohólicos. Muchos otros grupos de doce pasos existen para sobrellevar todos los tipos de adicciones. Se llaman «programas de doce pasos» porque están basados en los programas de doce pasos de Alcohólicos Anónimos. Estos grupos pueden hacer que tomes lo que ellos denominan «valiente inventiva moral» en ti y tu familia para evaluar si las adicciones están presentes. Es importante recordar que los adictos a menudo se sienten atraídos por otros adictos. Una combinación clásica es que una mujer que es adicta a las relaciones se una a un hombre que es adicto al alcohol o a las drogas.

Una vez hayas observado tu propia vida y el historial de tu familia para buscar la presencia de adicciones ocultas o conocidas, puedes empezar a examinar a los hombres peligrosos desde una nueva perspectiva. Para poder reconocer a un adicto, tienes que saber cómo son las adicciones, en tu familia, en ti, en él y en su familia. Tu habilidad para nombrar los comportamientos adictivos de tu familia te ayudará a identificarlos en un hombre potencialmente peligroso.

Si te has criado en una familia adicta, tienes bastante peligro de repetir esta dinámica teniendo una relación con un adicto. Pero con la información que has adquirido al leer este capítulo, y examinando y reflejándote en los patrones de tu familia, puedes desarrollar una estrategia para observar, incluso más de cerca, a adictos que intentan pasar desapercibidos. Para ayudarte a pulir lo que sientes cuando un adicto entra en tu vida, considera acudir a terapia o a Alcohólicos Anónimos y pedir a tus amigos que te ayuden a observar con atención.

Un adicto activo en su adicción es calificado como una mala elección, sin excepciones. Pero, ¿qué ocurre con un adicto que está sobrio o en recuperación? En estos casos, procede con precaución. Como he enfatizado antes en el capítulo, sé consciente de que sólo porque alguien ya no esté consumiendo su droga de elección o ya no se esté involucrando en el comportamiento adictivo, eso *no* significa que él o ella no vaya a recaer. E incluso si un adicto que está sobrio nunca recae, eso no significa que él o ella esté capacitado para tener relaciones. Por otro lado, muchos adictos consiguen con éxito permanecer sobrios y también crecer emocionalmente y desarrollar buenas habilidades para las relaciones. El capítulo 12 menciona algunas señales de alarma universales. Sería inteligente por tu parte que te familiarizaras con esta lista, ya que puede ser una buena manera de evaluar si un adicto sobrio tiene potencial para tener pareja.

La historia de Miranda

Miranda, quien no había tenido nunca ninguna relación a excepción de su marido, había estado casada durante veinticinco años cuando su marido le pidió el divorcio. Poco después, conoció a Roy. Él era un alcohólico rehabilitado que había estado en Alcohólicos Anónimos durante quince años, y todavía asistía a tres o cuatro reuniones a la semana. Parecía atento con su dolor y le ofrecía algunos de los conocimientos que había aprendido en sus reuniones. Miranda se enamoró perdidamente de Roy, pero él continuaba evitando que la relación fuera a más. Por último, Miranda le preguntó sobre sus patrones de comportamiento. Él dijo: «Todavía no soy bueno en las relaciones. Me asustan y no me quiero comprometer». Miranda le preguntó si iría a terapia de pareja con ella para encontrar una manera de trabajar en su temor a las relaciones. Roy dijo: «Iré a más reuniones hasta que lo averigüe». Miranda indicó que había ido a varias reuniones a la semana durante quince años y que todavía no era capaz de tener una relación seria. Obviamente, necesitaba algo más que sólo reuniones. Roy rechazó ir a terapia y la relación terminó.

❤

Si estás considerando tener una relación con un sobrio o adicto en recuperación, aquí tienes algunas pautas que puedes seguir, además de lo recomendado en los capítulos 11 y 12:

- Comprende que años de abstinencia no garantizan una abstinencia duradera.
- Juzga sus habilidades generales en vez de sus años de abstinencia.
- Presta atención a lo sanas que son sus relaciones duraderas ahora, tales como aquellas con sus amigos, sus hijos, sus mujeres anteriores o novias, sus padres, etcétera.
- Observa qué tipo de habilidades comunicativas tiene. ¿Puede pedir lo que necesita sin provocar un drama, sin silencio o pucheros?
- Observa cómo trabaja en su recuperación dada la adicción que sufre. ¿Acude a las reuniones de doce pasos? ¿Ha asistido a terapia individual o en grupo?
- Observa cuánto conocimiento parece tener sobre su lucha contra la adicción. ¿Es realista sobre su impacto vital? Si no es así, es probable que continúe yendo a terapia o a reuniones para promover su recuperación.

El lado compasivo de las mujeres las hace vulnerables a salir con adictos, enfermos mentales y hombres que buscan a una madre. A las mujeres que les encanta «criar» a un hombre cuyo historial muestra que necesita amor, compasión y orientación son los primeros objetivos de estos hombres peligrosos y patológicos. Pero recuerda uno de los mantras de este libro: *No puedes curar lo que está mal en este hombre peligroso.* Es cierto con cualquier tipo de adicto. Rescatar a alguien no es lo mismo que tener una relación con él, en la definición de cualquiera (excepto quizás en la de un adicto y su pareja). Con el tiempo, las mujeres llegan a darse cuenta de que la vida de rescate y espera a la abstinencia de un hombre las deja emocionalmente destrozadas. Tienes la posibilidad de evitar ese ciclo de desesperación aprendiendo a detectar a un adicto antes de tener una relación con él.

Para ello, debes reconocer las señales suficientemente pronto como para permitirte salir con rapidez antes de tener una relación con él. Como se ha visto en el capítulo sobre las señales de alarma, marcharse basándose en una pista es mucho mejor que salir de una relación basándose en una evidencia dura y repetida.

Pensamientos de mujeres

Annie afirma:

Desde el principio de la relación estaba despistada. No sabía que estaba consumiendo. Pero me enteré. Todo el mundo se merece la oportunidad de estar limpio y adoptar un estilo de vida que pueda hacer felices a las dos personas. Cuanto más tiempo juegues con esto, más dice de ti que del adicto. Él simplemente está haciendo lo que desea, consumir, consumir y consumir. Lo que me preocupa es lo que me enseñó: cómo hacer que pareciera otra persona para que en realidad yo no me enterara de que tenía un grave problema. Me preocupa que pase por alto esto la siguiente vez que quede con alguien. Espero que no. He ido a Alcohólicos Anónimos para aprender sobre mí y por qué le escogí y por qué tuve una relación con él. Nuestras elecciones en tema de hombres son nuestro problema. Yo quería que fuera suyo y de su problema, pero me quedé con él incluso cuando la realidad de la situación saltaba a la vista, así que también era mi problema.

Soy afortunada. No perdí mi trabajó ni mi carrera profesional. Muchas mujeres pasaron por el aro con el adicto intentando salvarlo. Me gustaría decir a las mujeres que si te preocupa la calidad de tu vida, no salgas con un adicto. No hay calidad de vida. Y si alguna vez la consigues, te das cuenta de que has pagado por ella con sangre, sudor y lágrimas, y tal vez con muchas otras cosas más. Sobre todo si tienes hijos, hacerles pasar por esto es algo terrible. Reconoce pronto la adicción en un hombre y escoge a otra persona. Todas aprendemos a lo que estamos expuestas; no necesitamos ese tipo de educación, y nuestros hijos ciertamente tampoco. Es una situación en la que ambos pierden la mayor parte del tiempo. De hecho, terminar la relación o no salir con un adicto es lo mejor para su vida y su recuperación. A las mujeres les cuesta entenderlo.

Andrea, cuya historia hallarás en el siguiente capítulo, quedó con Rocky, que era patológico, violento y adicto. Andrea comenta lo siguiente:

Le quería tanto que me dolía. Hubiera sido más fácil tirarme a un camión en marcha que dejarle con su adicción. Todo me parecía incorrecto. Sabía que me necesitaba a mí y mi amor. Sabía que era lo que le haría abandonar su adicción. Así que le quería más y más. Cambié por él. Que a mis hijos se los llevaran los servicios sociales debería haber sido una gran llamada de alerta. ¿Quién más debía ser separado de mi vida para que este hombre se curara? Gracias a Dios desperté. Todos pagamos por su adicción, pero quizás los niños más que nadie. Tuvieron que marcharse a vivir con completos extraños porque su madre estaba atrapada en hacer que este hombre permaneciera sobrio. Aquellas fueron mis elecciones, ¡qué locura!

Natasha (capítulo 6) tiene que decir esto acerca de su matrimonio con Buck, que era un adicto al sexo, además de estar patológicamente trastornado y mantener una doble vida: «¿Quién sabe si estoy en riesgo de contraer el sida? Me han dicho que estoy muy cerca del 100 %. ¿Cómo sigo con mi vida y trabajo y cómo voy a salir con alguien algún día con este peso en mi mente? Mi vida entera está en riesgo. Una vez conocí todo; era ciertamente una señal de alarma y una oportunidad para escapar. ¿Quién me hubiera culpado? Pero no lo hice. Continué apostando por nuestro matrimonio. Ahora estoy divorciada y quizás más a salvo por ello».

Amy, cuya historia aparece en el siguiente capítulo, dice: «¿Cómo ignoré todas las señales? Mi padre era alcohólico, con estudios e inteligente. Durante toda mi vida yo solía decir: no quiero salir nunca con alguien como mi padre. ¿Cómo ocurrió?».

CAPÍTULO 9

El hombre abusivo o violento

Aquí está: al que todas tememos. Con él, han quedado, han salido y se han casado muchas mujeres. Él es la razón por la que nos aproximamos a las estadísticas sobre violencia de género y homicidios. El hecho de que continúe teniendo éxito en lo que hace exige que examinemos el fenómeno de la violencia de género, no sólo en términos de su comportamiento, sino también, y quizás esto sea más importante, en referencia a qué se les está escapando a las mujeres al comienzo que provoca que continúen teniendo relaciones y permaneciendo con este tipo de hombres. Porque sin víctimas, los hombres violentos no tendrían casi ninguna carrera profesional en violencia.

Sergio el Serpiente

En primer lugar, enfatizaré que los hombres que maltratan físicamente a las mujeres no son el único tipo de hombres abusivos calificados como peligrosos. Como verás en la historia de Tammy, hay muchos comportamientos que son abusivos, algunos menos obvios que otros. Muchos de ellos se describen a continuación, en la sección «¿Qué constituye el abuso?». Este capítulo versa sobre hombres que cometen todo tipo de abusos. Una de las cosas más importantes que hay que tener en cuenta sobre cualquier tipo de comportamiento abusivo es que aumenta, casi sin ninguna excepción.

Miles de mujeres mueren cada año a manos de hombres violentos con los cuales estaban relacionadas sentimentalmente. Se estima que casi el 80 % de los homicidios de mujeres son cometidos por sus novios o sus maridos. Esto hace que te preguntes cuántas muertes más tienen que ocurrir a pesar de las señales de alarma de las mujeres. La respuesta, por supuesto, es que muchas que resultan seriamente heridas o asesinadas en episodios de violencia de género están muy al tanto de la tendencia de su pareja a la violencia pero, aun así, no se separan definitivamente de él. O lo intentan y sus parejas las convencen, o no lo hacen y terminan con serias heridas o incluso son asesinadas. Si existiera una razón para respetar y responder a tus señales de alarma, la posibilidad de tener una relación con un hombre peligroso es una.

Muy pocas relaciones comienzan con una bofetada el primer día. Si lo hicieran, los hombres rara vez tendrían una segunda cita. La violencia en una relación ocurre una vez que la relación se ha desarrollado; comienza con una progresión de violaciones de límites que se dejan sin abordar. Si a un hombre se le permite, de manera temprana, ser degradante a nivel verbal, inconsiderado emocionalmente o abusivo a nivel físico, y la mujer permanece con él, ella le ha enviado un mensaje sobre lo que está dispuesta a tolerar. El silencio es la aceptación de una mente violenta. Incluso si verbaliza sus preocupaciones, en sus ojos, el hecho de que permanezca junto a él equivale al consentimiento. Ella le está entrenando a tratarla. Muchos centros de protección contra la violencia de género alegan que los hombres continúan abusando de las mujeres «porque pueden». Es decir, un hombre se libera de sus actos de violencia porque su pareja no le denuncia a la policía, ella olvida el caso y no le procesa, se queda o vuelve con él. Aunque el abuso puede comenzar al principio de una relación con impertinencias verbales y emocionales, va aumentando hasta muestras peligrosas y violentas de poder y control. Del mismo modo que las adicciones son progresivas, la violencia también lo es.

Los hombres violentos tienen problemas con el poder y el control. Por qué o cómo esos hombres adquieren esas habilidades mortales es todavía muy debatido dentro de la comunidad de la salud mental. Pero, como mínimo, se está de acuerdo en que uno de sus principales problemas es la falta de habilidad para tener relaciones basadas en la igualdad. Tiene que ser el que manda más. Cuando su poder y control están amenazados por tu individualidad o tus deseos, el resultado posible es el abuso o la violencia. Estos hombres tal vez se criaron en hogares en los que predominaba la violencia como forma de comunicación. Aprendieron que la violencia era la solución a lo que no les complacía.

Estos hombres también tienen otros problemas. En más del 50 % de los casos, los hombres que eran violentos también tenían problemas con el alcohol y las drogas. Violencia + adicción = posible muerte para ti, para él y para cualquier persona a tu alrededor. Es más que probable que la violencia tenga lugar cuando las drogas y el alcohol hagan acto de presencia.

Como he mencionado antes, algunos de estos hombres son, por supuesto, el resultado de infancias violentas. Esto significa que existe una alta probabilidad de que tengan problemas emocionales o mentales asociados a la violencia que experimentaron en manos de sus padres, padres adoptivos u otros cuidadores. Algunas formas de enfermedad mental están íntimamente relacionadas con el potencial de comportamiento violento. Aquellos diagnosticados con un trastorno de la personalidad límite, trastorno bipolar, TEPT, y algunas veces esquizofrenia se pueden volver peligrosos. Reconocer la relación entre la enfermedad mental y la violencia de ninguna manera excusa cualquier forma de agresión. Sólo nos ayuda a ver más de cerca el potencial de peligro que la enfermedad mental puede añadir a una relación. Estos hombres «paquete combo» traen con ellos complicadas historias que tal vez incluyan violencia aprendida, abuso infantil y violencia, una crianza disfuncional, adicciones activas, posibles trastornos, relaciones con algún trauma y problemas de salud mental. Intentar encontrar una única raíz para su violencia es como estirar un largo hilo en un tapiz. Lo que conllevará es difícil de predecir.

Las mujeres que salen con estas bombas de relojería es posible que nunca sepan las razones que subyacen a su violencia. Permanecer cerca para saber por qué está tan fuera de control puede costar la vida a una mujer. No sé por qué tiene tanto interés en saber «el porqué» de su triste vida, pero podría convertirse en sabiduría que cueste un precio muy alto.

¿Qué constituye el abuso?

Como se señaló en el capítulo 1 y e incluso en otros anteriores, las mujeres a veces obvian las señales de abuso si sólo buscan alguna en forma de agresión física. Rara vez comienza de manera abrupta y visible. La violencia empieza con pequeños actos de violación y aumenta a patrones de violencia que pueden abarcar varias categorías de abuso. La siguiente es una breve explicación de algunos de los tipos de abuso de los cuales deberías ser consciente:

1. El **abuso verbal** incluye llamarte por nombres, amenazarte, degradarte, insultarte e intimidarte por medio del lenguaje, que va aumentando en cuanto a volumen.

2. El **abuso emocional** incluye controlarte y dominarte no permitiéndote que tomes tus propias decisiones, diciéndote cómo vestir y comportarte, y con quién puedes hablar o no; sacrificios que te mantienen cautiva y que te hacen dudar de que tú sola puedas hacer todo; criticarte, lo cual acaba con tu autoestima, así que te faltará la seguridad para marcharte; celos infundados; actos de violencia hacia objetos inanimados para asustarte, tales como dar un puñetazo a la pared o lanzar cosas; humillarte públicamente; aislarte del resto para que no sepan lo que te está pasando y así no consigas la ayuda que necesitas para marcharte.

3. El **abuso espiritual** incluye reírse y criticar tus creencias espirituales, intentando dictar o controlar tu relación con un Poder Superior y cómo esa relación se expresa en tu vida, o utilizar una interpretación distorsionada de unas Escrituras para justificar dominarte porque «las mujeres deben rendirse a sus maridos».

4 El **abuso económico** consiste en controlar todo el dinero como una forma de controlarte a ti para que no tengas recursos con los cuales marcharte, ocultándote bienes o dinero compartido para que no puedas irte y debas depender de él y acudir a él para todas tus necesidades; mantenerte sin dinero para que no aspires a nada más que a lo que tienes con él, y gastarse el dinero para demostrarte su poder y dejarte poco o nada.

5. El **abuso físico** incluye cualquier acto de violencia, como estirarte del pelo, estrangularte, golpearte, darte patadas, abofetearte, empujarte o sujetarte para que no te puedas ir, morderte, utilizar un arma, poner candados para que no te puedas escapar y secuestrarte a ti o a tus/sus hijos.

6. El **abuso sexual** incluye cualquier forma de ataque físico a las zonas sexuales de tu cuerpo, forzándote a actos sexuales no deseados, violación, sodomía y obligarte a que observes actos sexuales o pornografía en contra de tu voluntad.

7. El **abuso al sistema** es el resultado de su violación y rechazo de ordenes restrictivas o cualquier orden del juez que esté obligado a cumplir, mintiéndole sobre ti a la policía o a los servicios sociales para que te quiten a tus hijos y/o evitar que tengas servicios discontinuos que te ayuden a que le abandones. Violar acuerdos de custodias, no pagarte la pensión para que tengas problemas económicos o no someterse a tratamientos para maltratadores dictados por el juez.

A quién buscan

Debería ser obvio que las mujeres que continúan con esta relación se encuentran en los lugares más altos de las listas de hombres violentos o abusivos. Tener su pastel de poder y comérselo es demasiado atractivo para estos hombres peligrosos. Y no lo digo para quitar importancia a las muy complicadas razones *por las cuales* las mujeres permanecen con ellos. Lo digo para señalar que desde su perspectiva el hecho de que una mujer esté dispuesta a quedarse con él es atrayente.

Hay mujeres que creen a un abusador cuando él les dice que algo es culpa de ella, que cambiará, que nunca lo volverá a hacer, que irá a terapia, que irá a la iglesia; él sólo lo hace porque ella se lo pide o porque ella necesita o se merece una mejor opción que un hombre violento. Por desgracia, hay muchísimas mujeres que creen a hombres como éste y siguen esperando ver a través de las bofetadas y las patadas que reciben, si él realmente va a cumplir sus promesas patológicas. Permíteme ahorrarte un poco de tiempo: no lo va a hacer.

Una mujer que está satisfecha con las tácticas maquilladas del niño bueno, tales como regalar una joya, una cena fuera o unas vacaciones para que ella olvide los horrores de la semana anterior, es otra candidata para el hombre abusivo. Cuando las palabras o las cosas bonitas pueden deshacer el daño infligido por sus actos de violencia, este hombre peligroso puede haber encontrado su zona de confort: golpea y compra.

Las mujeres que provienen de hogares abusivos ya están educadas en las formas de la violencia y la gente patológica. Saben de qué manera funciona todo y conocen las reglas del juego. Baja autoestima en una mujer es una cualidad atrayente para un hombre abusivo, como lo es una actitud victimista en lo que se refiere a la manera en que ella se percibe. Un modo de ver el mundo que dice: «No puedo irme, así son las cosas» ayuda a que ella se adapte al mundo del abusador.

Una mujer que ya tiene un historial de relaciones con hombres peligrosos es una buena elección para este tipo de personas. Cuanto más tiempo y más a menudo hayas salido con hombres abusivos, mejor entrenada estarás para él. El nuevo hombre violento en tu vida tiene pocos cambios que hacer para obtenerte (y mantenerte al tanto).

Algunas mujeres prefieren pensar que simplemente han deambulado hacia relaciones violentas, en vez de darse cuenta de que sus hombres saben qué tipo de mujer necesitan para evitar cambiar. Estás más allá de una coincidencia. Tu conveniencia en su vida no es un error por *su* parte.

Por qué tienen éxito

Los hombre abusivos y violentos tienen éxito por un gran número de razones, la mayoría de las cuales tienen que ver con ser buenos en lo que hacen *y* escabullirse una y otra vez. Pero a nosotras, las mujeres, no se nos perdona no ser observadoras simplemente porque ciertos hombres patológicos tienen habilidades para encontrar a mujeres, salir con ellas y hacerles daño e incluso acabar con sus vidas. Tampoco se nos perdona la manera en la cual *respondemos* a las señales de peligro y de patología en los hombres.

Podemos restar importancia a las lecciones que podemos aprender si simplemente decimos: «No estaba observando; él era *muy bueno*». Quizás ésa sea una manera de verlo desde la tumba. Pero creo que hay otras formas de verlo que nos pueden ayudar a ver en el aquí y en el ahora. La existencia de hombres abusivos y violentos ofrece la mejor excusa para aprender por qué los hombres peligrosos han tenido éxito en tu vida y en la de otras mujeres. ¿Cómo son de buenas tus habilidades de observación? Como con otras categorías de hombres peligrosos, las mujeres pueden obviar las señales de hombres abusivos o violentos porque no piensan que puedan ser capaces de tener una relación con alguno. Están engañadas por estos hombres porque no buscan las señales y los síntomas de abuso y violencia. Que sea bueno o no en lo que hace no es excusa para que tú no estés observando y, en consecuencia, respondas de manera positiva a él.

Un hombre abusivo obviamente comienza la relación, como mínimo de un modo breve, un poco diferente a como termina. Es encantador, atento, divertido, hablador. Es cualquier cosa que te atraiga de él. Compara esto con cómo es cuando la relación termina; para entonces puede que ni siquiera reconozcas un resquicio de cómo era. Pero tenía que ser bueno al principio para que tuvieras una relación con él. Tiene éxito cuando las mujeres se quedan extasiadas con la imagen de «cómo era» y olvidan cómo es. Querer volver a ese «sentimiento de amor» puede mantener a estas mujeres en una relación sin salida durante años. Cuando sales con un hombre violento nunca existe el momento de olvidar todos los malos ratos que vinieron después de los buenos.

Él tiene éxito porque las mujeres violan sus propios límites sobre lo que van a tolerar. Fracasan a la hora de intentar vivir bajo la norma de una sola oportunidad. Un golpe, un gesto que infiere miedo, un episodio de lenguaje desagradable y degradante, una cosa que causa que ella se pregunte si él *podría* ponerse violento, y ella debería salir de allí. Pero en su lugar, demasiadas mujeres dicen: «Si me golpeas una vez más» y establecen un límite que no tiene sentido. Se llega a borrar. La próxima vez, ella dice de nuevo: «Lo digo en serio, si me vuelves a pegar...». Cinco años después, el límite artificial hace tiempo que se olvidó, quizás para ambos.

Los refugios contra la violencia de género han proliferado desde la década de 1970. Hay muchos recursos y caminos fuera de las relaciones violentas para *todas* las mujeres. Hay tantos recursos y tantas formas de asistencia que una falta de ayuda ya no es una razón válida por la que las mujeres deban continuar con una relación violenta. La ayuda existe en forma de casas de emergencia, hogares temporales, formación laboral y terapia, entre otras cosas. Todo lo que necesites para salir de una relación y sobrevivir por ti misma está ahora disponible.

Estos hombres peligrosos también tienen éxito porque algunas mujeres están tan avergonzadas de haber terminado con un hombre abusivo que prefieren esconder ese hecho antes que exponerlo y acabar con la relación. A menudo, las mujeres permanecen en esos entornos mortales por el miedo al fracaso y la exposición.

Por último, los hombres violentos continúan siéndolo porque aunque las mujeres se vayan, ellos no son siempre condenados. Esto es un enorme problema para aquellos que se encargan de procesar a los abusadores y de ayudar a las víctimas de la violencia de género. Y también lo es para las mujeres con las que estos hombres saldrán en el futuro. Si vuelves o no a la relación, al menos deja una nota para la mujer en el mundo de las relaciones sentimentales que pueda salir con este hombre en el futuro. Permite que haya documentos judiciales, denuncias policiales y sentencias para advertirla en caso de que lleve a cabo una comprobación de su pasado. Dale a ella esta información para que, al menos, tome una decisión informada.

Historias de mujeres

La historia de Andrea ilustra cuánto puede costarte un hombre violento. La historia de Amy demuestra que hombres de cualquier nivel socioeconómico y educativo pueden ser violentos. La historia de Tammy muestra cómo todo abuso, incluso si no resulta en agresión física, está indicado para controlar a la víctima a través del miedo y la intimidación.

La historia de Andrea

Andrea tenía veintitantos años cuando se divorció y se enfrentó al hecho de criar sola a cuatro hijas. Había sido ama de casa y tenía pocas aptitudes profesionales. Empezó a trabajar de vez en cuando para ayudar a mantener su nueva vida como única fuente de ingresos en su familia.

Entonces llegó Rocky, un hombre rudo y fornido que se dedicaba a construir casas. Era radical, salvaje y estaba sin domesticar. Había algo en esa combinación que Andrea encontró totalmente irresistible después de su marido, que era «poco aventurero, y rutinario». Andrea no investigó en sus relaciones anteriores con demasiada profundidad, y pronto empezaron a vivir juntos.

Rápidamente fue evidente que Rocky tenía muchos problemas. Bebía desde primera hora de la tarde hasta que perdía el conocimiento. Fumaba marihuana y crack, y bebía hasta que la rabia lo dominaba y sus ojos se llenaban de furia. Pero había momentos en los que él no bebía o consumía drogas y actuaba «de manera normal» con Andrea y las niñas. Aquellos eran los instantes a los que ella se aferraba y decidía recordarle como «mi Rocky».

El estrés se acumulaba para Rocky. Perdía el trabajo, así que el dinero era escaso. Su madre se estaba muriendo. Había perdido su carné de conducir porque en repetidas ocasiones había conducido bajo la influencia del alcohol, así que ir a los lugares de trabajo se convirtió en un problema. Sin embargo, Rocky siempre se la jugaba conduciendo sin carné porque le encantaba vivir al límite. Como mínimo, lo pillaban una vez al mes, lo multaban e iba a la cárcel por conducir sin licencia o seguro. El dinero destinado al alquiler se gastaba en sacarle de la cárcel. Como la falta de dinero se convirtió en un problema, empezó a traficar con drogas para tener ingresos extras. Pero le pillaban con mucha frecuencia por traficar, le llevaban a la cárcel y la fianza se pagaba con el alquiler.

Para empeorar las cosas, sus vehículos se estropearon, y como no había dinero para arreglarlos, Andrea no podía ir a trabajar o llevar a Rocky al trabajo. Las hijas no podían ir a actividades extraescolares. Su mundo se reducía al tamaño de su caravana.

El mal humor de Rocky aumentaba. Pegaba a las niñas de Andrea demasiado fuerte y con demasiada frecuencia, hacía agujeros en la pared con sus puñetazos, daba patadas a las puertas de los vehículos y tuvo peleas en bares con otros hombres. Una vez fuera de la cárcel, volvía de nuevo. Esta vez por agresiones. Más dinero del alquiler iba para los juzgados, lo que significaba menos dinero para vivir. El ciclo de violencia y pobreza se había establecido.

Pronto, la policía comenzó a ir a su casa. Rocky pegaba a Andrea con regularidad, dejándole contusiones en los brazos y el pecho y cortes en la cara. A Rocky le enviaron a un programa de intervención para maltratadores y a Andrea a un programa de terapia para la violencia de género. Según Rocky, él no tenía ningún problema. No eran las drogas, el alcohol o la violencia. Era: «El maldito sistema que me quiere pillar. Necesitan meterse en sus malditos asuntos».

Arrestos semanales y a veces diarios eran ya algo común. Rocky se enfrentaba a una media de siete cargos semanales en el juzgado. Todos los ingresos de su familia se destinaban a pagar los gastos del juzgado, de los abogados y las multas de la cárcel. Andrea fue a los servicios sociales para pedir ayuda con el alquiler, vales para comida, dinero para el transporte y cualquier otro tipo de ayuda que le pudieran ofrecer. Aprendió el arte de caminar despacio y mantener a las niñas en silencio, intentando anticipar cualquier foco de estrés para Rocky para que pudiera eliminarlo y permanecer segura.

Pero una noche, mientras Rocky estaba bebiendo y drogándose, quién sabe qué le motivó. Pegó brutalmente a Andrea delante de las niñas. Ellas intentaron alejarle de la madre y él las lanzó contra la pared como zapatos que no quieres. Le arrancó mechones de pelo a Andrea cuando la arrastró hacia dentro de la caravana. La golpeó hasta que su cara quedó irreconocible.

Andrea se escapó y huyó. Desorientada, corrió a través del bosque y se agachó detrás de los árboles. Se quedó allí hasta el amanecer y después fue a casa de unos amigos y llamó a sus parientes, pidiéndoles que fueran a buscar a las niñas a la caravana. Pero para entonces, ya habían avisado a los servicios sociales. Las autoridades vieron que Andrea había abandonado a sus hijas mientras escapaba y las dejaba con un hombre violento y drogado. Le quitaron a las cuatro niñas.

Nervioso, Rocky juró «patear a alguien en el culo» hasta que pudiera «devolverle las niñas a Andrea». Ella tenía la esperanza de que con la intervención psicológica para maltratadores, y quizás con Alcohólicos Anónimos, Rocky pudiera ser «mi Rocky» de nuevo. Pero mientras tanto, a ella le había costado sus hijas. Enviaron a las niñas a varios hogares de acogida. A Andrea le permitían estar una hora a la semana con ellas. Llorando, histérica y deprimida, Andrea se retiraba a su cama después de cada visita con sus hijas. Pero todavía estaba convencida de que Rocky, de alguna manera, dejaría de ser violento.

Rocky acudió al programa de intervención psicológica. Escuchaba y daba sus razones para pegar y beber, las cuales incluían muchísimas referencias al «maldito sistema». Pero no cambió mucho. Después acudió a Alcohólicos Anónimos durante varias semanas. Andrea sonreía, ahora estaba en el camino hacia una familia sana. Pero pronto, Rocky empezó a beber de nuevo. Andrea escapó a la casa de acogida para mujeres antes de que él pudiera comenzar el ciclo de nuevo. Esta vez, hizo caso a los signos de alerta. Le había costado la casa, su trabajo, su vehículo y sus cuatro hijas. La única cosa que le quedaba eran los latidos de su corazón. Así que se los llevó y se fue para siempre. Sólo podemos esperar que en el futuro aprenda a prestar atención a sus señales de alarma y resista cualquier tentación de tener una relación con otro hombre violento.

La historia de Amy

Amy era hija única. Sus padres eran ambos educadores y se sentían orgullosos de sus logros e intelecto. Éstos eran los valores fundamentales en el hogar de Amy. Sabía desde pequeña que iría a la universidad. Era justo lo que se esperaba de ella.

Incluso con toda su educación e inteligencia, su padre tenía algunos defectos que causaban el caos en su vida privada. Era alcohólico y a menudo pegaba a su madre durante sus ataques de rabia y pérdida de conciencia. Amy vivía en constante temor por su madre. También temía que algún día la violencia de su padre se dirigiera hacia ella. Con frecuencia, encontraba a su madre sollozando porque su padre tenía otras «amigas» sobre las cuales no era muy sutil. El alcoholismo de su padre y su comportamiento irritante empezó a crearle problemas en el trabajo. A menudo le ponían a prueba y se recuperaba, sólo para recaer de nuevo. Su seguridad laboral era siempre «incierta», en la mejor de las situaciones. Cuanto más crecía, más le disgustaba a Amy su padre. «Repugnante» y «alcohólico maltratador» eran algunos de los términos que utilizaba para describirlo. Sus fantasías incluían escaparse para casarse con alguien maravilloso y llevarse a su madre con ella.

Amy finalizó su máster y empezó a trabajar en la universidad. Conoció a Edmund, un sofisticado profesor y catedrático de departamento. Le impresionaron sus credenciales y su habilidad para hablar de cualquier tema. Él también estaba impresionado de sí mismo, hasta el punto de querer analizar a alguien o algo más. Al principio, Amy disfrutaba aprendiendo de todo sobre los temas en los cuales él estaba interesado, pero cuando ella finalmente empezó a querer hablar de ella, vio el otro lado del Dr. Jekyll.

Alternaba depresiones profundas con intensas demostraciones de su propia genialidad. Después se hundía en la desesperación alcohólica. Aunaba esfuerzos y aparecía en la universidad al siguiente día, pero cada mes que pasaba traía consigo más resacas, menos productividad y más mentiras que tapar. Pronto fue evidente que Amy había escogido a una copia de su padre como novio.

Cuando Amy se dio cuenta de que estaba saliendo con una versión de su padre, intentó romper con Edmund. Aquella noche él la pegó. El ciclo se había convertido en un círculo vicioso. La mañana siguiente, Edmund, horrorizado por su comportamiento, le prometió a Amy que se casaría con ella y la ayudaría para que entrara en un programa de doctorado para que pudiera ser profesora. Le prometió que le presentaría a la gente importante en la academia. La iba a ayudar para que fuera tan conocida como él.

Las promesas de Edmund hicieron que continuara con la relación durante otro año, en el cual aumentaba el alcoholismo, continuaban las palizas y se acumulaban las promesas. Entonces la realidad golpeó a Amy. A Edmund le pusieron en período de prueba en el trabajo por sus «problemas con las adicciones y psicológicos». Amy hizo las maletas, le dijo adiós a Edmund y nunca miró atrás.

La historia de Tammy

Tammy, escritora, soltera y de treinta y cinco años, sabe que reemplazar a un hombre violento por otro no es muy inusual. Según afirma:

He salido con varios hombres que eran controladores, agresivos y a veces violentos. La primera relación no fue muy lejos y él tampoco se volvió tan violento como yo pienso que deseaba, porque yo todavía vivía con mis padres y él no quería responder ante ellos.

Pero con el último hombre con el que tuve una relación, sinceramente pensé que había conocido la reencarnación de Jack el destripador. Él «enloqueció» por mí con demasiada rapidez. Me hablaba con mucha seguridad y me animaba a que me trasladara a su casa tan pronto nos conocimos. Entonces él empezó a controlar cada aspecto de mi vida diaria. Estaba en Europa promocionando un libro que había escrito. Como estaba en su país, decidió apuntarse y promocionar el libro por mí.

A los pocos días de haberle conocido, me contaba lo dura que había sido su infancia, cuánto odiaba a su padre y lo contento que se puso cuando murió. Me dijo que le acosaban en el colegio y que se volvió tan neurótico con eso que, ¡perdió la capacidad del habla durante un año!

Siguió contándome que nos llevaríamos bien, siempre y cuando yo hiciera exactamente lo que él me dijera. Cuando tuve que volver a Estados Unidos después de la promoción del libro, me suplicó que no le abandonara de la manera en que otras mujeres en su vida lo habían hecho. Una vez en casa, me envió una caja de fotografías de mí que él había mutilado, con mis ojos sacados y sangre pintada en mi cara.

El guaperas europeo de Tammy era, obviamente, un hombre «paquete combo». Todos sus problemas patológicos y mentales combinados daban lugar a un comportamiento abusivo y controlador, y posible violencia que tal vez se hubiera convertido en violencia física real si ella hubiera permanecido con él.

Lista de comportamientos de alerta roja

～ EL HOMBRE ABUSIVO O VIOLENTO ～

- Trata de convencerte de algo, te critica, te llama por varios nombres o utiliza lenguaje denigrante en contra de ti.
- Se refiere a sus relaciones anteriores de formas negativas y denigrantes.
- Intenta controlar o dominar tus elecciones en la vida, ya sean pequeñas o grandes.
- Intenta dictar tus creencias espirituales y religiosas.
- Se irrita con frecuencia.
- Eleva el tono de voz, grita y chilla, incluso llevando una «conversación normal».
- Chilla y grita, y parece que se pone «muy nervioso» cuando discute contigo o con otros.
- Tiene un historial de agresiones a otra gente.
- Ha herido a animales o les ha tratado de manera cruel.
- Ha provocado incendios devastadores.
- Se vuelve violento y fuera de control cuando consume drogas o alcohol.
- Da puñetazos a las paredes o lanza cosas cuando se enfada.
- Parece experimentar rabia como la emoción más frecuente.
- Te culpa a ti o a otros de su rabia o sus estallidos.
- Tiene problemas en otras relaciones por su rabia.
- Le han enviado en otras ocasiones a terapia para controlar su rabia.

- Ha asistido a programas de abuso de sustancias.
- Le han expulsado o suspendido de la universidad o el trabajo por su rabia o por pelear.
- Sale con otra gente que es conocida por ser violenta.
- Tiene pronto o un carácter fuerte.
- Se enfada cuando es cuestionado o corregido.
- Le gustan las películas violentas y de destrucción.
- Usa palabras como «asesinado», «aplastado» y «pateado» en su lenguaje diario.

Tu estrategia de defensa

Las mujeres terminan en relaciones violentas de largo plazo porque no se marchan a tiempo. Ignoran las señales de aviso y de alarma que aparecen pronto en la relación, cuando escapar es mucho más fácil y seguro. Excusan su comportamiento, piensan que es una circunstancia aislada y creen sus razones. Ignoran las pistas y esperan a que la evidencia se confirme. En el caso del hombre violento o abusivo, cuando la evidencia se confirma es bastante doloroso. Es más seguro moverse por una pista que esperar a la confirmación.

Como la violencia es progresiva, aumentará. Sea cual sea el nivel de abuso o violencia, irá a peor. Las mujeres tienen las mejores oportunidades de escapar cuando huyen pronto de la relación, siguiendo el primer episodio de violencia o comportamiento inapropiado, y *no vuelven atrás*. Es mucho más fácil desaparecer pronto de una relación cuando estás involucrada que romper después de tres años de compromiso serio, cuando es probable que un hombre violento te acose. Permíteme que lo repita: salir a tiempo puede salvar tu bienestar psicológico y, más que probablemente, tu vida.

Los hombres abusivos y violentos son conocidos por sus actos teatrales de búsqueda del alma que producen remordimientos. Juran por la vida de su madre que nunca lo volverán a hacer, que irán a la iglesia o a terapia. Te ofrecen un gran número de razones que parecen sinceras sobre el momento en que saltó su corto detonador.

Siempre hay razones, incluidas, por supuesto, historias tristes de la infancia. Sin embargo, una vez habéis vuelto, la proposición de ir a terapia no es seguida de ninguna acción. Una mujer tiene una mayor influencia para que el hombre obtenga ayuda y continúe con ella cuando se marcha de casa y deja la relación. Esto parece una contradicción. Pero una vez estáis juntos y salís de nuevo, o vivís juntos, desaparecen su inspiración y motivación por buscar ayuda. Tiene lo que él quería recuperar. Según él, él no es realmente el problema, así que no existe ninguna razón para continuar yendo a terapia. Los hombres violentos rara vez cambian por su propia voluntad sin acudir a terapia intensiva, y si tienen un desorden patológico, no hay casi ninguna posibilidad de cambio.

Abandonar la relación, y esto significa ni siquiera tener citas con él, y pedir que vaya a terapia *por él* mismo (no a terapia de pareja) durante seis meses es una manera segura de poder saber lo interesado que está en conservar una relación que esté basada en la madurez emocional y la salud. Las mujeres que han seguido esta simple estrategia han encontrado la respuesta que estaban buscando. Puedo contar con los dedos de una mano cuántos hombres han seguido este principio. La mayoría estaban mucho más inclinados a abandonar la relación que a trabajar por ella. Esto en sí mismo te dirá algo sobre si un hombre es sano y normal. Los hombres violentos nunca quieren terapia, y si la comienzan, no siguen en ella. Aunque ésta pueda parecer información dolorosa, es mejor que sepas su verdadera naturaleza ahora, antes de que sea más tarde, cuando sus manos estén alrededor de tu garganta.

Como hacen con otros hombres patológicos, muchas mujeres creen que pueden cambiar a los hombres abusivos o les pueden ofrecer un entorno sin estrés en el cual él «no tenga» que volverse violento. Pero estas cosas no les cambian. Las mujeres que salen en las noticias locales como víctimas de la violencia de género son mujeres que no lo creyeron. Sólo pregúntale a Andrea.

Debes estar alerta a otros trastornos que puedan ir de la mano de la violencia, incluidos el trastorno bipolar u otros trastornos de carácter cíclico, adicciones, trastorno de estrés postraumático, trastorno de la personalidad límite y trastorno de la personalidad antisocial. (*Véase* apéndice para más descripciones de estas patologías).

Estas alteraciones complican un ya serio problema de violencia. Añade un trastorno patológico o crónico a un patrón de abuso o violencia y tienes una situación que probablemente sólo cambie a peor.

Las mujeres pueden llevar a cabo pasos preventivos para averiguar cosas sobre cualquier hombre con el cual estén considerando salir. Muchos servicios están disponibles para permitirte saber si tu nuevo novio alguna vez ha ido más allá de maneras que puedan ponerte en peligro. Comprobar los antecedentes puede desenterrar muchísima información de los registros públicos sobre dónde ha estado y con quién. Una revisión de los antecedentes puede revelar antecedentes delictivos, procesamientos civiles y familiares, multas de tráfico, fraudes económicos, derechos de retención, bancarrotas, órdenes de protección, estatus de agresor sexual, acoso, violaciones, agresiones, violaciones de la libertad condicional y más. ¿Por qué *no* ibas a querer esta información? Alguna información puede obtenerse a través del juzgado local. Los detectives pueden contratarse por internet. No hay prácticamente ninguna razón para no tener información sobre un chico con el cual estás considerando salir o casarte. Revisa la contraportada de este libro para más fuentes que puedes utilizar ahora.

Pensamientos de mujeres

Tammy dice:

Advertí que él cada vez era más y más violento. Las cosas que decía y cómo las decía me hacían sentir incómoda. No me permitía estar fuera del alcance de su vista y sólo le conocía de hacía tres días. Si me hubiera ido antes, después de esos tres días, no hubiera habido una relación que perseguir. Inmediatamente, empezó a hablar de nuestro futuro. Empecé a sentir que podía terminar en una situación de la cual no pudiera escapar si no salía justo entonces. Apareció en mi vida como un dulce y encantador hombre europeo. Él era el sueño de toda mujer americana. Fui una idiota por ignorar lo que empezó a ocurrir a los tres días. Estaba más interesada en vivir la fantasía que podía tener con él que en conservar mi vida. Me podría haber matado. Ésa es mi intuición.

Incluso ignoré las veces que me irritaba porque él era como mi padre, que era un sargento de instrucción en la Armada. Ya había decidido (o eso pensaba) que nunca dejaría que me controlaran de la manera en que mi padre lo hacía. Pero, aun así, en tres días este hombre llevaba mi vida, o como mínimo, lo estaba intentando.

Odio los mensajes que mi madre me daba sobre el abuso de poder. Me dijo que debía regalar mi poder en una relación porque los hombres lo pedían y se sentirían impotentes sin él. He luchado contra este mensaje desde entonces, con mi padre y en otras relaciones. Esta vez, sin embargo, estaba muy cerca de una situación de vida o muerte. En realidad me podían haber matado.

Ayuda para mujeres inmersas en relaciones abusivas

Si adviertes que tienes una relación abusiva con un hombre violento, es necesario que lleves a cabo unos pasos de emergencia para salvarte a ti y a tus hijos, si los tienes. Como has visto en este capítulo, la violencia es progresiva. Sólo empeorará. No estarás a salvo con una relación con un hombre violento, y tampoco puedes proteger a tus hijos de la presencia de un hombre enfermo o violento.

Cada comunidad tiene disponibles servicios para mujeres que intentan finalizar una relación y escapar del control y la violencia. Hay organizaciones que cuentan con información que te ayudará a localizar servicios que te puedan resultar de ayuda.

Los recursos comunitarios incluyen lo siguiente: casas de protección y refugios donde puedes vivir mientras te vuelves a poner en pie y organizas tu vida; abogados que te acompañarán y te ayudarán a llevar a cabo órdenes de alejamiento si las necesitas; referencias de cualquier servicio social que precises, tales como ayuda a los niños o vales de alimentos; referencias para terapia para ti o para tus hijos para que puedas recuperarte; grupos de ayuda local formados por otras mujeres que se están recuperando de la violencia sufrida; protección policial; y ayuda legal si necesitas recursos legales.

Dejar una relación violenta puede presentar riesgos para tu seguridad física, porque una mujer se encuentra bajo el mayor peligro cuando intenta dejar una relación e inmediatamente después de haberla dejado. Es de importancia vital que lo entiendas. Una mujer necesita apoyo, ayuda legal, ayuda social y asistencia de protección policial para poder abandonar de manera segura a un hombre peligroso. *No intentes acabar tú sola una relación violenta.* Necesitas el consejo y el apoyo de las agencias de la comunidad. Saben cómo y cuándo debe hacerse, y pueden instruirte para estar segura mientras te desvinculas de la relación. Infórmate.

CAPÍTULO 10

El depredador emocional

No hay nada peor que él. El depredador tiene un olfato especial para la encontrar a la mujer que busca. Es su mejor habilidad y la utilizará para perseguirte y atraer tu atención.

Carlos el Cazador

El depredador emocional se caracteriza por seleccionar las elecciones de pareja venenosas y patológicas. De hecho, podría llamarse «psíquico emocional». Sus habilidades para intuir y sentir las debilidades emocionales de una mujer las ponen en riesgo. Webster define *depredador* (adj.) como «se dice del que tiene la disposición de herir o explotar a los demás para el beneficio propio»; define depredador (n.) como «quien caza, destruye o devora». Es un buen resumen de cómo opera este hombre peligroso. Pregúntate si te parecen comportamientos de pareja normales. ¿Quién sino el más patológico de entre nosotros saldría a explorar, cazar, destruir o devorar?

En el capítulo 1, aprendimos lo que podía significar la patología. La patología del depredador emocional le hace increíblemente exitoso y muy peligroso. Estos hombres pueden preparar las citas más encantadoras, al menos al principio. Sin embargo, recuerda también que si es patológico, implica que no puede curarse. Cuanto más patológicamente trastornado esté, más incurable será, e, irónicamente, más convincente. Se dirigirá a tus puntos débiles y te analizará. Si le gusta lo que ve, continuará invitándote a su siniestra y peligrosa vida.

Los depredadores tienen una habilidad natural para analizar a las mujeres que están solas, aburridas o heridas emocionalmente, o que están necesitadas por naturaleza o son vulnerables. El depredador tiene su antena sintonizada para las mujeres que lanzan de manera inconsciente un mensaje de que tienen necesidades insatisfechas en sus vidas. Él es un maestro leyendo tu lenguaje corporal y visual. Junta todos los mensajes que le envías a través de tu cuerpo, ojos y lenguaje verbal, y desde ahí puede decirte si hace poco te han dejado o herido. Después, averigua cómo puede hacerse hueco en tu vida y lo que necesitas escuchar para permitir que eso ocurra.

Los hombres patológicos a menudo revelan que pueden echar un vistazo a un lugar y «sentir» qué mujer será el mejor blanco para ellos. No saben por qué tienen este don o cómo lo han adquirido. Simplemente saben que desde la infancia han estado trabajando en las mujeres. Cuando era pequeño, este hombre peligroso tal vez exhibía muchos de los rasgos encantadores que ahora tiene. Entonces, utilizaba sus habilidades con su madre, profesoras y hermanas. Las mujeres en su vida no tenían otra opción que dejarle hacer lo que deseaba. No eran rival para ese pequeño psicópata. El sexto sentido de un depredador no se enseña (aunque, como se ha comentado, resulta de la exposición de pequeño a un ambiente abusivo o extremadamente disfuncional). Pero cuando el tiempo pasa, él cada vez tiene más éxito utilizando su encanto y conocimiento, empieza a aprender lo que funciona, e incluso mejor lo que no funciona. Al principio de su incipiente carrera como psicópata, se convierte en un maestro de la psicología del comportamiento. Incluso las habilidades de un adulto no pueden competir con las suyas a la hora de timar, estafar y conquistar.

Todos los psicópatas (excepto aquellos cuya condición es fruto de un trauma cerebral) empiezan sus carreras como niños patológicos. Recuerda del capítulo 1 que para que un trastorno de la personalidad se forme y resulte en una psicopatología, el niño por lo general debe estar expuesto a abusos y/o carencias emocionales de forma temprana en su vida, en especial entre el nacimiento y más o menos los siete años, cuando la estructura de la personalidad se está desarrollando de un modo activo. A una edad superior, es menos probable que se constituyan trastornos de la personalidad. En la mayoría de los casos, esto significa que los hombres con un trastorno de la personalidad patológica sufrieron infancias extremadamente inadaptadas y, como resultado, tienen un gran número de trastornos. Si un hombre ha sufrido un trauma serio desde muy pequeño, eso es una señal de alarma. Sin embargo, recuerda que algunas patologías no pueden rastrearse mediante una fuente conocida; no siempre sabemos por qué algunos individuos son patológicos.

Recuerda también que todos los psicópatas son los peores criminales. Incluso Ted Bundy era encantador, inteligente y atractivo. Los depredadores se pueden ocultar bajo el aspecto de brillantes ejecutivos, abogados, cirujanos e incluso clérigos. Esto les ofrece un mejor camuflaje para no ser detectados por el radar de las mujeres que no llegan a ver los rasgos de su carácter como una señal de problemas.

Tal vez ya tengas claro que los depredadores emocionales también se incluyen en la categoría de hombres con una enfermedad mental, por lo general con el diagnóstico del trastorno de la personalidad antisocial. La mayoría tienen una doble vida. Cuando relaciones los instintos naturales de un depredador con las habilidades de toda una vida pulidas por haber estafado, explotado e injuriado a mujeres, tendrás a un hombre que no se queda corto a la hora de ser extremadamente listo y capaz del peligro más horroroso.

Las intenciones de los depredadores varían. Pero puedes estar segura de que un depredador quiere algo de ti. Ésa es la principal razón de la relación. No está meramente interesado en una cita. Un depredador, por definición, caza y utiliza en su propio beneficio. Hay algo en ti o en tu vida que quiere. Quizás «todo» lo que desee sea tu total adoración o que exaltes su ego. Tal vez quiera irse a vivir contigo para que pueda vivir de ti y no trabajar. Quizás quiera tu dinero o tal vez lo que le puedas ofrecer para ayudar a estabilizar su imagen (¿alguna vez has escuchado la expresión «mujer trofeo»?). O quizás, como en la historia de Jenna que aparece más adelante, esté más interesado en buscar y conquistar a una mujer, hasta el punto de que le cuesta aceptar que ella intente romper con él. Si escapas de un depredador que tiene como sus únicos motivos éstos, deberás dar las gracias de que las cosas no fueran más lejos y aprender de la experiencia.

Otro tipo de depredadores pueden costarte mucho más. Si es un depredador sexual, tú (o alguien más) eres el blanco, tanto si es para sexo consensuado como para violación, dependiendo de en qué forma actúe o cuál sea su estado de ánimo. Si es un pedófilo, puede que su blanco sean tus hijos y tú seas el medio. Necesita una relación contigo para poder ganarse tu confianza y el acceso a tus hijos. Esto suele ocurrir en depredadores que ven a tus hijos como tu punto vulnerable. Estos hombres parecen de ayuda porque asumen el papel de figura paterna, consejero, sacerdote, líder de juventud en la iglesia, modelo a seguir, líder de scouts o entrenador deportivo. Su *acceso* a ti se produce a través de las necesidades de tus hijos. Existen demasiadas historias de niños que fueron objeto de abusos por parte de su entrenador, profesor, cura o supervisor de campamento. Con demasiada frecuencia, la táctica de estos hombres es salir con la madre para poder acceder a sus hijos. Los niños han sido brutalizados en manos de hombres «que ayudaban», a los que las mujeres habían conocido y llevado a su vida a través de grupos para solteros cristianos, grupos de recuperación para divorciados, programas de doce pasos, servicios de citas o partidos de fútbol.

Y, por último, los depredadores más temidos son aquellos que literalmente cazan para matar. En cualquier momento en Estados Unidos, se estima que hay cientos de criminales por ahí sueltos.

Es difícil imaginar que uno de esos hombres pueda entrar en tu vida. Pero eso es lo que otras mujeres pensaron, que nunca saldrían con un violador, un asesino o un hombre que abusa de los niños. Como los depredadores no aparecen en tu puerta con sus delitos tatuados en su frente pueden no ser detectados por tu radar.

Si aprendemos a hacer caso a nuestras señales de alarma, deberíamos sentir un escalofrío sólo al pensar en salir o casarnos con un depredador. Para algunas mujeres que tienen una relación con estos hombres peligrosos, como Tori (*véase* más adelante), el resultado puede ser leve. Su depredador era «simplemente» un vago. Otras, como verás, terminan con depredadores que son pederastas, violadores o asesinos. Una vez más, las intenciones del depredador son tan variadas como su patología. Cuanto más enfermo esté, más enfermizas serán sus acciones.

Para diferenciar a un depredador de un dependiente emocional, que también se acerca a las mujeres con un interés fijo y genuino, debes saber que un dependiente «necesita» la relación. Un depredador no. Desde el principio, el dependiente se centra más en la amistad, mientras que el depredador es más romántico. Los dependientes establecen esta relación con las mujeres, mientras que los depredadores son deliberadamente románticos. Los dependientes a menudo establecen esta conexión con las mujeres centrándose en las historias tristes que comparten por el hecho de que les han «dejado». Los depredadores son camaleones que pueden ser todas las cosas para todas las mujeres. Los dependientes pueden ser inexpertos en las relaciones y parecer un poco torpes. Los depredadores son suaves como la seda. Los dependientes son parlanchines que te cuentan todo sobre su vida, mientras que los depredadores escuchan y comentan muy poca información hasta que están seguros de que pueden seguir tu historia. Con los dependientes las mujeres se sienten más necesitadas, mientras que con los depredadores están más intrigadas.

A quién buscan

Los depredadores son los más hábiles de todos los hombres peligrosos, que encontrarán a una mujer que satisfará su actual hambre, sea cual sea. El tipo de mujer que busca un depredador variará dependiendo de la naturaleza de su patología. Su selección está basada en su necesidad y tu vulnerabilidad. Sabe que es cuestión de encajar necesidad con necesidad. Cuanto más sabe sobre tus necesidades, más sabe cómo cubrirlas.

Tiene un buen olfato para los puntos vulnerables, así que las mujeres que tienen necesidades no cubiertas son en especial atractivas para él. Busca a mujeres que necesiten hombres que puedan «sentirlas y conocerlas» a un nivel casi espiritual. Como es bueno en eso, parecerá que te conoce muy bien, y rápidamente.

Las mujeres que piensan que tener intereses, *hobbies* y orígenes similares es un elemento importante en las relaciones se sentirán atraídas de manera natural hacia este camaleón. Él será cualquier cosa que tú hayas sido. Es tu gemelo masculino. Los depredadores buscan a mujeres que se impresionan con su encanto y cuyo sistema de señales de alarma no reconoce esas cualidades. La diferencia entre otros tipos de hombres peligrosos y los depredadores es que los depredadores reales no titubean. Son conquistadores experimentados que no se equivocan, no dicen cosas que no sean apropiadas o parecen inexpertos en las relaciones.

Los depredadores saben qué tipo de mujer responde a sus instintos personalizados de caza; buscan a mujeres con historias. Les gustan las mujeres que tienen padres ausentes, madres que les enseñaron a confiar en ellos de manera incondicional o maridos negligentes o abusivos. También les gustan las mujeres que tienen una manera de ver el mundo inocente que dice que la gente es básicamente buena y el mundo, seguro. Como muchas mujeres fueron educadas para creer que la gente es de buen corazón, los depredadores se presentan como hombres de honor y virtud. Si tienes un padre ausente, mejor. El depredador llenará ese espacio por ti con su forma de ser paternal. Pero ya que es un camaleón, escuchará con atención para ver si también necesitas un profesor, un consejero en algún tema, un líder espiritual o un amigo para ti y tus hijos.

Durante las sesiones de terapia que tuve con depredadores emocionales, algunos verbalizaron sus blancos. Uno dijo: «Busco a mujeres inocentes. Me gusta cierta vulnerabilidad en ella, que confíe en la humanidad sin pedir pruebas. Quizás le han hecho mucho daño, así que tiene una herida emocional. También son buenas las mujeres que no han sido educadas en la manera en la que funciona el mundo real. Esa inocencia y vulnerabilidad hace que te crean, porque *necesitan* creerte».

Otro me comentó: «Me gustan las débiles de mente, mujeres que han sido maltratadas por hombres y aquellas con infancias que no fueron muy felices. Son particularmente fáciles».

Un tercero dijo: «Soy bueno. Puedo analizar la situación. Su lenguaje corporal, cómo son tímidas con los ojos, o cómo reaccionan a meros cumplidos establece el escenario para mi trabajo. Aunque todas las mujeres no son tímidas. Algunas intentan ser llamativas o chulas. Pero yo sé que esconden el mismo mensaje. Sé lo que las mujeres quieren y necesitan. Es así de fácil».

Es importante entender que cada depredador ha desarrollado su propio y único estilo. Él tiene un «tipo» de mujer al cual prefiere porque con ella ha perfeccionado su técnica, las citas y el fin. No tiene que pensar mucho si simplemente utiliza el perfil con el cual ha tenido éxito. Un depredador puede preferir a mujeres que se han acabado de divorciar porque tiene éxito utilizando todos sus medios para llegar a ellas. Él habla su lenguaje. Otro puede preferir a mujeres solteras o universitarias. Otros depredadores parecen aburrirse y optan por cambiar los perfiles de las mujeres a las que persiguen sólo por diversión.

Por qué tienen éxito

Como se ha mencionado, la característica número uno de los depredadores emocionales es su increíble encanto. Tienen la habilidad para ser una pareja ideal e intimar emocionalmente con rapidez. En estos tiempos en los que las mujeres están cansadas de hombres que «no captan» lo que necesitan, estos chicos pueden mostrar a una mujer que ellos sí que lo hacen. Te muestran toda la atención que los neandertales con los cuales has salido hasta ahora no te han mostrado. Dicen todas las frases correctas que los hombres en tu pasado no pudieron verbalizar. Son brillantes y profundos con lo que necesitas. Parecen conocer justo todo el dolor que has sufrido.

Con más habilidad que un psíquico caníbal, el depredador emocional puede centrar su objetivo en cualquiera de tus necesidades, simpatizar contigo de tal manera que creas que has conocido a tu desaparecida alma gemela y enamorarte en un santiamén. Es más fluido que un brandy de cuarenta años y más profundo que un terapeuta. Él te «conoce» de la manera que nadie lo había hecho hasta ahora.

El más guapo se mueve rápido. Tiene que hacerlo, antes de que te des cuenta de cuál es su verdadera motivación. Toda mujer debería sospechar de cualquier relación que vaya deprisa en la autopista de la intimidad emocional. Un depredador necesita mantenerte eufórica con halagos y habla de enamorado para que no escuches, observes o prestes atención. Él está empapado de sinceridad, mirándote a los ojos y colgado de cualquier palabra que digas. «No puedo cansarme de ti» es una frase maestra en boca de los mejores depredadores. Un depredador quiere irse a vivir contigo o casarse contigo con mucha rapidez, porque el tiempo está en su contra.

Para que la relación avance y sea indispensable para ti, tiene que parecer útil, reconfortador y generoso. Como él trabaja a contrarreloj, debe averiguar lo que precisas y después cubrir esa necesidad. ¿Tu intuición está estancada? Cualquier hombre sabe que las mujeres han deshecho listas de «cariño haz». Él puede convertirse en Pedro, el hombre práctico, en un instante. Arriba en el tejado, más rápido que Rudolph, él desatasca tu intuición y se da cuenta de que hay algunas tejas sueltas y las repara mientras está ahí. ¿Acabas de perder a un pariente? Él sabe todo sobre el período de duelo, y con una botella de vino te tiene llorando en su pañuelo mientras acaricia tu mano. ¿Tus hijos necesitan atención? Los lleva de excursión, en bicicleta y a pescar durante todo el fin de semana. ¿La factura de la electricidad llega quince días tarde? Él estará feliz de ayudarte, aunque le acabes de conocer.

Mientras te escucha y te observa, él averiguará tus *hobbies*, tus intereses, tus creencias espirituales y tu sistema de valores. Él es el ladrón de la identidad original. Descubre y utiliza para sus propios objetivos todo lo que puede sobre lo que te convierte a ti en ti. Le parecerás increíble, guapa, brillante y con talento, como *nadie* que él ha conocido antes. Tendrá tus mismas necesidades y también tus intereses hasta que sientas que estás mirando a tu gemelo.

Por último, otra manera en la que los depredadores tienen éxito con las mujeres es cazando con su compasión. La mayoría de los ejemplos que encontramos en este capítulo son de depredadores que utilizan una estrategia fuerte, con seguridad en sí mismos y agresiva. Pero los depredadores pueden acercarse a una mujer en un número ilimitado de maneras, dependiendo de cuál funcione con ella. Ted Bundy guardaba útiles médicos en el maletero de su vehículo. Llevó a cabo uno de sus últimos asesinatos poniéndose una falsa escayola en su pierna y haciendo que una mujer parara en la autopista. Otros depredadores fingen enfermedades, cojeras o experiencias al borde de la muerte para atraer la compasión de las mujeres. Una vez que una mujer está en las garras de un depredador, puede pasar cualquier cosa.

Historias de mujeres

Antes de que pienses que nunca has salido con alguien tan loco, observa lo que les pasó a tres mujeres inteligentes que no se preocuparon de considerar la posibilidad de que unos depredadores las habían marcado como presas.

La historia de Tori

Ya se ha hablado de Tori, una artista de cincuenta y dos años, en los capítulos 1 y 2. La noche que Tori conoció a Jay en un restaurante, él ya la había «detectado» cuando ella fue al lavabo. El contacto visual era una invitación suficiente para él. Era su señal. Se deslizó de un modo hábil a través de la puerta cuando ella abandonó los lavabos, educadamente se presentó y se ofreció a invitarla a una bebida.

No le dio mucha información sobre él. En su lugar, le preguntó a ella. Tori, italiana y una parlanchina, le comentó demasiado. Como era un buen depredador, escuchó atento. Se dio cuenta de su lenguaje, de las cosas a las que hacía referencia y del lenguaje de su cuerpo. Escaneó su vestido para que le diera algunas pistas de su vida y sus gustos.

Durante su primera conversación, Jay se presentó como todo en lo que Tori estaba interesada. Al advertir su habilidad con el lenguaje, Jay destacó con sus grandes palabras. Él con rapidez sintonizó con su pasión por la lectura y se convirtió en un autoproclamado y frustrado poeta, citando a Yeats y Edgar Allan Poe. Como tenía casi la misma edad, él le habló sobre los años del Vietnam, algo que apasiona a cualquier persona de su generación. Jay dijo que él era un veterano de ese conflicto. Al final de la tarde, él se había trasformado de un mero soldado a un noble mercenario que fue enviado a misiones peligrosas por su coraje.

Al advertir que era italiana, Jay pasó a la comida, la cultura y la religión como temas de mutuo interés. Por supuesto, él había realizado viajes salvajes a Italia. Dijo que era irlandés y le contó historias sobre el conflicto entre católicos y protestantes en Irlanda. También había estado allí y lo había visto. Jay hizo referencia al estilo inusual de vestir de Tori, lo cual le llevó a Tori a revelarle su profesión de artista. Inmediatamente, él estaba hablando de su amor por el arte y de las grandes catedrales y museos en Europa. Cuando ella dijo que tenía una hija de veinte años, él también comentó que tenía un hijo de la misma edad, lo cual condujo a debates sobre sus mutuas experiencias de divorcio y como padres solteros. Tori hizo un par de comentarios sobre Dios, lo que hizo que Jay pasara al altar. Su abuelo era un predicador pentecostés y su familia tenía una larga tradición en la iglesia. En una conversación, todo lo que Tori era, también lo era Jay. ¡Qué afortunada era de encontrar a un chico de su edad, un honorable veterano del Vietnam, con un corazón de poeta, un viajante del mundo con conocimientos de literatura y arte, un chico cuya familia estuvo «en la iglesia»!

Advierte, a partir de la historia de Tori, cómo utiliza un depredador los antecedentes de una mujer para resultar de inmediato compatible con ella. Él cuenta con la revelación de una mujer. Al prestarle un poco de atención, ella continúa hablando de su vida. Mientras lo hace, él extrae información de sus historias que pueda añadir para ayudarle a definirse como su pretendiente ideal. Él cuenta con el hecho de que algunos hombres en su vida probablemente no quisieron escuchar sus historias con tanto detalle. Se presenta a sí mismo como interesado, y como si tuviera grandes habilidades para escuchar. Éstos son rasgos que él sabe que las mujeres encuentran irresistibles. La provoca con preguntas abiertas como: «¿A qué te dedicas?» o «¿De dónde eres?». Tales preguntas propician más revelación que simples respuestas sí o no.

Jay esperó a que Tori le revelara información personal y entonces se convirtió en algo que era compatible con lo que ella le comentó. Un debate sobre su cultura fue seguido de la revelación de la suya. Su cristiandad fue seguida por el historial en la iglesia de su familia. Su interés en la guerra del Vietnam fue seguido por su heroísmo de guerra. Lo que ella fuera, él se convertía en lo mismo.

Esto no es poco común en los depredadores. La mayoría de ellos tienen un alto CI y tienen suficiente información sobre muchos temas para hablar de manera inteligente sobre ellos a un nivel superficial. De hecho, Jay, como muchos depredadores, lee enciclopedias por diversión. Él obtuvo cierta información sobre ellas para emplearla en el futuro.

Salir con Jay era un torbellino de emociones. En pocos meses, él se había trasladado a su casa. La vida de Tori cambió. Sus actividades normales de jardinería, senderismo y salidas con amigos acabaron como consecuencia de su nueva vida con Jay. Su obsesión por ella creó el aislamiento que él necesitaba para secuestrar su vida. Pronto, sin que Tori se diera cuenta, él estaba revisando su correo y sus llamadas telefónicas. Sus amigos desaparecieron de manera misteriosa porque ella no recibía sus mensajes. Poco después de que él se trasladara, al pobre de Jay le habían despedido. O eso pensó ella. Él estaba fuera en la calle buscando trabajo, o eso creyó ella. Pero nada daba resultado, o eso pensó ella.

Una vez Jay estaba dentro de su vida, Tori empezó a costear su existencia debido a su «desafortunado desempleo». Le costó los ahorros de toda su vida. Mientras Tori cortaba el césped y sacaba la basura, él se sentaba frente al televisor y cambiaba los canales en busca de sus intereses intelectuales: «Los Simpson». ¿Qué había pasado con el hombre que citaba literatura clásica?

Cuando Tori ya tuvo suficiente, le pidió a Jay que se fuera. Pero (¡casualidad!) le diagnosticaron cáncer de próstata. Le dio los nombres de doctores, horas de visitas médicas y su diagnóstico. No le quedaba mucho de vida; ¿no le querría ella hasta el final de sus días?

¿Indignante? ¡Sí! ¿Una mentira? ¡Por supuesto! Él simplemente no quería perder su nido emplumado. Quizás la mayoría de nosotras hubiéramos visto este peligro, pero Tori había aprendido de su madre a «amar al desgraciado», «jugar con los menos afortunados» y «buscar lo bueno en cada persona». Ésa puede ser una buena filosofía para el trabajo humanitario, pero no es buena para las relaciones personales.

Tori estuvo tres años con Jay. Le costó mucho tiempo reflexionar y equilibrar sus buenos y malos hábitos, preguntarse si él mejoraría en terapia, cansarse de su frecuente desempleo y despreciable vagancia y echar un vistazo a sus señales de alarma que hacían referencia a sus absurdas historias. En vez de abordar el problema de manera preventiva y pedirle que se fuera, ella permaneció pasiva y permitió que la relación tuviera una muerte lenta. Cuando la flecha en el medidor de mentiras de Tori apuntó hacia arriba, ella estaba lista para echar a Jay de su vida.

La experiencia de Tori nos enseña una lección. Si no sabes cómo salir de una relación de manera eficaz, no deberías iniciarla. La habilidad de terminar y salir de una relación en un tiempo sano y seguro es más importante que tu habilidad para tener una cita.

La historia de Pam

Pam, una editora de revistas de treinta y ocho años, había acabado con su quinta relación con un hombre peligroso. Durante casi toda su vida sentimental había tenido relaciones tóxicas. Aunque era brillante en su trabajo para una revista de importancia media, su destreza no se había traducido en una habilidad para escoger a hombres sanos.

Jeff, su novio más reciente, la persiguió sin descanso. La manera ferviente en la que él la deseaba la había hecho sentir «especial». Aunque ella antes había salido con hombres peligrosos, Pam, como muchas mujeres, nunca invirtió tiempo en el examen de sus patrones y sus selecciones para que pudiera aprender de sus errores pasados. Jeff pasó inadvertido a su radar.

Jeff mostró un enorme interés en el «pasado intrigante» de Pam, así que ella le habló de su infancia, sus relaciones fallidas, su hermana y sus *hobbies* e intereses. Le encantaba la playa, lo mismo que a él. Eso significaba que podían viajar juntos, él le comentó. Ella procedía de una gran familia, como él. Él preguntó si podía conocer a su familia (pero no invitó a ella a conocer a la suya). Le encantaba bailar, era un gran bailarín, según él. Ella se sentía sola y él también. Su trabajo era exigente, como el suyo.

La cabeza de Pam era un torbellino de emociones por todo el vino, las cenas, las llamadas, las visitas al trabajo, los bailes hasta el amanecer y las vacaciones. Ella estaba sin aliento por el ritmo de la relación. Jeff le dijo a Pam que su belleza, genialidad y brillantez le tenían «cautivado». Aunque parecía muy interesado en su pasado y en su vida, nunca hablaba sobre él. Pam confundió el hecho de que evitara sus preguntas por humildad.

Jeff era jefe de publicidad de una compañía informática. Su vida era interesante y de ritmo acelerado y estaba siempre «loco» por la siguiente venta y objetivo. Pam disfrutaba de sus elevados niveles de energía y de la manera en que él vivía su vida. No tenía ni idea de que ella fuera su próximo «objetivo». Le llevó meses darse cuenta de que su atractivo para Jeff estaba basado en querer algo más allá que su encantadora compañía: él intentaba conseguir un precio reducido para publicitarse en su revista. Pero el hecho de abrirse camino hacia esa ganga no le puso nada nervioso. Él ganaría una comisión de diez mil dólares si aprovechaba su inversión y lo que hizo para ganar fue cortejarla a ella. Su siguiente ascenso, completado con un vehículo de empresa y una cuenta para gastos, estaba garantizado. Además, era como si no se hubiera aprovechado nunca de las mujeres en el pasado para obtener lo que quería.

Sin embargo, fue peor cómo explotó la confianza de Pam hacia él para cazar a su hija de once años. Se implicó con la niña. Con el tiempo, la llevaron con ellos a algunas de sus vacaciones en la playa. Mientras Pam se duchaba, Jeff abusaba de la niña y la amenazaba para que no contara nada. En las noches en las cuales Pam trabajaba hasta tarde, Jeff recogía a la niña del colegio, la llevaba a cenar y después la llevaba a casa y «le ayudaba con sus deberes». Él decía que estaba haciendo eso porque el trabajo de Pam era «muy exigente». En realidad, durante esos momentos le enseñaba pornografía, le daba vino y la tocaba. Él tenía libre acceso a la casa de Pam cuando ella no estaba e instaló algunas cámaras para grabar el lavabo y la habitación de su hija.

Durante unas románticas vacaciones en la playa, Jeff cumplió su deseo. Consiguió que Pam firmara un acuerdo de publicidad a un precio increíble. En un instante, Jeff tuvo su ascenso y fue en barco a su nuevo trabajo al otro lado del país. Cuando Pam no supo nada de él en unos días, se preocupó. Él no contestaba a su móvil y pronto lo desconectó. Se pasó por la calle donde él decía que vivía, sólo para descubrir que nunca había residido allí. Fue a su oficina y se enteró de que le habían ascendido y trasladado del sudeste al Pacífico noreste.

Nunca llamó para despedirse. Pero el peor choque y la devastación llegaron, por supuesto, cuando la hija de Pam le dijo que Jeff la había violado.

La historia de Jenna

Jenna procede de lo que ella denomina «una familia normal de clase media». Su madre era ama de casa y era atenta, y su padre trabajaba y le prestó una atención sana. Tenía buenas relaciones con sus hermanos. Pensaba que en su familia había buena comunicación, y creció creyendo que todo el mundo tenía lo mismo que ella. Su familia apoyaba sus intereses y le dijo que confiara en sus impresiones. Disfrutaba de sus amistades femeninas y no tuvo muchas citas en el instituto. La educación de Jenna hacía pensar que tenía la «mente centrada».

Jenna empezó a tener citas cuando se marchó para estudiar en la universidad. No empezó nada serio, lo que le parecía bien. Quería disfrutar de la universidad y centrarse en la cantidad de trabajo que parecía demandar. Escogió periodismo. Pronto conoció a Cory y empezó a salir con él. Sus nociones en los patrones constructivos de comunicación de su familia le indicaron que algo con Cory iba por mal camino. Ella tenía una idea de lo que era «sano» y advirtió que este chico «no estaba del todo bien». No sabía qué, pero algo sobre sus interacciones no encajaba. Aun así, ella siguió saliendo con él. Creía que tal vez estaba siendo un poco aprensiva.

Jenna intentó comprobar sus sensaciones con gente que conocía a Cory. En apariencia, después de todo, él parecía correcto. Tenía un trabajo en el que le pagaban muy bien, era sociable y extrovertido y tenía varios amigos. Entonces, ¿por qué ella seguía teniendo esa sensación inquietante? Él era encantador, demasiado. Parecía estar de acuerdo con todo lo que ella decía y todas las opiniones que tenía. Pero las conversaciones con él eran superficiales y triviales. Como Jenna dijo: «Era profundo como la formica». Así que Jenna convirtió en su objetivo descubrir respuestas más profundas, prestar más atención a sus amigos y preguntar más cosas sobre su familia. Cory tenía un historial de relaciones fallidas. Nunca nada llegaba a buen puerto, aunque él fuera atractivo y un gran conversador. Las mujeres debían haber visto algo que no les gustaba. Él era listo y hacía bien su trabajo, pero aquel «algo» hacía que Jenna estuviera preocupada.

A Jenna le parecía que Cory «se esforzaba mucho» en la relación, así que pensó que analizaría su situación. Su punto de vista empezó a cambiar cuando ella hablaba con él, para ver cómo lo llevaba. Cory estaba de acuerdo con cualquier opinión que ella tenía. Decía que le parecía exactamente lo mismo. Entonces fue cuando Jenna vio que tenía problemas reales. Ella rompió la relación, pero semanas después Cory estaba de vuelta con muchas palabras. Él la llamaba o se encontraba con ella diciendo que estaba «preocupado por ella» porque ella «claramente tenía problemas». Él dijo que el hecho de que la estuviera vigilando era un acto de «amabilidad de un amigo» por la relación que una vez tuvieron.

Jenna vio que su historia era mentira. Cuando le pilló mintiendo, intentó darle la vuelta a la tortilla y hacer ver que Jenna era quien tenía problemas emocionales. Igual de problemático era su continuo deseo de estar con ella cuando le dejó bien claro que no estaba ya interesada en él. Le parecía excitante la idea de conquistar a Jenna y ganarse su devoción. Jenna por último rompió con él para siempre y dio las gracias por haber prestado atención a sus señales de alarma.

La historia de cualquier mujer

¿Qué ocurre cuando el depredador es un profesional reputado? ¿Es más convincente cuando es un médico, dentista, terapeuta, abogado o contable? Esta situación está lejos de ser inusual. Puesto que los depredadores son inteligentes y persuasivos, es posible que una mujer invite a un depredador a su vida al requerir sus servicios profesionales.

Esto es lo que ocurrió en un pequeño pueblo de Carolina del Norte. Era *vox populi* que un médico particular tenía «diferentes tratamientos» para las mujeres que estaban solteras que para aquellas que estaban casadas o que llevaban a familiares a sus consultas. Sobremedicaba a muchas de sus pacientes femeninas hasta que desarrollaban dependencias a medicamentos que las mantenían dependientes a él. Coleccionaba a mujeres emocionalmente dependientes y adictas a fármacos como si fueran trofeos. Él veía a estas pacientes con más frecuencia que a otros y les prescribía más medicamentos a ellas que a otros pacientes con el mismo diagnóstico. Se molestaba con cualquiera de su personal que cuestionara sus prácticas. Es común que los pacientes piensen que los médicos están por encima del reproche y eviten cuestionar el cuidado médico que reciben. Tal mentalidad les ofrece a los depredadores emocionales el cebo que necesitan para atraer la atención de su presa.

El médico camuflaba el abuso a sus pacientes centrando la mitad de sus prácticas en «tratamientos holísticos de salud». Enviando a sus pacientes a acupuntura, utilizando una imaginación controlada, sugiriendo vitaminas, hierbas y otras medicinas alternativas, él parecía un practicante progresista en vez del depredador que en realidad era. Cuando le acusaban de que estaba sobremedicando a algunos de sus pacientes, él hacía referencia a sus prácticas holísticas y decía: «Eso no es todo lo que hago. Esto es en lo que creo». Mientras, las mujeres desafortunadas que cayeron presas de él habían sucumbido a las atenciones que él prestaba a cualquiera de sus necesidades y a los narcóticos que les prescribía y que les ayudaban a escapar de sus vidas solitarias. La mayoría de ellas se volvieron adictas a los fármacos que él prescribía y a la atención que les prestaba.

Una de las pacientes que fue atraída por el encanto del doctor fue Jo, una mujer soltera de sesenta y dos años que tenía muchos problemas emocionales. También tenía un trastorno sanguíneo que hacía que tuviera que permanecer en su domicilio, en gran parte por decisión propia. Su única hija vivía en otro estado y ella tenía muy pocos amigos y ningún otro familiar. Su único enlace con el mundo exterior era el médico.

Él llamaba a Jo a casa para visitarla después. Ella le esperaba en la puerta con una botella de vino y un plato de queso, con su mejor lencería puesta. Hablaban y bebían vino y actuaban como si fuera una visita social. Jo flirteaba con él y hacía referencia a su creciente dolor y ansiedad. La tarde terminaba prescribiendo más fármacos a Jo y una promesa del buen doctor de visitarla de nuevo para su «tiempo especial juntos».

La hija de Jo fue a visitarla y se extrañó al ver casi veinte botes de la misma medicación, que su madre estaba tomando al mismo tiempo. Cuando la hija quiso ver al doctor para comentar la medicación, él se negó. Cuando se abrió una investigación en su consulta, aparecieron docenas de mujeres solteras que no tenían familias y que estaban compartiendo botellas de vino con él y recibiendo fármacos del peligroso doctor.

Jo murió joven una noche mientras dormía. La causa de su muerte se atribuyó a un trastorno sanguíneo. Pero aquellos que la conocían y que conocían al doctor saben que la razón subyacente de su muerte fue la equivocada confianza de ella en el médico.

Lista de comportamientos de alerta roja

～ EL DEPREDADOR EMOCIONAL ～

- Tiene un instinto natural para percibir a mujeres vulnerables o «sensibles».
- Percibe a las mujeres con una baja autoestima.
- Percibe a mujeres con débiles límites emocionales y sexuales.
- Percibe a mujeres que quieren o requieren relaciones para sentirse necesitadas o plenas.
- Percibe a mujeres que están en fase de recuperación por haberse divorciado recientemente o porque las han abandonado, ignorado o porque han sido heridas emocionalmente.
- Percibe el lenguaje corporal y visual de las mujeres.
- Escucha con atención lo que las mujeres dicen para captar pistas que pueda utilizar luego en conversaciones posteriores.
- Crea una sensación de diversión y misticismo para atraerte.
- Es delicado y parece tener todas las frases correctas y conocimiento de tu persona.
- Intima contigo rápidamente y te enamora.
- Está muy interesado por todos los detalles de tu vida.
- Quiere que os vayáis a vivir juntos y que os caséis pronto.
- Implica que «te conoce» bien antes de que haya pasado contigo el tiempo suficiente como para hacerlo.

- Te empuja a que reveles mucha información de tu persona.
- Intenta cubrir tus necesidades físicas, económicas y emocionales.
- Busca cumplir roles en tu vida como, por ejemplo, de consejero, como figura paterna, líder espiritual, profesor, etcétera.
- Es muy útil, reconfortante y comprensivo.
- Tiene los mismo intereses, valores, hobbies, etcétera, que tú.
- Es un camaleón que puede ser todas las cosas para todas las personas.

Tu estrategia de defensa

Un problema común durante las citas de muchas mujeres es revelar demasiada información a hombres que no conocen. Yo (no muy cariñosamente) me refiero a este hábito como «bulimia verbal». Es una encrucijada, porque una de las maneras poder conocer a alguien es hablando. Pero en este mundo peligroso, animo a las mujeres a que escuchen dos veces más de lo que hablan. De hecho, dale la vuelta a la tortilla y haz preguntas abiertas. No hables con ningún hombre, sin conocerle, sobre tus intereses, tus relaciones fallidas del pasado, tu familia o tu carrera. En su lugar, escúchale y recuerda lo que dice. La siguiente vez que hables con él, observa si su historia encaja con lo que comentó antes. Utiliza sus revelaciones para averiguar si tenéis algo en común. ¡Tú decides! No le des mucha información para que se convierta en todo lo que tú siempre quisiste.

Graba en tu mente cómo actúa cuando no le das la suficiente información que él está intentando obtener de ti. ¿Intenta con más fuerza que hables de ti? Si no tiene información sobre ti, ¿te contesta de manera ambigua, intentando evitar comprometerse a alguna descripción particular de él? Demasiadas mujeres, cuando se les presta un poco de atención, empiezan a hablar de ellas a una velocidad increíble. No es una táctica segura cuando estás ante un hombre que puede tener instintos depredadores.

Recuerda también que estar «enamorada» simplemente significa que no tienes los pies en la tierra. Como no tienes tus pies plantados de manera firme en el suelo, ya no puedes hacer frente a la realidad. Si tu nueva relación es un torbellino de emociones, eso es una pista. Si él insiste en pasar día y noche contigo será mejor que pises el freno, abras la puerta del vehículo y ¡huyas!

La mayoría de nosotras sabemos que los hombres no están *tan* interesados en los detalles de tus sentimientos, pensamientos y rutinas. Si no ha pestañeado o respirado desde que empezaste a hablar, eso es un aviso. Si parece estar acostumbrado a los sentimientos de las mujeres, pregúntate cómo lo hizo.

Estos blanditos están convencidos de que pueden hacerte olvidar tu propio sistema de valores. Si haces cosas que nunca pensaste que harías y eso te preocupa, ¡*detente*!

Pensamientos de mujeres

Pam se pregunta si está repitiendo patrones familiares que fueron similares a su relación con su padre. Según afirma:

Estaba intoxicada por sus atenciones. Se tomó la relación muy en serio y con demasiada rapidez. Estos chicos son encantadores e inteligentes. Son misteriosos, excitantes y evasivos. No sé por qué no me dio una pista. Simplemente estaba muy emocionada porque alguien me considerara perfecta. Creo que mi baja autoestima hizo que él me seleccionara. Y también es tal vez la razón por la que ellos ya no están a mi alrededor.

¡Era mi quinta relación peligrosa! Pensarás que ahora ya lo veo venir. De alguna manera, debo creer que estos chicos son un reto personal. Por supuesto, es un reto que nunca ninguna mujer gana. Pero, ¿desde cuándo salir con alguien es un reto? Si buscas un reto, escoge una buena carrera. ¡Es ridículo! ¿Cómo se me ocurrió algo así?

Seguía escogiendo a depredadores, gente que es falsa y que nunca se comprometería conmigo porque no se compromete con nadie. Los depredadores están dentro y fuera antes de que lo sepas, si es que tienes suerte. Al menos los míos no eran mortales.

No creo que supiera de manera consciente que era un depredador. Pero algo en mí me hacía seguir relacionándome con este tipo de hombres para evitar tener una relación real. Esta vez me costó mi hija. Y ésa fue la gran llamada de alerta para mí. Mis propias elecciones enfermas hirieron a mi hija. Ahora tendré que asistir a terapia durante mucho tiempo.

Jenna recuerda cómo estallaron sus señales de alerta cuando conoció a Cory:

Desde el principio había algo raro en este chico. Él asentía a todo lo que yo decía. Era como si repitiera como un loro mis palabras e intentara hacer que pareciera como si compartiéramos opiniones e intereses similares. Pero había algo falso, una falta de sinceridad y de profundidad en sus comentarios.

Él tenía un buen trabajo con un buen sueldo y tenía amigos que pensaban lo mejor de él, así que continué sin tener en cuenta mis señales de alarma. Pero al final, no pudo emular ser una persona real. Simplemente no tenía un corazón sincero, alma y profundidad emocional para que pareciera convincente. Cuando intenté finalizar la relación, sacó sus artimañas verbales y me dijo que estaba preocupado por mí y que creía que yo «tenía problemas». Estaba tan claro que era un manipulador que rompí cualquier contacto con él después de eso.

Ahora me doy cuenta de que fui una de las afortunadas que se percataron de manera relativamente rápida. Aprendí que no debía dejarme atraer por simples conversadores que tienen mucho encanto superficial. A menudo, esa persona no está evitando la profundidad emocional por nerviosismo; en realidad no tienen la habilidad de profundizar. De hecho, el «encanto» general es algo a lo que le presto atención ahora.

Jamie, del capítulo 5, terminó mordiendo el anzuelo de otra relación. Ella afirma lo siguiente acerca de su nivel de conformidad con los hombres:

Hay cierto tipo de misticismo que rodea al hombre depredador y que llama la atención a casi todas las mujeres, una especie de poder dentro de la lucha por su afecto que es elemental y básico. Mi vida está llena de ellos porque me siento más cómoda con hombres que con mujeres, así que termino con relaciones que no tenía intención de iniciar. Creo que estoy consiguiendo un amigo, pero en realidad es otro depredador.

Considero que pueden olerme. Puse un anuncio en un periódico y varios hombres me escribieron y me dijeron que podían decirme por esas líneas que era sumisa y que estaba disponible. Me asusta pensar que tengo la palabra blanco pegada como un sello en mi frente.

Jacey carecía de experiencia en relaciones de pareja. A través de un amigo, empezó a escribirse con un recluso y empezó a verle después de que fuera puesto en libertad, aunque muchas personas le decían que no lo hiciera. El resultado fue desastroso y devastador. Ella ve el temprano condicionamiento de su familia y los mensajes de ésta como la causa principal de su voluntad de relacionarse con un criminal convicto:

Soy una persona inocente. No lleva mucho tiempo averiguarlo cuando hablas conmigo. También soy tímida y tengo poca autoestima. Mi madre era igual. Nos educaron para creer que todas las personas son buenas. Tú no lo cuestionas y le das a todo el mundo oportunidades para que puedan cambiar.

Ésa es la razón por la que escribir a un hombre que estaba en prisión no me parecía peligroso. Creía que estaba haciendo algo bueno y amable al escribirle. Pensaba que podría cambiar y que probablemente estaba haciéndolo mientras estaba ahí. Me tuvo que violar varias veces para que me diera cuenta de que no siempre debía creer que la gente es como dice ser. Ahora sé que alguna gente pretenderá ser algo que no es para obtener lo que quiere.

No me oriento mucho con la gente y no capto las señales. Cualquier otra persona se hubiera dado cuenta de que si este hombre estaba en la cárcel, obviamente algo de su carácter no estaba bien. Sin embargo, no tiendo a pensar así, ni tampoco fui educada para hacerlo. Así que sé que vivo «con riesgo».

CAPÍTULO 11

Señales
de una mala elección de pareja

Los capítulos anteriores han intentado ilustrar cómo son las diferentes malas elecciones de pareja. He incluido mucha información sobre cada categoría de hombre peligroso porque es imposible que reconozcas y cambies lo que haces si no está etiquetado y descrito.

Este capítulo ofrece otra manera de etiquetar y describir las señales de malas elecciones de pareja. Éstas constituyen los límites que pueden informarte sobre la idoneidad de una posible pareja. La última sección de este capítulo contiene un ejercicio que te conduce al reto de averiguar si puedes volver a repetir el hecho de salir con hombres peligrosos. La información que tienes te ayudará a decidir qué tipo de intervención necesitas para evitar tales elecciones destructivas en tu futuro sentimental.

Límites y su papel en las relaciones sanas

Los límites son indicadores de dónde empezamos y terminamos, y dónde otra gente empezó y terminó. Establecemos límites o fronteras en las relaciones para proteger nuestros cuerpos y nuestra dignidad. Los límites demuestran que somos conscientes de a qué nos prestamos; son declaraciones sobre qué toleraremos. Una relación saludable incluye a dos personas con claras percepciones de sus propias identidades. Ninguna está atrapada en el miedo de que la otra persona sea diferente a uno mismo, y ninguno ve las diferencias como algo amenazador.

Los límites sanos nos permiten alejarnos de nuestros propios pensamientos, sentimientos y necesidades de aquellos de la gente que se encuentra a nuestro alrededor. La falta de cierta capacidad para separar estos aspectos de nosotros mismos de los aquellos de otros se llama *lío emocional.* Éste ocurre cuando una persona empieza a tomar como propios los pensamientos, sentimientos y necesidades de alguien, incluso cuando esos pensamientos, sentimientos y necesidades no reflejan los intereses de él o ella. Tiene lugar cuando una persona empieza a dibujar su identidad con la de otra persona. Trazar tu identidad a partir de la de un hombre peligroso, como ilustran las historias de este libro, puede tener resultados desastrosos. Abandonarte por una relación es una clara muestra de que tienes límites que no son sanos.

Las mujeres sin límites o con unos límites débiles a menudo atraen a todo tipo de hombres peligrosos. Los depredadores emocionales son sabuesos de mujeres con los límites débiles. Pueden encontrarte de una manera fácil. Los hombres emocionalmente inaccesibles cuentan con tu incapacidad de enviarles a casa para que visiten a sus mujeres o de que hagan la maleta cuando están «demasiado ocupados» para comprometerse en una relación contigo. Los hombres que buscan a una madre y los dependientes saben que te falta la fuerza interior suficiente para que les eches de tu vida cuando gimotean y se aferran a ti. Los adictos juegan con tu codependencia como una manera de mantener su pie en tu puerta. Un hombre con una enfermedad mental reconoce que tal vez confundas la empatía con el amor. Un hombre abusivo o violento sabe muy bien que probablemente le tengas miedo como para decir lo que pretendes y pretender lo que dices.

En estos casos, el silencio equivale al consentimiento, y quedarse es lo mismo que la conformidad. Las mujeres que tienen límites débiles no llegan a verbalizar y pasar a la acción en cuanto a sus necesidades. Dicen poco y esperan «de alguna manera» que todo funcione. Las mujeres con límites débiles por lo general fantasean con relaciones sanas que como por arte de magia no requieren ningún trabajo. Pero los mensajes que tu silencio envía a un hombre peligroso son que consientes su comportamiento inapropiado. Es la razón por la cual desarrollar límites es tan crucial para las mujeres que quieren evitar a hombres peligrosos. La habilidad de confrontar límites que no son sanos y el comportamiento al comienzo de una relación puede ayudarte a determinar de manera temprana si un nuevo hombre es un candidato viable para una relación sana contigo.

Algunas mujeres con límites débiles no son pasivas, débiles o calladas. Por el contrario, pueden ser agresivas y firmes. Una mujer así viola los límites de su hombre intentando cambiar sus comportamientos peligrosos y molestos. Se centra en redirigir sus «malas formas». Puede que ella recurra a irritar, sugerir, regañar, moralizar, ponerse furiosa o amenazar con el deseado fin de que tales tácticas resulten en un cambio positivo en su comportamiento. Pero, por supuesto, eso no ocurre. El comportamiento de la mujer «apisonadora» que se describe aquí es tan poco eficaz como el de la mujer «felpudo» que se ha mencionado antes. Este tipo de comportamiento insano y que viola los límites no cambia nada ni a nadie.

Los límites también son importantes porque constituyen una forma de que las parejas respeten la vida privada de cada uno y la capacidad de cada persona para llevar su propia vida. Las mujeres que tienen relaciones con hombres peligrosos están en riesgo, ya que permiten que éstos tengan una influencia excesiva en sus vidas. Las violaciones de límites son grandes indicadores de futuros problemas en la relación y deberían verse como información pertinente que no debería ser ignorada.

Nuestros límites reflejan nuestra identidad, nuestras elecciones vitales, nuestros amigos, nuestras elecciones profesionales, nuestras preferencias y nuestras aversiones. En las relaciones sanas, ninguna parte ocupa el área de la vida de la otra persona sin una invitación. Los límites son grandes puertas a través de las cuales invitamos a otros a ciertas áreas de nuestras vidas. Si alguien entra en tu vida sin una invitación, puedes estar segura de que esa persona tratará de infiltrarse en tu vida e invadir tus asuntos personales sin invitación. Los hombres que violan los límites, por definición, se sienten con el derecho de dirigir tu vida.

En apariencia, un violador de límites puede simplemente parecer obstinado o muy implicado. Pero hombres con patrones crónicos de violaciones de límites son más bien fanfarrones obstinados. Algunos de los tipos de hombres peligrosos que se describen en este libro se definen por sus hábitos de violar los límites de la mujer con la cual se relacionan. Las mujeres podrían evitar muchas de las situaciones peligrosas en las cuales se ponen ellas mismas si tan sólo pudieran reconocer las violaciones de límites de cualquier tipo como los efectos serios de relaciones que en realidad no son sanas. Una mujer debería reconocer que cada violación de un límite la empuja más cerca del límite hasta el punto de tolerar o hacer las cosas que ella dijo que nunca toleraría o haría, cosas que al final hacen que se despoje de su dignidad. Ella puede responder a estas violaciones tan pronto como comienzan.

Como se ha mostrado en repetidas ocasiones en las historias de mujeres que han tenido relaciones con hombres peligrosos, las mujeres con rapidez desarrollan una tolerancia creciente a la violación de límites. Esto puede dar lugar a una «hipertolerancia», una forma de pensar en la cual se ve como normal el comportamiento extraño. Cada vez que se ignora un límite, éstos desaparecen y se vuelven a establecer más cerca de ti. Por último, no tienes límites para mostrar lo que tolerarás y lo que no. Tu «zona de no tolerancia» se ha reducido a nada, con tu consentimiento.

Permite que no nos olvidemos de lo que nos enseñó el análisis de la patología en el capítulo 1: las violaciones de los límites cometidas por aquellos que están patológicamente trastornados pueden ser muy peligrosas. Cuanto mayor sea la violación de un límite, más puntos tendrá el depredador para una patología crónica e imparable. Las formas avanzadas de violaciones de límites incluyen las siguientes (éstos son factores de riesgo que deberían considerarse cuando se evalúa una psicopatología):

• Amenazar con matar a alguien o algo.
• Agredir a una mujer embarazada.
• Maltratar delante de otras personas.
• Sexo forzado en cualquier lugar, incluso con un pariente conocido.
• Violación de órdenes judiciales.
• Acosar a alguien por cualquier razón.

- Repetidas ofensas de cualquiera de los comportamientos que aparecen en esta lista.

Relaciones sanas en comparación con relaciones perjudiciales

¿Cómo pueden las mujeres comparar lo que es sano y lo que es perjudicial en términos de límites? ¿Qué tipo de cosas son tóxicas en una relación? La siguiente es una tabla que ofrece algunas respuestas a estas preguntas:

¿QUÉ ES SANO?	¿QUÉ ES PERJUDICIAL?
Comunicación abierta y honesta	*Comunicación con tretas y trampas y manipuladora*
Tener amigos fuera de la relación	*Pocos amigos además de la pareja sentimental*
Ser responsable del resultado de tu vida y tu felicidad	*Hacer a otros responsables de la felicidad de uno*
Tener tu propia identidad	*Sentirse completo sólo cuando tienes una relación con alguien*
Un equilibrio de tiempo juntos y tiempo separados	*Mucho tiempo juntos o mucho tiempo separados*
Intimidad emocional que se construye sin drogas o alcohol	*Consumir drogas o alcohol para conseguir una falsa conexión*
Nivel apropiado de compromiso en la relación	*Demasiado o muy poco compromiso (basado en la duración de la relación hasta el momento)*
Flexibilidad en la relación	*Rigidez en la relación*
Saber lo que uno necesita	*No tener ni idea de lo que uno necesita*
Pedir lo que uno necesita	*Tener miedo de expresar lo que uno necesita*

(Adaptado de la web: http://groups.msn.com/PSYCOPATH/home.htm, con permiso).

233

Las violaciones de límites en estos y otros ámbitos pueden ser tempranas señales de alarma de más serias violaciones que pueden seguir a éstas.

Señales específicas de una mala elección de pareja

Además de desarrollar buenos límites y tener el hábito de salvaguardarlos, aprender las señales de una mala elección de pareja (que se mencionan a continuación) te ayudará a tener un nuevo nivel de conciencia para detectar a hombres peligrosos antes de tener una relación con ellos. Pero éstas son directrices generales. La lista más fiable de «señales peligrosas» será la que tú elabores basándote en tu propio y específico historial de pareja. El cuaderno de ejercicios que acompaña a este libro contiene ejercicios que pueden ser de ayuda.

Un hombre puede ser una mala elección si:
- No respeta tu tiempo para estar sola.
- Te fuerza a verle todo el tiempo.
- Te desilusiona con tus intereses, familia y amigos.
- Te pide que hagas cosas con las que no te sientes cómoda (por ejemplo, mentir, prestarle dinero, practicar sexo, etcétera).
- Consume drogas (cualquier tipo de drogas debería ser una señal de alarma).
- Con frecuencia está desempleado (excepto cuando es estudiante).
- Cambia de trabajo con frecuencia o le despiden de forma continua, pero siempre pone una excusa.
- Quiere controlar tus cortes de pelo, tu manera de vestir, tu comportamiento, tus amigos, tus trabajos o cómo expresas tu espiritualidad.
- Desea que dejes o cambies de trabajo o amigos por él.
- Ha tenido múltiples relaciones fallidas.
- Tiene una reputación de mentiroso.
- Oculta información importante sobre él que sólo descubres más tarde.
- Es física, emocional, verbal o sexualmente «duro» o «raro».
- Es demasiado encantador, tiene las frases correctas, parece excesivamente meloso.

- Tiene un historial o un diagnóstico previo de enfermedades mentales, sobre todo:
  - depresión no tratada;
  - ansiedad (parece «nervioso»);
  - trastorno bipolar (maníaco-depresivo), en especial si no es tratado o tratado de manera esporádica;
  - trastorno de la conducta o trastorno de la personalidad antisocial;
  - esquizofrenia o cualquier otro trastorno psicótico;
  - trastorno de la personalidad narcisista;
  - abuso de sustancias (tratado de un modo insatisfactorio) u otras adicciones:
  - trastorno de la personalidad límite;
  - trastorno de estrés postraumático (TEPT).
- Tiene un historial delictivo, sobre todo:
  - repetidas violaciones;
  - conducción bajo los efectos del alcohol;
  - agresiones a una mujer;
  - violencia de cualquier tipo;
  - otras agresiones;
  - agresiones sexuales;
  - falsificación/cheque sin fondos.
- Tiene problemas de «pereza»:
  - es inflexible, no puede cambiar para cumplir con una petición de espontaneidad.
- Cree que las normas existen para todo el mundo excepto para él.
- Siente o actúa como si fuera «especial o único».

Para las mujeres que tienen una relación con un hombre peligroso: decidir irse o quedarse

Hasta ahora, creo que se ha proporcionado un argumento suficiente sobre por qué los hombres peligrosos nunca deberían encontrarse entre las elecciones de una relación para cualquier mujer. Los desesperantes resultados de tener una relación con un hombre peligroso han sido documentados a través de este libro por mujeres que quieren que sepas por qué hacer eso es tan fútil y perjudicial; los estudios han demostrado que tú y tu hombre no vais a ser excepciones a esta regla, y se ha argumentado a favor de responder a tus señales de alerta y salir de una relación mortífera y destructiva. Ahora es el momento de dejar a un lado la teoría y pasar a la acción; sólo tú puedes decidirlo.

Como ya se ha comentado en el capítulo 8, tomar la decisión de irte es sólo tuya. Pero tienes que darte cuenta de que adquirir recursos y refuerzos para irte a menudo requiere que otra gente se involucre para proporcionarte apoyo. Esto es en especial cierto si acabas con una relación violenta o potencialmente violenta.

Si estás lista para concluir la relación, ponte en contacto con los recursos de tu comunidad para que te proporcione ayuda, apoyo y consejo sobre cómo actuar de manera segura. Además, encuentra recursos para obtener terapia individual o de grupo para que puedas entender cómo y por qué ha ocurrido esto en tu vida y qué pueden enseñarte tus elecciones. Asegúrate de que tu salida de la relación y tu futuro sean seguros.

Las mujeres necesitan entender y hacer caso a las señales universales de los comportamientos peligrosos. Este capítulo ha ofrecido un resumen de las señales y los síntomas que deberían preocupar a cualquier mujer si los percibe en el hombre con el cual está considerando salir. Pero te animo a que no te detengas aquí. Da el siguiente paso: engrana de nuevo tu sistema interno de alerta roja para que puedas experimentar tus señales de alarma y comparar lo que te dicen las listas que contiene este capítulo. Adquirir de nuevo la conciencia de tus señales de alerta emocionales, físicas y espirituales es crucial; el siguiente capítulo analiza este tema. Un paso adicional podría ser utilizar el cuaderno de ejercicios que acompaña a este libro para crear tu propia lista característica de «no salgas con él».

Completar este ejercicio del cuaderno te ayudará a personalizar el material que has aprendido para que puedas determinar qué tipos de hombres debes evitar en el futuro. Memoriza las señales de malas elecciones de pareja anteriores, escucha a tu interior y crea tu propia lista.

Cuestionario:
¿Tengo peligro de salir con más hombres peligrosos?

Determinar si estás en riesgo de salir con más hombres peligrosos puede ser un aliciente para realizar los siguientes pasos en el proceso de crear un nuevo futuro para ti, un futuro sin hombres peligrosos y lleno de promesas de relaciones nuevas y sanas.

Suma dos puntos por cada «sí» y cero puntos por cada «no»:

_____	He salido con más de un hombre peligroso.
** _____	He salido con más de tres hombres peligrosos.
** _____	He acabado mi relación con un hombre peligroso y después he vuelto con él.
_____	Un hombre peligroso con el cual he salido podría ser calificado de violento.
** _____	Un hombre peligroso con el cual he salido podría ser calificado de adicto.
_____	Un hombre peligroso con el cual he salido podría ser calificado de enfermo mental.
_____	Un hombre peligroso con el cual he salido podría ser calificado de cualquier combinación de violento, adicto y enfermo mental.
** _____	Tengo un patrón de ignorar mis señales de alarma.
_____	Ignorar mis señales de alarma me ha puesto en riesgo ante hombres peligrosos.
** _____	Ni siquiera sé cuáles son mis señales de alarma.
_____	Mis amigos y familia están molestos con el tipo de hombres que escojo.
_____	He salido con hombres emocionalmente inaccesibles más de una vez.
_____	Combino hombres que son emocionalmente inaccesibles, que tienen una doble vida, que son violentos y hombres que son dependientes emocionales u hombres que buscan a una madre.
_____	No combino el tipo de hombre que escojo; continúo eligiendo el mismo tipo de hombres peligrosos, aunque no haya funcionado en el pasado.
_____	Crecí pensando que debía confiar en la gente de manera incondicional e ignorar mis propios sentimientos e intuición.
_____	PUNTUACIÓN TOTAL

Escala de riesgo del hombre peligroso

(Nota: ésta no es una escala verificada a nivel clínico). Cuando consideras el riesgo de salir con un hombre peligroso, además de añadir tus puntos también debes considerar a *qué* preguntas contestaste con un sí. Aquellas marcadas con ** indican mayor riesgo; si has contestado que sí a *algunas* de estas afirmaciones, esto debería constituir una preocupación adicional.

0-8 puntos	Bajo riesgo (excepto si has contestado sí a alguna cuestión marcada con **)
10-18 puntos	Riesgo moderado (excepto si has contestado sí a alguna cuestión marcada con **)
20-34 puntos	Riesgo elevado (excepcionalmente alto si has contestado sí a alguna cuestión marcada con **)

Las mujeres que tienen puntos en las categorías de riesgo moderadas y altas necesitan intervención psicológica. Un primer paso para ello consiste en trabajar en los ejercicios en el cuaderno de ejercicios diseñado para complementar este volumen (*véase* recursos), que puede ayudarte a profundizar más para poder descubrir, aprender y cambiar tus patrones autodestructivos. Más que trabajar en el currículo del hombre peligroso, debes considerar buscar terapia profesional para que te ayude a desbancar los patrones de tu vida que son destructivos.

CAPÍTULO 12

Sé sincera contigo misma

Aprender a hacer caso a tus señales de alarma

El capítulo anterior trataba sobre qué hace «él» que pueda indicar que es una mala elección de pareja para ti. Este capítulo, una vez más, centra la atención en tu persona. Trata sobre qué haces *tú* que debería ser una señal de alarma para ti. Centrarse en el comportamiento del hombre resta sólo el 50 % de la ecuación. El otro 50 % se encuentra en tu propia experiencia y patrones de comportamiento. Examinarlos te ofrece la oportunidad de aprender de ellos y cambiarlos.

Cómo fracasan las mujeres a la hora de respetar sus señales de alarma

En general, suele haber tres maneras en las que las mujeres fracasan para vivir de acuerdo con su sistema interno de alerta roja: no se dan cuenta de sus señales de alarma, centran demasiada energía en culparle a «él» y no cuestionan la enseñanza y el condicionamiento que han recibido de su familia. Echemos un vistazo a cada uno de estos tres patrones.

No darse cuenta

Definir el comportamiento peligroso de un hombre es un paso importante para poder realizar mejores elecciones. Igual de importante es que te des cuenta de tus reacciones (o de la falta de las mismas) frente a un comportamiento disfuncional, *y que después prestes atención y no ignores tus reacciones.* Éstas son tus señales de alarma naturales, y volver a conectar con tu sistema de alerta roja es de extrema importancia cuando cambias tu manera de responder a los hombres peligrosos. En el capítulo 2 aprendiste que tu cuerpo, mente y espíritu se comunicarán contigo acerca de cómo perciben a un hombre, y tú los escucharás. A través del libro hemos mostrado que lo que a menudo ocurre es que en una mujer aumenta su falta de conciencia de las señales que le envía su sistema de alerta roja. Esto ocurre con el tiempo cuando has ignorado continuamente tus señales de alarma, y se convierte en un patrón destructivo. Por eso también decimos que no hay víctimas, sólo voluntarias. Ser sincera contigo misma y cambiar tus patrones de selección significa prestar atención a cómo te sientes con un hombre, en particular emocional, mental, física, espiritual y sexualmente. No darse cuenta de estas indicaciones internas es un mecanismo de defensa autodestructivo. Por el contrario, escuchar y actuar a partir de ellas es tu elección. También es tu oportunidad para el cambio.

Culpar

Para poder cambiar de manera exitosa tus patrones, debes trasladarte desde la posición de culpar a todos los hombres de tu pasado (y presente) por lo que ha ocurrido en tus relaciones. En su lugar, debes verte como relacionada al mismo tiempo con ellos en el proceso de selección y citas. No se trata de violaciones u otros ejemplos de violencia de extraños, sino de relaciones mutuas entre adultos que se ponen de acuerdo. El concepto de algo mutuo en la selección de una pareja puede ser poco popular entre algunas feministas. Pero yo tomo como excepción la línea de pensamiento que implica que las mujeres tan sólo deambulan en repetidas ocasiones en relaciones peligrosas y que todo el daño causado se debe a ellos.

Esta noción simplifica los complejos temas que rodean las psicologías interactivas y personales del hombre y de la mujer. También alivia a la mujer de cualquier responsabilidad ante su falta de conciencia, elecciones recurrentes, salud mental, comportamientos autodestructivos y crecimiento. La etiqueta como una víctima, lo que implica que es impotente y no tiene poder. Por otra parte, si las elecciones de una mujer son suyas y continúa teniendo problemas como resultado de estas elecciones, sus oportunidades de crecimiento, conocimiento y cambio le pertenecen a ella. Ella es la jefa de su barco y de hacia dónde lo conduce. Jugar al juego de la culpabilidad puede limitar que una mujer tome su parte de responsabilidad en las cosas, una mentalidad que no le ayuda a estar un poco más segura. Si todo es su culpa, no hay nada que ella pueda hacer o cambiar. Creer esto ¿cómo puede hacer que estés segura?

Aceptar una educación familiar incorrecta

La crianza y educación que tu familia te haya proporcionado puede haberte predispuesto a que aceptes hombres peligrosos como parejas sentimentales. Parte de desarrollar una estrategia de defensa incluye hacerse profundamente consciente de cómo tu mente establece que ignores el comportamiento de los hombres peligrosos. Algunas de estas gimnasias mentales datan de tu infancia, cuando los miembros de tu familia o las dinámicas familiares te pudieron haber condicionado de alguna de las siguientes maneras:
- Normalizar el comportamiento extraño.
- Restar importancia al peligro.
- Ignorar tus sensaciones de miedo, preocupación o malestar.
- Aceptar el comportamiento abusivo.
- Esperar adicciones en los hombres.
- No esperar que la gente se gane tu confianza, sino confiar en ella inmediatamente.
- Violar tus propios valores y morales y aceptar a hombres casados como pareja.
- Permitir que la gente viole tus límites sin consecuencias.
- Evitar hablar alto y claro cuando sientes que deberías hacerlo.

- Aceptar cualquier tipo de atención masculina y estar contenta de tenerla.
- Rescatar a hombres inestables de sus propias vidas.
- Nunca dejar atrás una relación fallida y ser optimista de que *todos* los hombres pueden y podrán cambiar y crecer.
- Cambiar el nombre del problema de comportamiento por algo menos amenazador.
- Nunca decir no.
- No rechazar citas.
- Resistirse a etiquetar a un hombre como «alcohólico», «enfermo mental», «problemático» u otra cosa que pueda hacer que no quieras quedar con él.

Seguir queriendo vivir bajo los mensajes no seguros de tu familia tales como éstos es otra manera destructiva mediante la cual tus comportamientos y creencias pueden hacer que te unas a hombres peligrosos.

Señales de alarma universales

Algunas señales de alarma indican verdades innegables. Las mujeres de todas partes del mundo responden a estas señales de alarma cuando están en presencia de algún hombre peligroso. Estas mujeres inteligentes memorizarán, prestarán atención y *utilizarán* estas señales como oportunidades para volver a examinar la relación o, si es necesario, abandonarla. Aquí se mencionan algunas de ellas:
- Te sientes incómoda con algo que él ha dicho o hecho, y la sensación es permanente.
- Te sientes molesta o asustada, o él te recuerda a alguien que conoces con un serio problema.
- Deseas que él se vaya, quieres llorar o salir corriendo
- Temes que te llame.
- A menudo te aburres con él.
- Piensas que nadie más en su vida lo entiende.
- Crees que nadie más en su vida le ha querido o le ha ayudado.

- Piensas que eres la única que le puede ayudar, querer y entender.
- Quieres «curarle con tu amor y que sienta bienestar emocional».
- Piensas que puedes ayudarle a «cambiar» o a «arreglar» su vida.
- Le prestas dinero tuyo o de tus amigos.
- Te sientes mal contigo misma cuando estás con él.
- Sientes que quiere demasiado de ti.
- Estás emocionalmente cansada de tener una relación con él y tienes la impresión de que te «chupa la vida».
- Tu sistema de valores y el suyo son muy diferentes; no estáis en la misma sintonía acerca de tus creencias y esto es problemático.
- Tu pasado y el suyo son muy diferentes, y los dos tenéis conflictos con él.
- Le dices a tus amigos que «no tienes clara la relación».
- Te sientes aislada de otras relaciones con tu familia y amigos.
- Piensas que es demasiado encantador, o que todo es «demasiado bueno para ser cierto».
- Te sientes mal porque él siempre tiene razón y lo lleva al extremo para hacerte ver que la tiene.
- Te sientes incómoda porque él siempre dice que sabe lo que es mejor para ti.
- Te das cuenta de que te necesita con frecuencia, demasiado y muy intensamente.
- Te preguntas si él en realidad te entiende o tan sólo dice que lo hace.
- Estás incómoda porque te ha tocado de manera inapropiada o con demasiada rapidez.
- Te das cuenta de que te revela muy rápidamente información sobre su pasado o su dolor emocional.
- Sientes que te empuja con rapidez hacia una relación emocional.
- Aunque no te lo crees, él afirma que tiene una conexión inmediata contigo (una señal de falsa intimidad).
- Ves que te empuja con rapidez a que tengas una relación sexual con él y estás dispuesta a abandonar tus límites sexuales con él.
- Te parece un camaleón, te das cuenta de que puede cambiar para complacer a cualquiera que esté en su presencia.
- Te das cuenta de que te habla muy pronto sobre sus anteriores relaciones fallidas y sobre sus parejas anteriores y sus defectos.

- Adviertes que casi sólo habla de él, sus planes y su futuro.
- Te das cuenta de que pasa mucho tiempo visionando películas violentas o la televisión o jugando a juegos violentos; puede estar interesado en la violencia, la muerte o la destrucción.
- Le has escuchado confesar que ha sido o es adicto a las drogas.
- Tienes información sobre importantes problemas de pareja que no gestionó demasiado bien.
- Te confiesa que ha sido violento en el pasado o que consume drogas o alcohol cuando está estresado.
- Sabes que tiene muchos hijos de varias parejas, es inconstante en lo que se refiere a enviar la pensión alimenticia a sus hijos y rara vez los ve; culpas a la madre de sus hijos por este comportamiento.
- Lo aceptas «por ahora», aunque tienes muchas señales de alarma que te ayudarían a terminar la relación si les prestaras atención.
- Pones excusas para salir con él.
- Pones excusas para justificar su carácter y restas importancia a su comportamiento.

Tópicos

Ojalá pudiera decir que todas las mujeres que aparecen en este libro aprendieron de sus experiencias con hombres peligrosos. Después de todo, se tomaron la molestia de compartir sus historias contigo, lo que significa que, obviamente, les importaba la calidad de sus vidas. Pero, por desgracia, algunas de ellas han continuado tomando decisiones peligrosas.

Los errores de las mujeres que tuvieron una relación con hombres peligrosos están basados en algunos mitos. Estas mujeres han crecido creyendo la falsa información que les enseñaron y que sus familias vivieron. O desarrollaron sus propias creencias míticas sobre las relaciones saliendo una y otra vez con hombres peligrosos. Cada hombre peligroso enseña a las mujeres algunas falsedades que adoptan como parte de su manera de pensar sobre los hombres y las relaciones. Hemos analizado este tema de diferentes modos en este libro. Lo hemos analizado desde las perspectivas de la educación de familias disfuncionales, verdades sociales no verbalizadas, roles de género y contextos culturales. Basándome en mis conversaciones con mujeres, lo siguiente representa las creencias falsas más comunes sostenidas por mujeres sobre hombres peligrosos.

Tópico 1: los hombres peligrosos deben tener profesiones peligrosas, como, por ejemplo, traficantes. Los hombres peligrosos no pueden ser bomberos, trabajadores sociales, profesores o sacerdotes. ¡ERROR!

Tópico 2: los hombres peligrosos proceden de familias peligrosas. Los hombres peligrosos no pueden ser la única persona peligrosa en su familia. ¡ERROR!

Tópico 3: los hombres peligrosos parecen peligrosos. Los hombres peligrosos no pueden ser presentables, atractivos, conservadores o tener clase. ¡ERROR!

Tópico 4: un hombre peligroso sólo aparecerá en mi vida una vez. Si ya he salido con uno, tal vez no salga con ninguno más. Seguro que he aprendido. ¡ERROR!

Tópico 5: los hombres peligrosos probablemente no invertirán mucho tiempo en conocerme. He hablado con este hombre por teléfono durante semanas sin tener una cita con él. No puede ser un hombre peligroso. ¡ERROR!

Tópico 6: los hombres peligrosos no van a la iglesia, son voluntarios ni practican la caridad. El hombre en el que estoy interesada es el que más tiempo lleva ayudando en la iglesia, ayuda a su madre anciana y es voluntario en el hospital. No puede ser peligroso, ya que participa en este tipo de actividades. ¡ERROR!

Tópico 7: los hombres peligrosos no revelan información sobre ellos mismos. El hombre en el que estoy interesada me ha contado todo sobre él, así que no puede ser peligroso. ¡ERROR!

Las múltiples historias de Katie

La historia de Katie muestra cómo los tópicos pueden aparecer en diferentes relaciones con hombres peligrosos. Por desgracia, su historia es familiar porque muchas mujeres no dejan de salir con alguien antes de retar a sus propios mitos. Continúan creyendo en ellos incluso después de haberse demostrado que los mitos son sólo eso, mitos.

Katie es inteligente, una atractiva ejecutiva del mundo de la banca que ha salido con todos los tipos de hombres peligrosos que se describen en este libro. Esto ocurrió básicamente porque fracasó a la hora de extraer información de sus antiguas elecciones, a la hora de examinar qué estaba pasando con *ella* que hacía que continuara con sus peligrosos patrones y a la hora de retar a su propio sistema de tópicos sobre los hombres y sus características. Según ella misma afirma:

> *Primero me casé con Tom, un hombre que ni siquiera me gustaba. Fue el primer hombre en interesarse por mí. Él tenía veintiún años y yo dieciocho cuando nos casamos. Casi no le conocía. Sabía que tal vez no debía estar con alguien a quien apenas conocía y que ni me gustaba, pero no escuché, ni siquiera a mí misma. Él tenía fibrosis quística, una enfermedad terminal. Creí que podría cuidar de él los años de vida que le quedaban. Tenía la impresión de que quería a alguien que le cuidara durante su enfermedad. A los pocos meses de casarme con él supe que había cometido un terrible error. Una noche llegué a casa y él estaba inconsciente en el suelo. Cuando tropecé con él, se despertó enfurecido, golpeándome, insultándome y lanzándome los muebles de la casa. Me trasladé a casa de mis padres, dispuesta a solicitar el divorcio. No busqué terapia para esta desastrosa elección, simplemente salí adelante.*
>
> *Mi segunda relación, con Robert, ocurrió poco después de mi divorcio con Tom. Estuvimos saliendo durante un año; después, él me dijo que se trasladaba a Miami y que quería que me fuera con él. Así que fui encantada. No me preguntó si era lo que yo quería, era simplemente como iba a ser todo «si yo quería estar con él».*

Quería que viera pornografía, de lo cual yo estaba indecisa porque me habían educado según la tradición católica. Él dijo que no había nada de malo en ello. Podía convencerme a hacer cosas incluso aunque yo pensaba que no debía hacerlas; era como si tuviera algún poder sobre mí. Así que empezamos a coquetear con el porno a pesar de que yo no estaba de acuerdo con ello.

Su trabajo estaba a punto de llevarle a otra parte, así que le dije que o nos casábamos o yo no iba. Estuvo de acuerdo y nos casamos. Pero yo tenía la impresión de que no estaba realmente vinculado al matrimonio o a nuestra relación. Como era de esperar, dos años más tarde, se iba a trasladar a otro lugar y quería el divorcio porque había otra mujer. ¿Cómo es posible que nunca sospechara nada? Estaba resentida por haber accedido a ver pornografía por un hombre que se daba la vuelta y me dejaba.

Estaba destrozada, pero decidida a no estar sola durante mucho tiempo. Empecé a salir con James el mismo año. No estaba del todo divorciada, pero él apareció cuando más lo necesitaba. Él estaba divorciado y tenía dos hijos y pagaba la pensión alimenticia, así que nunca tenía dinero, comida o incluso un automóvil. Empecé a comprarle comida. Le di mi vehículo y me compré uno nuevo. Era un alcohólico en recuperación con muchísimos dolores en el cuerpo que requerían medicación. Pensé que no habría ningún problema, yo podría cuidar de él. Durante nuestros trece años de matrimonio pasaba de una medicación a otra. No pude asistir a muchas reuniones familiares. Me dijo que nunca había tenido una relación cercana con su madre y que había pasado de una casa de acogida a otra. Muchas noches quería que le acariciara la cabeza y que le dijera que todo iba bien. Tenía una mirada infantil y asustadiza en sus ojos.

No era productivo. Yo cocinaba, limpiaba, hacía la compra y pagaba las facturas. Me sentía agobiada cuidando de él y cuando se lo dije, me contestó: «No eres la mujer con la que me casé». Todo lo que yo quería era que él aprendiera a cuidar de sí mismo. En cierto momento, fui a terapia para intentar observar mis insatisfactorias relaciones.

Un año después, conocí a Daniel, quien «iba a divorciarse algún día» pero todavía no había rellenado los papeles. Tenía un

247

hijo pequeño y parecía que quería tener una relación conmigo para que fuera la «madre» del niño. Durante meses continuaba repitiéndome que iba a rellenar el papeleo para su divorcio, pero nunca lo hizo. Me pidió dinero prestado para el abogado, pero me negué. Como tenía un hijo pequeño, pasaba mucho tiempo fuera para estar con él, o eso pensaba yo. Pero creo que había otras mujeres, porque me contagió herpes. Cuando me enfrenté a él, se fue. Empecé a ir a las reuniones de doce pasos para ver mis patrones, que ahora reconozco. Después de tener herpes, estaba segura de «captar» a estos hombres.

Estuve unos meses sin citas para entender que había contraído una ETS y trabajar en el programa de doce pasos y después conocer a Gary, un vecino. Me gustaba su sonrisa y lo extrovertido que era. Me hacía reír. Sabía que estaba con otra mujer que vivía en mi calle. Cuando le preguntaba por ella, él decía que iba a romper con ella pero que primero tenía que solucionar algunos problemas. Aun así, le di mi número de teléfono. En el momento en que lo hice, supe que no debía haberlo hecho. Tuve mi primera señal de alarma, pero en vez de decirle que no me llamara o cambiar de número, ignoré lo que sabía.

Me llamó esa tarde y me dijo que nos viéramos en la playa. Inmediatamente, me estaba tocando los pechos y la entrepierna. Aunque eso me hizo rehuir, me decía que era muy sensual y desinhibida. Eso le encantaba a una chica católica. Decía las frases perfectas. Justo cuando empezaba a sentirme incómoda, él decía algo que me hacía sentir cómoda con su forma de pensar. Tenía una Harley y me sentía salvaje y libre con él.

Decía que teníamos que quedar a escondidas durante un tiempo hasta que rompiera totalmente con su novia. Mi intuición empezó a decirme algunas cosas y cuando hacía preguntas, yo estaba en lo cierto. La novia tenía un problema con las drogas y el alcohol y era stripper. Aun así, no se me ocurrió pensar lo que podía ser él. Llevaba a su novia al trabajo y quedaba conmigo para tener sexo. Entonces me pedía prácticas sexuales extrañas. Desconocía las cosas que él me pedía y me sentía incómoda con la idea. Tenía importantes señales de alarma que me decían que él podría ser adicto al sexo o algo parecido. Y, por supuesto, estaba en lo cierto. Empezó a enviarme porno a través del correo electrónico. Le pedí que parara, pero continuaba. Tenía la impresión de que me estaba acosando a través de internet.

Cuando le dije que quería que parara, se enfadó y yo me asusté. Siempre tuve la sensación de que al borde de su sentido salvaje había muchísima rabia fuera de control, como si pudiera volverse loco con facilidad. En realidad sólo quería sexo; todavía estaba con su novia. Pero aun así respondí. Ahora ni siquiera sé nada de él.

Me pregunto por qué me dejé atrapar en una relación tan tóxica. Pero cuando miro a mi pasado y a mis matrimonios, hay una mala relación tras otra. ¡Soy una ejecutiva bancaria! ¡Soy una profesional! ¿Por qué escojo a hombres así y por qué no lo veo cuando tengo una de estas relaciones? ¿Por qué ignoro lo que siento y lo que veo? Por el amor de Dios, tengo cuarenta y cinco años. Esto no debería pasarme.

Katie empezó a asistir a terapia de grupo para adictos al sexo y al amor. Reconoció que sus problemas con las relaciones no eran meramente «problemas», sino adicciones que ponían en riesgo su vida y podían dañarla de una manera permanente. Ya había contraído una ETS y había salido con hombres emocionalmente inaccesibles, hombres con una doble vida, adictos y hombres que eran violentos, o algunos que estaban cerca de serlo. Su vida estaba fuera de control.

Katie se comprometió con la terapia. Asistió a varias reuniones semanales y pasó unos meses «sin relaciones». Pensó que iba por el buen camino hacia su recuperación, hasta que acabó con ella y empezó a salir con Bill.

Éste era diferente por muchísimas razones, según Katie. Había asistido a terapia y ahora tenía cierta experiencia en el programa de doce pasos. Creyó que sus «ojos estaban abiertos». Del intenso dolor que había sufrido durante años era un buen maestro. Pensó que el hecho de que le hicieran tanto daño era el mejor predictor de que sus relaciones de ahora en adelante iban a ser mejores. Y no sólo era diferente ella, sino que también él lo era. Su primera cita consistió en asistir a la iglesia y un desayuno. Qué cambio, de Gary y la pornografía a Bill y la iglesia. Estaba encantada de que las cosas pudieran ser tan diferentes.

En poco tiempo, Katie dejó de asistir a las reuniones de los doce pasos. Bill era el centro de su mundo. Sus antiguos patrones empezaron a establecerse de nuevo. Había señales de alarma y Katie decidió ignorarlas, como había hecho en el pasado. Su grupo de apoyo era sólo un recuerdo.

Cuando las historias de Bill no encajaban y Katie por último se permitió responder a las señales de alarma que la asediaban, intentó terminar la relación con Bill. Pero él siguió llamando y suplicando una segunda oportunidad. Le llevaba en automóvil a casa, aunque ella le decía que se fuera en repetidas ocasiones. Llamaba a los vecinos y les preguntaba por ella, aparecía en lugares donde había escuchado que ella podía estar, le enviaba correos electrónicos cuando ella le pidió que no lo hiciera y le enviaba cartas. Katie estaba siendo acosada. Pidió una orden de alejamiento. Tuvo que pedir protección policial para terminar su relación con este *sexto* hombre peligroso. Katie estaba de nuevo en el programa de recuperación de doce pasos.

Conclusiones erróneas

Katie es un ejemplo de mujer que ignoró sus señales de alarma y todo lo que sus relaciones anteriores le enseñaron, al ser tan joven cuando todo empezó. Ignorar sus señales de alarma le hizo acabar teniendo relaciones que eran cada vez más peligrosas con cada nuevo hombre. Katie necesita terapia que le ayude a observar sus patrones, sus selecciones, sus tópicos y su punto de vista de «haría cualquier cosa por amor».

La historia de Katie muestra que creyó *cada uno* de los tópicos de la página 245:

- Era inocente porque creía que para que fuera peligroso, un hombre debía tener una profesión peligrosa, proceder de una familia claramente peligrosa y parecer peligroso (suposiciones 1, 2 y 3).

- Dejó de buscar la peligrosidad después de haberla reconocido en el primer hombre, creyendo que no volvería a encontrarla una vez más, puesto que ya había tenido una relación peligrosa (suposición 4).

- Al menos un hombre peligroso no había sido detectado por su radar al llevarla a la iglesia en su primera cita (suposición 6).

- Otros eran muy habladores y revelaban mucha información sobre ellos, lo que le hacía creer que estaban siendo sinceros con su historia (suposiciones 5 y 7).

Además, como ocurre con muchas mujeres, los comportamientos de Katie hasta el momento parecían implicar que ella creía que era mejor estar con alguien que está enfermo que estar sola pero emocionalmente sana. Necesita ayuda para que sea consciente de por qué ignora su subconsciente, que le está gritando mientras intenta que las cosas funcionen *esta* vez, en *esta* relación, con *este* hombre peligroso. Todavía no ha realizado el trabajo de examinar de cerca los tipos de hombres con los que ha estado o sus comportamientos. No tener relaciones peligrosas y aprender cómo escoger de manera diferente le implicará hacer una lista, definir y categorizar sus relaciones, y después desarrollar su propia «lista de no salgas con él».

Katie no ha advertido que es ella la que permite que su vida entera cambie cada vez que tiene una nueva relación. Deja a un lado las partes más saludables de su vida. Los amigos se van, asiste de manera irregular a las reuniones de los doce pasos y abandona la iglesia. Cualquier otra forma en la que cuida de sí misma y equilibra su vida puede esperar cuando un nuevo hombre peligroso entra en su vida. Acaba con cualquier oportunidad sana que pueda influenciar su pensamiento. Esto en sí debería ser una señal de alarma para Katie. Cuando otra relación fracasa, ella empieza a buscar respuestas que cree que puede hallar en un período de dos meses de celibato y asistiendo a las reuniones de los doce pasos mientras intenta permanecer alejada de ellos. Los programas de doce pasos son una parte estupenda del plan de recuperación, siempre y cuando te digas la verdad sobre tus comportamientos y patrones. Sin embargo, asumir que dos meses de asistencia a terapia puede cambiar tu vida no es ser honesta contigo misma.

Hasta el momento, el breve período de Katie en los grupos de doce pasos no ha funcionado. Pero esto no es algo que no sea común en las mujeres. Muchas asisten a terapia individual o grupal o a las reuniones de doce pasos cuando se encuentran *entre* una relación y otra, pero dejan de ir cuando empiezan a salir con otra persona. Quizás tienen miedo de que si continúan participando en intervenciones sanas, muy pronto puedan «ver» aspectos en la relación que no quieren tener en cuenta. Si no están en terapia o asisten a reuniones, es fácil decir que recayeron porque «dejaron de asistir a las reuniones». En el lenguaje de los doce pasos esto se llama «predisponerte al fracaso». Te predispones al fracaso cuando interrumpes el apoyo que recibes y luego atribuyes las malas elecciones a «recaídas», cuando de alguna manera *has tomado la decisión* de desviarte de tu camino de recuperación hacia una relación peligrosa.

El historial sentimental de Katie, de veintisiete años, le ha enseñado mucho más de lo que puede aprender en dos meses de reuniones. Todavía no ha desarrollado un verdadero respeto por la profundidad de su educación de pareja y cuánto tiempo le llevará deshacerla. Si Katie escoge una y otra vez asistir a terapia y a las reuniones, su vida puede ser diferente y más sana.

Las relaciones de Katie cambiarán cuando vea que es *ella* la que necesita cambiar. Las circunstancias externas de nuestra vida cambian cuando nuestra relación interna con esas circunstancias también lo hace. Cuando reunimos sabiduría y conocimiento, que hacen que nuestro carácter se desarrolle, nuestro mundo exterior cambia en relación con nuestra condición interior. Cuando reunimos coraje para retar las partes de nuestra vida que no funcionan, podemos crear nuevas realidades. Thoureau afirmó: «Las cosas no cambian, nosotros cambiamos». Reflejarnos en esta pizca de sabiduría puede ayudarnos a ver que nuestras relaciones fallidas y elecciones erróneas son espejos que reflejan las carencias de nuestro carácter. Como tal, pueden señalar e iluminar el camino hacia la solución.

Negar, restar importancia, justificar, escoger no ver o cualquier otra cosa que utilicemos para culpar a los demás y evitar crecer nunca nos ayudará a estar a salvo y aprender. La honestidad con nosotras mismas, la evaluación crítica, la responsabilidad y la respuesta a patrones negativos anteriores son nuestras únicas esperanzas de cambiar nuestras vidas.

CAPÍTULO 13

Nueva vida, nuevas elecciones

Volvamos de nuevo a las historias de dos mujeres que ya conocimos en este libro.

La historia de éxito de Sierra

Sierra, del capítulo 7, afirma que su vida ahora es diferente. Aunque Chase pasó tiempo en prisión y ahora está en libertad y vive
en el mismo pueblo que ella, Sierra es consciente de que su vida es
muchísimo más sana.

> *Lo he visto por el pueblo y fui muy clara al establecer mis límites
> y rechazar abrir esa puerta teniendo conversaciones con él que se
> pudieran convertir en una invitación. ¡En especial teniendo en
> cuenta cómo funciona su mente! Cambié mi número de teléfo-
> no cuando oí que lo habían liberado. Eduqué a mis hijas sobre
> qué decirle si alguna vez se les acercaba. Desarrollamos un plan
> familiar de seguridad sobre qué hacer si alguna vez llamaba,
> aparecía o corría hacia nosotras.*
>
> *Pero lo más importante, había hecho un inventario de mi
> familia y mis elecciones. No puedo tener citas. Les he dicho eso a*

mis amigos más cercanos para que me puedan ayudar a vivir con esa decisión en estos momentos. Ellos son mis parientes y pueden ayudarme hasta que haya trabajado en cómo y por qué ocurrió esto en mi vida. No creo que sea cuestión de una revisión emocional de seis meses y una interrupción de mis citas. He tenido dos relaciones peligrosas. Estoy segura de que puedo invertir más que unos pocos meses de mi vida sin un hombre para poder cambiar tanto mi vida como mi futuro.

Estoy encontrando una manera de hacer que mi vida sea completa sin un hombre. Si necesito un hombre para estar completa, permito que cualquier persona cubra esa necesidad. Debo tener una vida con la que esté satisfecha, incluso si no aparece ningún hombre especial. Tengo más amigos y realizo más actividades. También paso mucho tiempo con mis hijas. Dios sabe que con lo que han vivido lo necesitan.

Sobre todo, ahora, cuando hablo con la gente, soy consciente de mis señales de alarma. Estoy aprendiendo a utilizarlas y a prestar atención a lo que siento y percibo otra vez. Asimismo, de alguna manera, «escucho a escondidas» a mi pensamiento cuando hablo con un hombre. Quiero ver qué tal lo llevo. A veces trato de ocultar las señales importantes sobre él. Cuando disimulo las cosas, minimizo e ignoro algo para poder decir luego: «No lo sabía. Bueno, ya estamos saliendo». Por eso no quedo con nadie. Considero que todavía trato de disimular algunas cosas y eso no va a mantenerme segura.

Necesito llamar a las cosas por su nombre con seguridad y no llamar imperfección a una enfermedad mental. Denominar a un trastorno «imperfección» sugiere que ya que todos no somos perfectos, yo simplemente debería aceptar ese problema en la persona, como ellos deberían aceptar lo que sea imperfecto en mí. Puedo aceptar los problemas de la gente con la que no tengo una relación íntima, pero en mi vida sentimental necesito apuntar más alto que a un hombre que sufre una enfermedad mental. La enfermedad mental es algo triste, pero un hombre con ella no es adecuado para mi vida y la de mis hijas. Ahora sé que aceptar una enfermedad mental es aceptar la muerte de una relación, ¿cómo puede ser otra cosa? Ciertamente, Chase me enseñó eso.

Para mí, mi cordura ahora mismo incluye no exponerme y no sentirme presionada a quedar con alguien. No siento que esté evitándolo. Creo que me estoy recuperando.

Sierra está en un momento maravilloso. Se ha permitido la recuperación sin sucumbir a las presiones, inducidas por una sociedad, de quedar o salir con alguien. Se ha puesto a ella en primer lugar y se está centrando en su recuperación, en los cambios que necesita ver en su manera de pensar, en estar segura de que responde con seguridad a sus señales de alarma y en examinar cómo tuvo problemas en su vida.

Las mujeres de todas partes se pueden beneficiar de tomarse «un tiempo de descanso» en las citas. Por desgracia, pocas mujeres se conceden un tiempo de descanso en sus citas porque temen estar solas. Sentirse de esa manera debería convertirse en una señal de alarma para las mujeres. Las mujeres constantemente me preguntan «cuánto tiempo» deben tomarse de descanso antes de tener una nueva cita. Quieren saber cómo «acelerar el proceso». ¿Pueden leer más libros, ir a reuniones o terapia, hacer algo para que estén listas para recuperar su vida? Las respuestas a estas preguntas son diferentes para cada mujer. Sobra decir que en mi experiencia, la mayoría de las mujeres se permiten ridículos y breves períodos de tiempo para un descanso, en especial en comparación con los años han estado saliendo peligrosamente. Veintisiete años de malas relaciones, como Katie, no pueden concluir sin más por nuevas lecciones aprendidas en seis meses de celibato. El conocimiento nunca se adquiere a través de tácticas de rápida recuperación.

La historia de éxito de Jenna

Jenna, que apareció en el capítulo 10, también ha aprendido algunas cosas.

Cuando conocí a Cory, yo era joven. Acababa de entrar en la universidad y la verdad es que no tenía ninguna experiencia en relaciones. Yo misma me felicito por haber podido salir de la re-

lación tan pronto como lo hice, considerando lo joven e inocente que era.

Pasé los siguientes años casi sin citas. Sabía que debía entender mi experiencia con Cory si quería tener alguna vez una relación que tuviera éxito. (No me explico cómo pude ser tan inteligente siendo tan joven). De modo que quedaba con grupos. En la primera cita, les decía a los chicos que no quería nada serio. Y así fue. Después me observé interactuando con ellos. Yo escuchaba como si estuviera escuchando a alguien que estuviera sentado en la mesa a mi lado. Me analicé y me di cuenta de lo que hacía y lo que no.

En especial presté atención al tipo de cosas que había aprendido del depredador: el encanto superficial, la habilidad para entablar conversaciones simples, un truco para convertirse en cualquier cosa que yo fuera. Me convertí en bastante buena a la hora de reconocer a ese tipo de chicos, pero sabía que no era el único que había por ahí. No sé explicar cómo descubrí todo. Supongo que se trató de conciencia. Y daba permiso a mis amigos y amigas para que me avisaran si veían que realizaba malas elecciones o permitía que los hombres se comportaran mal.

Hoy, tengo diez años más y tengo una relación maravillosa. Soy columnista y nosotros tenemos una vida agradable y saludable juntos. Él es amable, abierto y agradable… pero tuvo que esperar conmigo. No iba a correr por tener algo con alguien. Y pensé que si a él no le gustaba esperar, simplemente decía algo que tenía que saber, y que tal vez él no era para mí.

Ahora las mujeres me consultan sobre sus elecciones peligrosas con hombres. Siempre les explico la historia del depredador y cómo decidí aprender muy pronto de esa experiencia. Si tan sólo le hubiese culpado a él por estar enfermo y estar en mi vida, me hubiera perdido la lección que la vida tenía que darme y que por último me condujo a un punto en el que podía escoger a un hombre sano. No era sólo su culpa. Salimos mutuamente. Decidí que iba a aprender cualquier cosa que fuera posible de esa experiencia porque no quería pasar mi vida entera haciendo lo mismo una y otra vez. ¡A mí me funcionó!

El éxito de Jenna es una bocanada de aire fresco. No tuvo prisa e intentó sanar sus heridas de su relación con un hombre peligroso encontrando a otro. Se tomó un tiempo de respiro. No le culpó a él. Observó la experiencia para ver qué podía enseñarle a ella y si podría extraer la sabiduría y escoger de una manera más sabia la próxima vez. Cuando por último tuvo una cita, fue despacio y decidió que si a un chico no le gustaba, ésa era información sobre la relación a la cual debía prestar atención. Todo le enseñaba algo. Permaneció despierta y no a la defensiva sobre sus elecciones. Intentó aprender de todos y todo.

Hoy, Jenna es una joven dinámica y equilibrada con una carrera increíble. Y, como ella ha dicho, también es una persona muy feliz.

Tu historia de éxito

¿Qué escribirás en el libro de tu vida? ¿Hablarás de un patrón cíclico de elección de hombres peligrosos y malgastar años en relaciones potencialmente tóxicas y patológicas? ¿O querrás que tu experiencia te enseñe las lecciones que te otorgarán conocimientos, sabiduría y serenidad? Se trata de unas cualidades que tal vez te guíen hacia una relación saludable que podría durar toda una vida.

Sólo tú puedes despejar un espacio en tu vida para poder recuperarte. Sólo tú puedes concederte el tiempo y la paciencia que te permitirán aprender de tus patrones destructivos y cambiarlos con respecto a tu selección y respuesta a los hombres. Te mereces cualquier energía positiva, por pequeña que sea, para alcanzar una manera saludable de ser. Hoy es el primer día de nuevas elecciones en tu vida. ¿Qué contará tu historia?

Conclusión

Nunca existen garantías de felicidad en ninguna relación. Aun así, todo el mundo desea que su relación sentimental le ofrezca, en cierta medida, satisfacción y felicidad. ¿Por qué, si no, buscaría alguien una relación?

Salir o casarse con hombres patológicos es una garantía de tristeza. Es contar con un futuro que pagará dividendos de disfunción, infelicidad y dolor. Es el peor tipo de garantía.

Cómo detectar a un hombre peligroso antes de que entre en tu vida es tu pase para «salir de la cárcel». Utilízalo para encontrar el camino fuera de la prisión de tus antiguos patrones y hacia una manera más sana de relacionarte. Como he comentado, estoy convencida, después de quince años de práctica en el campo de la salud mental, de que la razón por la cual las mujeres salen con hombres peligrosos y patológicos es porque carecen de la información para saber cómo evitarlo. Ahora tienes esa información en tus manos.

Las mujeres que traté con éxito aprendieron a detectar a hombres peligrosos; en hechos, esto significa que aprendieron a alejarse de las relaciones peligrosas. Tú también puedes. Ya estás en el camino hacia la toma de decisiones más informadas para tener un nuevo respeto a tu sistema interno de alerta roja. Entiendes los síntomas del comportamiento perjudicial y patológico; has empezado a observar tus propios comportamientos autodestructivos. En tus manos tienes una lista de signos de una mala elección de pareja. Si completas el cuaderno tendrás más conocimiento sobre tus patrones de citas y te ayudará a crear una lista personalizada de «no salgas con él». A partir de ahí, sabrás de manera intuitiva si debes solicitar más ayuda profesional, en forma de terapia, para que te ayude a observar tus patrones, o bien en forma de defensa u otro apoyo si estás saliendo de una relación peligrosa.

Ahora tienes el conocimiento que te faltaba cuando empezaste a leer este libro. Puedes dirigir tu futuro hacia el feliz y saludable futuro con el que siempre has soñado. Buena suerte.

Descripciones de
trastornos mentales y emocionales

A continuación, se muestran breves descripciones de algunos de los trastornos mentales y emocionales que se han analizado en este libro, en especial en los capítulos 1 y 7. Ten en cuenta que no representan todas las categorías de enfermedades mentales que podrían considerarse peligrosas en una relación. Visita a un profesional de salud mental si estás preocupada por algunas características de otra persona o de ti misma.

Para más información sobre los diagnósticos descritos aquí, consulta el *Manual diagnóstico y estadístico de los trastornos mentales* (Elevier Masson, Barcelona, 2007).

Trastornos infantiles

Trastorno de la conducta

Caracterizado por comportamientos que ignoran o no respetan los derechos de los otros, la sociedad los define como «incorrectos», incluidos aspectos como mostrar hostilidad amenazando a otros verbal o físicamente; cometer daños a la propiedad de otros; deshonestidad; robo de objetos insignificantes e innecesarios; ruptura de normas como, por ejemplo, horas de llegada a casa o la asistencia al colegio.

Los individuos a los que les diagnostican un trastorno de la conducta cuando son niños, más tarde les diagnostican un trastorno de la personalidad antisocial, que es el diagnóstico más serio dentro del conjunto de las patologías.

Trastornos del estado de ánimo

Depresión mayor

Una persona se considera clínicamente deprimida si él o ella está muy deprimido/a y no tiene interés por la mayor parte de su rutina diaria e intereses externos, como mínimo durante dos semanas consecutivas. La condición se considera «recurrente» si los síntomas no se manifiestan durante dos meses y luego vuelven a aparecer.

Otros síntomas característicos incluyen problemas de sueño; aumento o pérdida de peso, nerviosismo; disminución de la energía; culpabilidad innecesaria; sensación de falta de méritos; problemas con la toma de decisiones y la concentración y pensamientos suicidas o fantasías.

Trastorno bipolar

Incluye ciclos «maníacos» o ciclos «mixtos». Durante un episodio «maníaco», el individuo parece muy contento, feliz, aturdido, o en exceso irritable. Él o ella puede dormir menos de lo normal y hablar más de lo que es normal en él/ella; puede ser arrogante; puede «pasar» de un pensamiento al siguiente, puede estar extraordinariamente ocupado; puede realizar elecciones erróneas, como beber y conducir, tener aventuras, gastar mucho dinero o abandonar trabajos o responsabilidades. Durante un episodio «mixto», el paciente pasa de ciclos de comportamiento maníaco a un comportamiento depresivo (que ya se ha descrito antes).

Trastornos de la ansiedad

Trastorno de Estrés postraumático (TEPT)

El TEPT tiene lugar después de un evento en exceso estresante (a veces llamado «trauma»). Muy conocido después de haberlo diagnosticado a muchos veteranos de la guerra de Vietnam, esta patología es ahora conocida por ocurrir después de todo tipo de eventos emocionales traumáticos, como, por ejemplo, una violación, ver asesinar a alguien, o estar presente en un desastre como el bombardeo del World Trade Center. Los síntomas incluyen recuerdos del suceso traumático, la incapacidad de distinguir entre un recuerdo y el hecho, miedo y ansiedad desencadenados por algo que recuerda a la persona el evento. A menudo, el recuerdo del suceso por parte del individuo es incompleto y su sueño se altera. Su estado emocional parece decaído y con nerviosismo. El paciente a menudo cree que él o ella morirá muy pronto.

Trastorno Obsesivo-Compulsivo (TOC)

La persona con un TOC lucha contra pensamientos recurrentes (obsesiones) y/o acciones repetidas (compulsiones). Estos pensamientos y acciones suelen ocuparle gran parte del día, lo cual suele reducirle a él o a ella a una persona totalmente ineficaz en la vida diaria.

Los pensamientos obsesivos de una persona con un TOC no tienen sentido, basándose en lo que el individuo está experimentando. Él o ella sabe que por lo general sus pensamientos no tienen sentido pero carece de control sobre ellos. La persona puede intentar ignorar esos pensamientos, deseando que cesen, pero esto nunca resulta eficaz.

Estas acciones repetitivas pueden incluir cosas como lavarse las manos o comprobar si ha apagado el fuego o si ha atropellado a alguien con su vehículo. Las acciones compulsivas, como los pensamientos obsesivos, no tienen sentido; la persona intenta suprimir el deseo de llevar a cabo la acción, pero intentar hacerlo sólo aumenta su ansiedad.

Trastornos de la personalidad
(trastornos patológicos)

Trastorno de la personalida antisocial

El principal síntoma de este trastorno es una falta de respeto crónica por los derechos de otros o las normas de la sociedad. El patrón por lo general comienza en la infancia o en la temprana adolescencia con síntomas de trastorno de la conducta (*véase* pág. 232). En la madurez, los antisociales tienen problemas de comportamiento continuos que dan lugar a una falta de respeto por las normas y las leyes de la sociedad. Los antisociales son mentirosos patológicos y timadores. Mentirían y manipularían incluso a los miembros más cercanos de su familia. Son impetuosos y reaccionan de una manera impulsiva y sin pensar o planificar demasiado. Su comportamiento es incoherente en la mayor parte de los ámbitos de su vida, por ejemplo, educar a sus hijos, trabajar y pagar las facturas a tiempo. Su única habilidad en el momento de resolver conflictos suele ser la agresión, un patrón que da lugar a repetidos cargos por asalto. Disfrutan llevando su seguridad al límite, y por eso a menudo se involucran en comportamientos impulsivos o temerarios como conducir con un exceso de velocidad o conducción temeraria. Los antisociales tienen muy poca capacidad para tener conciencia o remordimientos por las cosas que hacen.

Trastorno de la personalidad dependiente

Este trastorno es identificado por la persistente necesidad o deseo de ser cuidado/a. Los dependientes se sienten como si fueran incapaces de cuidar de sí mismos; por eso, continuamente buscan que otros hagan esto por ellos. Odian la idea de estar solos o de intentar tomar decisiones por sí solos cada día. Para mantener al resto en su vida, se tornan pasivos y necesitados. Rara vez verbalizan sus necesidades reales. Tan pronto como la relación termina, intentan de manera frenética sustituirla por otra persona, y el ciclo se vuelve a repetir.

Trastorno de la personalidad evitante

Los individuos con un trastorno de la personalidad evitante se sienten «menos que» el resto; en consecuencia, no disfrutan cuando están con otras personas, y cuando lo están, creen que todo el mundo habla sobre ellos de forma negativa. Las pequeñas quejas sobre su comportamiento parecen grandes y significativas para ellos. A la mayoría de los evitantes les gusta trabajar solos, evitan las situaciones que requieren que trabajen cerca de otros. También evitan situaciones sociales por temor a que los otros los rechacen. En las relaciones sentimentales, su temor al rechazo causa problemas significativos que, por último y de manera adversa, afectan a la relación.

Trastorno de la personalidad límite

Son bien conocidos por su gran número de problemas en las relaciones, su incapacidad para controlar sus impulsos, y su rápidamente cambiante percepción de sí mismos.

Temen estar solos y pueden conjurar ideas de personas abandonándolas incluso antes de que acaezca una separación. Sus relaciones tienen altibajos. Una persona que tenga una relación con este tipo de individuos no suele saber qué ha ocurrido para que se enoje.

Tienen rápidas emociones cíclicas y pueden mostrar mucha rabia y temor. Tienen una serie de comportamientos contraproducentes que pueden incluir abuso de las drogas y/o el alcohol, comer demasiado, mutilar partes de su cuerpo, comportamiento sexual indiscriminado y sentirse de continuo como un suicida.

Trastorno de la personalidad narcisista

Las características notables de un narcisista incluyen la percepción del individuo de que es muy importante, una ostentación de sus talentos o habilidades y un gran egoísmo que excede sus capacidades reales. En consecuencia, los narcisistas rara vez están en sintonía con las necesidades o sentimientos de los otros, y sólo se centran en los suyos. Sólo están satisfechos si son el centro de atención y reciben la adoración del resto. A menudo embellecen sus talentos reales y sus logros en un intento para que el resto de personas los adoren. La mayoría de los pensamientos de los narcisistas se centran en lograr incluso más; la mayoría considera que tienen la fama a su alcance. Los narcisistas suelen considerar que las normas son para «la gente mediocre» y que existe una serie diferente de reglas para las personas como ellos. Tienen pocas habilidades para anticipar cómo pueden sentirse los otros, y carecen de la capacidad para sentir empatía por el resto.

Trastorno de la personalidad paranoica

Las personas con este trastorno albergan una profunda desconfianza respecto a los demás. Desconfían de la motivación principal de otros hacia ellos y creen que los demás desean herirlos de alguna manera, aunque por lo general no existen hechos que respalden esta idea.

Los individuos con un trastorno de la personalidad paranoica justifican su desconfianza viendo más de lo que significan las afirmaciones casuales de las personas. Se resisten a revelar mucho sobre ellos mismos por temor a que los otros los hieran con sus propias palabras. Experimentan dificultades en las relaciones más cercanas porque acusan de manera persistente a sus parejas o compañeros de deshonestidad, a menudo sin indicio alguno.

Trastornos psicóticos o ilusorios

Esquizofrenia

La esquizofrenia se caracteriza por alucinaciones, ilusiones y un comportamiento y un lenguaje extraño. Los sentimientos de los esquizofrénicos a menudo son inapropiados o escindidos. Escuchan y oyen cosas que no existen y «perciben» cosas que no ocurren. La esquizofrenia a menudo tiene una naturaleza debilitante.

Trastornos relacionados
con la ingesta de sustancias

Abuso de sustancias

El abuso de sustancias resulta en un consumo creciente que comienza a tener un impacto negativo en la vida de la persona. El adicto intenta cumplir con sus obligaciones, como, por ejemplo, el trabajo, la educación de sus hijos, etcétera, pero con el tiempo es cada vez menos capaz de desempeñar estas obligaciones. Afecta a las relaciones. El consumo puede dar lugar a un comportamiento delictivo. Los intentos por dejar de consumir, incluso con ayuda, con frecuencia no tienen ningún resultado.

Recursos

Contacta con la autora / página web / talleres

Sandra L. Brown
Página web: www.saferelationshipsmagazine.com

Se ofrecen talleres, conferencias y retiros espirituales relacionados con el tema de este libro y también otros vinculados con la autoayuda, la salud mental y las relaciones sentimentales. La web **www.saferelationshipsmagazine.com** ofrece información sobre los hombres peligrosos, las relaciones y las prácticas seguras de citas. Contacta con la autora para informarte sobre hombres peligrosos o para crear un taller para tu grupo.

Recursos para mujeres con relaciones abusivas

www.mssi.gob.es/ssi/violenciaGenero/Recursos/telefono016/ home.htm – El Ministerio de Sanidad, Servicios Sociales e Igualdad, por medio de la Delegación del Gobierno para la Violencia de Género, presta el Servicio telefónico de información y asesoramiento jurídico en materia de violencia de género, a través del número telefónico de marcación abreviada 016.

Cualquier policía, departamento de policía, oficina de servicios sociales, abogados de víctimas o refugio puede ayudarte a encontrar los recursos locales necesarios para obtener la ayuda y asistencia que necesitas para salir de una relación peligrosa, pero debes ser tú quien se ponga en contacto. Llama hoy a uno de estos profesionales.

Bibliografía

Sobre violencia de género y abuso

JAYNE, PAMELA, *Mujeres que sufren demasiado: cómo saber si ha llegado el momento de romper una relación*, Urano, Barcelona, 2002.

LISETTE, ANDREA; KRAUS, RICHARD, *Free Yourself from an Abusive Relationship: Seven Steps to Taking Back Your Life*, Hunter House, Alameda, CA, 2000.

WILSON, K. J. *When Violence Begins at Home: A Comprehensive Guide to Understanding and Ending Domestic Abuse*, Hunter House, Alameda, CA, 1997.

Sobre relaciones

BALDWIN BEVERIDGE, MARTHA, *Loving Your Partner Without Losing Your Self*, Hunter House, Alameda, CA, 2002.

BERKOWITZ, BOB; GITTINES, ROGER, *Lo que los hombres no dicen pero las mujeres deben saber*, Avon Books, Nueva York, 1990.

PERRY, SUSAN K., *Loving in Flow: How the Happiest Couples Get and Stay That Way*, Sourcebooks, Naperville, IL, 2003.

NORWOOD, ROBIN, *Las mujeres que aman demasiado: cómo cambiar nuestra manera de amar y así dejar de sufrir,* Zeta Bolsillo, Barcelona, 2012.

Sobre patología

BROWN, NINA W., *The Destructive Narcissistic Pattern,* Praeger Publishers, Westport, CT, 1998. (Sobre el trastorno de la personalidad narcisista).

HAMPTON, WILLIAM H.; SMITH, JAMES C.; BURNHAM, VIRGINIA S., *The Two-Edged Sword: A Study of the Paranoid Personality in Action,* Sunstone Press, Santa Fe, NM, 2003. (Sobre el trastorno de la personalidad paranoica).

HARE, ROBERT D., *Sin conciencia: el inquietante mundo de los psicópatas que nos rodean,* Paidós, Barcelona, 2009. (Sobre el trastorno de la personalidad antisocial y la psicopatología).

KREISMAN, JAY; STRAUS, HAL, *I Hate You Don't Leave Me,* Price, Stern, Sloan, Naperville, IL, 1989. (Sobre el trastorno de la personalidad límite).

Sobre enfermedades mentales crónicas

MATSAKIS, APHRODITE, *I Can't Get Over It: A Handbook for Trauma Survivors,* New Harbinger Publishers, Oakland, CA, 1996. (Sobre el trastorno de estrés postraumático).

MONDIMORE, FRANCIS MARK, *Bipolar Disorder: A Guide for Patients and Families,* The Johns Hopkins University Press, Baltimore, MD, 1999. (Sobre el trastorno bipolar y trastornos de carácter cíclico).

OSBORN, IAN, *Tormenting Thoughts and Secret Rituals: The Hidden Epidemic of Obsessive-Compulsive Disorder,* Dell Publishing, Nueva York, M.D., 1998. (Sobre el trastorno obsesivo-compulsivo).

TORREY, EDWIN FULLER: *Superar la esquizofrenia: la guía indispensable para la enfermedad más incomprendida de nuestros días,* Planeta, Barcelona, 2006. (Sobre esquizofrenia).

Sobre adicciones

BILL, W., *Los doce pasos: del libro Los doce pasos y las doce tradiciones,* Avilés, Servicio General de Alcohólicos Anónimos de España, D.L. 1992.

CARNES, PATRICK, *Don't Call It Love,* Bantam Books, Nueva York, 1991. (Sobre adicciones sexuales).

Friends in Recovery, *Twelve Steps for Adult Children,* Recovery Pub, 1996.

NAKKER, CRAIG, *The Addictive Personality: Understanding the Addictive Process and Compulsive Behavior,* Hazelden Information Education, Minneapolis, MN, 1996.

Páginas web

- Dónde acudir en caso de malos tratos: http://www.nodo50.org/mujeresred/violencia-dondeacudir.htm
- Bibliografía sobre violencia de género, libros de consulta, etc.: http://www.nodo50.org/mujeresred/violencia-bibliografia.html
- Actuación en salud mental en mujeres maltratadas: http://www.guiasalud.es/GPC/GPC_470_maltratadas_compl.pdf
- Red estatal de organizaciones feministas contra la violencia de género: http://www.redfeminista.org/
- Plan nacional de sensibilización y prevención de la violencia de género: http://www.msssi.gob.es/ssi/violenciaGenero/Documentacion/medidasPlanes/DOC/Plan_nacional_sensibilizacion_prevencion_violencia_genero.pdf
- Plan de atención mujeres on line: http://www.mujeresenred.net/spip.php?article1688
- De la invisibilidad de la violencia: http://www.juridicas.unam.mx/inst/evacad/Eventos/2012/0302/doc/20120727-5.pdf
- Web de recursos de apoyo y prevención de malos tratos: http://wrap.seigualdad.gob.es/recursos/search/SearchForm.action
- Enciclopedia de trastornos mentales: http://amentia-psychiatric.foroactivo.com/t2-enciclopedia-de-trastornos

Índice analítico

Índice